Tamara Maître-Guide

Textes reçus par
Brigitte Lamarre

Copyright ©2001 Brigitte Lamarre
Copyright ©2001 Éditions AdA Inc.

Tous droits réservés. Aucune partie de ce livre ne peut être reproduite sous quelle que forme que ce soit sans la permission écrite de l'éditeur sauf dans le cas d'un critique littéraire.

Correction : Maryse De Meyer
Révision : Denise Pelletier, Sébastien Rougeau
Typographie et mise en page : François Doucet, Sébastien Rougeau
Graphisme de la page couverture : Carl Lemyre
Illustration de la page couverture : Michel Limoges

ISBN 2-89565-025-X
Première impression : 2001
Dépôt légal : troisième trimestre 2001
Bibliothèque Nationale du Québec
Bibliothèque Nationale du Canada

Éditions AdA Inc.
1385, boul. Lionel-Boulet
Varennes, Québec, Canada, J3X 1P7
Téléphone : 450-929-0296
Télécopieur : 450-929-0220
www.ada-inc.com
info@ada-inc.com

Diffusion

Canada :Éditions AdA Inc.
France : D.G. Diffusion
Rue Max Planck, B. P. 734
31683 Labege Cedex
Téléphone : 05-61-00-09-99
Suisse : Transat - 23.42.77.40
Belgique : D.G. Diffusion - 05-61-00-09-99

Imprimé au Canada

Participation de la SODEC.
Nous reconnaissons l'aide financière du gouvernement du Canada par l'entremise du Programme d'aide au développement de l'industrie de l'édition (PADIÉ) pour nos activités d'édition.
Gouvernement du Québec - Programme de crédit d'impôt pour l'édition de livres - Gestion SODEC.

Catalogage avant publication de la Bibliothèque nationale du Canada

Tamara (Esprit)

Tamara, maître-guide : connaître les outils qui nous mènent à la libération et à l'ascension
ISBN 2-89565-025-X

I. Écrits spirites. 2. Autonomie (Psychologie). 3. Âme - Ascension. I. Lamarre, Brigitte II. Titre.

BF1302.T35 2001 133.9'3 C2001-941237-1

Remerciements

Je tiens à remercier chaleureusement
tous ceux et celles qui m'ont permis
de réaliser ce livre, autant mes enfants,
mes amis(es) que mon directeur de transe.

Remerciements sincères à toutes les participantes et
tous les participants des ateliers-rencontres,
sans qui ce livre n'existerait pas,
pour leur présence et leur soutien.

Et, pour celle qui aurait dû être citée en premier lieu,
un merci tout particulier à Tamara
de m'avoir choisie pour être son canal et son porte-parole.

Sommaire

Introduction

Introduction

De nos jours les enseignements spirituels foisonnent de toutes parts. Ceci est signe d'un grand besoin que l'homme exprime en se recherchant lui-même et en tentant de découvrir un sens à sa vie. Le temps de redonner sa beauté première à notre planète, d'ouvrir nos consciences, de réaliser nos potentiels Divins et de les vivre, est maintenant venu.

Ce sont les raisons pour lesquelles, au cœur des Laurentides, à Sainte-Agathe-des-Monts, depuis le printemps 1998, sont reçues, lors de rencontres-ateliers, les connaissances d'un Maître Spirituel bien spécial.

Tamara représente une Source Spirituelle comportant cent quarante-quatre consciences qui se sont unies afin de transmettre, sur Terre, des connaissances dans le but d'aider tous les humains à développer une autonomie complète, autant au point de vue spirituel, émotionnel que matériel.

Ce livre est une compilation de tous les ateliers-rencontres offerts par *Tamara*. C'est ainsi qu'elle désire transmettre ses informations au plus grand nombre de personnes, à travers toute la planète. Chaque mot, chaque phrase a été choisi, par *Tamara*, afin de déclencher dans vos inconscients une réaction pour leur permettre une libération.

Il peut vous sembler parfois que le texte n'est pas constant, mais ceci a un but précis. Elle a même inventé certains mots qui ne se retrouvent pas dans le dictionnaire, mais par leur résonance vous pourrez facilement en comprendre le sens.

Tout au long de votre lecture, vous vivrez auprès de cette entité un voyage vers un niveau de conscience qui tend à vous préparer pour le but ultime de l'Ascension. C'est avec une grande simplicité et un humour Céleste, que *Tamara* vous guidera sur le chemin de la Conscience.

Comme tous ceux qui sont venus à la rencontre de *Tamara*, lors de votre lecture, vous ressentirez sans doute sa présence, son énergie et son dynamisme, puisque ce Maître-Guide manifeste sa Présence dès que vous êtes auprès de lui, que ce soit en personne ou sous la forme d'une lecture.

Afin d'identifier *Tamara*, nous parlons d'elle au féminin, car il est question d'une entité spirituelle. Ce féminisme n'est donc pas orienté ou associé à une sexualité quelconque.

D'atelier en atelier, *Tamara* nous a fortement suggéré de nous réunir en petit groupe, afin d'étudier en profondeur les informations qu'elle nous a diffusées. Si vous choisissez de parcourir ces textes sous la forme d'une étude ou d'une recherche, vous vous rendrez rapidement compte que chaque phrase comporte une quantité de messages impressionnante.

Le fait de vous unir à d'autres personnes pour faire l'étude de toutes ces informations vous permettra aussi de recueillir des avis différents et d'ainsi augmenter votre ouverture d'esprit pour comprendre tous ces messages, sous les trois différents angles, soit celui du corps, celui de l'âme et celui de l'esprit.

Il est maintenant temps pour moi de vous laisser parcourir le monde magique de *Tamara*. J'espère que cette lecture sera pour vous une source d'éveil et le début ou la poursuite d'une expérience extraordinaire.

Je vous souhaite un très bon voyage au pays de

Tamara

I

L'*auto-orientation*

L'auto-orientation

L'auto-orientation est en quelque sorte le contraire de l'autodestruction. Nous aurions pu appeler cette rencontre : Quête vers le cheminement de l'Éveil Spirituel. Cependant ces termes ont une connotation égotique déplaisante car, dans tout cheminement spirituel réel la simplicité et l'humilité doivent être de mise.

Nous vous raconterons donc, étape par étape, quelle est la voie à suivre pour atteindre une auto-orientation complète. Disons de prime abord, que si de telles informations sont diffusées sur Terre, c'est pour réussir à désagréger l'égrégor d'énergies négatives que les grandes religions ont créé. Par ce fait, elles ont enlevé le pouvoir spirituel de la réalisation entière aux êtres humains et par le fait même ceux-ci ont perdu leur potentiel en remettant ce pouvoir aux églises.

Les églises ont fait en sorte d'apporter la culpabilité, d'apporter la notion de péché, d'enfer et de noirceur afin d'affaiblir la Volonté humaine. Toutes ces punitions sont une création purement humaine, car dans les Plans élevés rien de tout ceci n'existe. L'enfer est à l'intérieur de l'être humain qui est esclave de ses besoins primaires, qui est esclave de son émotivité, qui est esclave de son incapacité d'être libre, d'être un, d'être uni à Dieu et d'être en Lui.

Conséquemment sur la planète tout entière, depuis quelques années, les messages sont diffusés, autant par l'écriture que par la parole. Chose certaine, nous sommes présentement au début d'une Ère nouvelle où l'homme se libère, où il crée dans la matière ce qu'il pense et ce qu'il désire. Pensez négativement et vous recevrez votre dû. Pensez positivement et vous recevrez votre dû aussi. L'homme devient conscient de son potentiel de création et doit par le fait même en devenir responsable. Il doit apprendre à faire des choix selon son cœur et non selon ses besoins.

Partant de ces informations, voyons comment vous pouvez développer l'auto-orientation. Un exercice simple au départ vous aidera à mieux comprendre et ressentir votre potentiel. Visualisez simplement une immense lumière. Immense lumière qui contient en elle toutes les couleurs. La couleur étant en quelque sorte la résonance vibratoire des nombres, et les nombres, l'étude des nombres, étant la clé de la compréhension de toutes les énergies.

Cette lumière a en elle la vie et par conséquent possède le mouvement, de sorte qu'elle tourne sur elle-même. Elle est en forme d'œuf qui est placé dans le sens horizontal. Cette lumière est l'Amour Pur, est la Volonté Pure. Elle est la Sagesse, la Liberté, l'Humilité, la Beauté, et l'Intelligence Pure. Cette lumière, en fait, vous pourriez la dénommer Dieu, puisqu'Il est en elle et qu'elle est en Lui.

Imaginez maintenant que des fils pendent sous cette immense lumière. Des fils laissant couler en eux la Quintessence de la lumière elle-même. Au bout de ces fils se situent des milliers d'autres petits œufs, d'autres petits œufs de forme ovale, qui sont dans le sens vertical cependant, cette fois-ci.

Vous comprendrez bien que ces petits œufs ovales ont exactement la même puissance et les mêmes capacités que la matrice de laquelle ils sont émis. Ces petits œufs ovales sont l'Esprit de tous les êtres humains engendrés sur Terre. Ils sont reliés à la Source, au Père par ce cordon lumineux. À l'instant présent, vous êtes en mesure de réaliser qu'à l'intérieur de chacun de vous, vit le Père, vivent les neuf Principes, les neuf Puissances qui régissent l'Univers tout entier.

Ces neuf grands Principes qui composent l'équilibre même de la Vie sont la volonté, la sagesse, l'intelligence, la grâce, la justice, la beauté, l'équilibre, la vérité et le respect. Vous devez comprendre ces Puissances dans leurs Essences Divines Pures, car c'est au travers d'elles que Dieu a créé tous les Univers et l'Homme.

Pour entourer ce petit œuf ovale, pour entourer l'esprit, afin qu'il puisse vivre dans un corps humain l'âme a été créée. L'âme est une
source vibratoire, est donc invisible à l'œil humain. Elle est en quelque sorte comme un tissu qui s'est créé partant des besoins d'expériences de l'être humain. Un tissu qui s'est créé à travers les gammes émotionnelles que les êtres humains ont choisies, en toute conscience, d'incarnation en incarnation d'expérimenter dans le plan physique. Un tissu qui, graduellement, au cours des âges, est devenu de plus en plus opaque.

L'Âme est en quelque sorte le corps de l'Esprit. Elle est située dans votre poitrine, du côté du cœur, à environ deux pouces au-dessus du mamelon gauche, vers le centre du corps. Cette masse pèse deux onces et demie et après la mort du corps physique, s'il est bien pesé, vous pourrez prouver scientifiquement que le corps vient de perdre ces quelques deux onces et demie.

Le corps physique est créé de façon à correspondre exactement à la vibration de l'âme. À chaque réincarnation, un nouveau corps physique se développe conséquemment aux expérimentations émotionnelles que l'être aura réalisées, selon les fréquences nouvelles de son âme.

Tranquillement, au cours des années, l'âme s'allégera entre chaque régression dans un corps physique, selon la Volonté de l'homme d'accéder à sa Divinité et de la manifester dans la matière. L'âme et l'esprit régressent en quelque sorte lorsqu'ils viennent habiter un corps humain. Ils régressent dans le sens qu'ils s'éloignent de leur pouvoir Divin en déniant leur immortalité. Pourtant, l'expérience humaine a été conçue de façon à augmenter ce Pouvoir Divin et retrouver l'immortalité.

Le but de l'incarnation humaine est de spiritualiser la matière afin de pouvoir élever le taux vibratoire du corps physique pour qu'il ascensionne à travers l'Essence de l'Esprit, sans la nécessité de l'âme. Car l'âme en quelque sorte, protège le corps physique de la vibration trop élevée que possède l'Esprit, et elle permet au corps physique d'être fait de matière plus lourde et de vivre sur Terre. Cependant, lorsque l'Esprit devient plus conscient de sa Divinité, les ondes du corps s'allègent à un point tel que l'esprit peut habiter le corps physique sans la nécessité de l'âme.

Lorsque vous avez ascensionné, l'esprit habite directement votre corps physique, c'est ce qui explique qu'un être ascensionné a un rayonnement aussi lumineux. L'enveloppe de l'esprit ne sera donc plus nécessaire.

Le but de l'existence terrestre n'est donc pas d'accumuler des biens matériels, d'accumuler des beautés physiques, des chirurgies plastiques, des maisons, des fortunes matérielles, et tout ce qui s'en suit. Le but réel de l'incarnation humaine est d'apprendre, de réapprendre, les neuf Principes et de les appliquer dans la matière afin de devenir porteure de l'Essence Divine.

Jéshua de Nazareth, celui que vous appelez le Christ, est venu vous apporter ces messages, mais Il n'a pas été le seul. De

Grands Maîtres bien avant Lui avaient vécu cette Voie. De Grands Maîtres bien après Lui l'ont vécue, et d'autres viendront encore dans le futur suivre ce chemin Christique. Vous pouvez tous atteindre cet état christique en devenant conscients de qui vous êtes.

Revenons maintenant au point de départ pour bien comprendre comment fonctionne l'auto-orientation. Vous devez réaliser qu'en vous vit l'Esprit Saint, que l'esprit fonctionne à l'intérieur du respect des neuf Principes et que l'esprit possède entièrement, en lui, les neuf Principes de Vie.

Il vous faut par votre réflexion intellectuelle, créer une ouverture dans votre cerveau, au niveau du lobe droit, afin d'amener l'entrée de ces informations dans votre être. Cet état de conscience qui vous permet d'intégrer ces neuf Principes se vit par l'intermédiaire des plus beaux outils que l'homme a reçus qui sont le don de l'Intelligence et de la Compréhension, ainsi qu'avec le deuxième don que l'homme a reçu et qui est la Parole. Pour, par la suite, se vivre à l'intérieur du troisième don qui est la Vue, et finalement par le quatrième don le Toucher. Tous ces dons se concrétisent sous la forme de l'Énergie pure.

Vous avez en quelque sorte par la connaissance intellectuelle, par l'intégration intellectuelle, par la compréhension, par la réflexion et l'analyse intellectuelles, à détricoter votre âme afin qu'elle s'allège et se nettoie. Tout ceci se vit en prenant conscience à tout moment de qui vous êtes, de ce que vous dites et de ce que vous faites. Vous avez donc à prendre le contrôle de vos inconscients pour qu'ils deviennent Conscience Pure. En vivant et en intégrant entièrement les neuf Principes, vous atteindrez la perfection et donc naturellement l'Ascension.

Quels sont les mots à utiliser ? Quelles sont les phrases à utiliser et à bien comprendre pour obtenir ce que vous désirez afin d'auto-orienter votre vie ? L'esprit humain, en parlant ici de l'intelligence du conscient et de l'inconscient, procède par trois grands principes. Par, le principe de la Demande, par le principe du Remerciement ou par le principe de la Commande. Expliquons, à nouveau, chacun d'entre eux en spécifiant qu'il est très important que vos demandes soient composées de mots **exclusivement** positifs.

Si vous utilisez le premier principe qui est la Demande dans vos prières avec la négation voici ce que cela donnera. « Je demande maintenant à l'Univers **de ne plus** vivre dans la pauvreté ». Vous venez de vous attirer une pauvreté de plus en plus grande à chaque instant de votre vie, car toute parole dite est multipliée par dix dans l'Essence de l'Esprit que vous possédez.

Tout ce que vous dites, tout ce que vous pensez est constamment multiplié par dix dans l'Œuvre de l'Esprit que vous possédez en vous. Si vos phrases sont négatives, si vous dites « Je remercie l'Univers de m'avoir accordé le don **de ne plus** fumer », vous allez en boucaner une et une autre, et vous ne pourrez cesser de fumer. Et vous vous direz « Aucune prière ne fonctionne, qu'est-ce que c'est que ces histoires de spiritualité. C'est faux ». Et pourtant en réalité, vous aurez reçu à la lettre ce que vous aurez demandé.

Si vous utilisez la voie du Commandement. « Je commande au Dieu Tout-Puissant à l'intérieur de moi, de m'aider à **ne plus** boire d'alcool maintenant », vous vous assurez de ne pas être capable de cesser de boire, et de ne point arriver à être sobre, car vous aurez commandé le **ne plus.** Le **ne plus** signifie à votre inconscient que vous avez peur de changer et que vous ne désirez pas le faire.

L'Inconscient est imbécile, l'Inconscient est inconscient. Mais vous pouvez faire de lui votre plus grand serviteur, car tel est son désir. L'homme a créé l'inconscient lors de la période où il habitait la Terre de Pan. À cette époque il ne pouvait supporter le déniement de la Volonté qu'il vivait. Alors afin de pouvoir survivre à l'éloignement de son être profond, il a créé ce système de fuite. Et le jour où vous n'aurez plus besoin des services de cet outil, vous aurez atteint la Libération. L'Inconscient sera devenu Conscience.

Apprenez dès à présent que chacune de ces prières est de plus en plus puissante, selon leur ordre. La Demande est la plus réservée des prières que vous pouvez faire. Le Remerciement est moins réservé et plus affirmatif vers la réalisation de vos objectifs. Et le Commandement est le plus direct et possède la plus haute fréquence vibratoire dans la réalisation de ce que vous désirez.

Malheureusement, l'être humain a peur de commander, a peur de dire « Seigneur Dieu Tout-Puissant guéris, guéris maintenant mon corps et mon âme, guéris, je te le commande, car c'est le droit de Dieu de guérir ». Cette prière a été utilisée par tous les Grands qui ont vécu sur votre planète, tels Joseph Ben Joseph, Jéshua et bien d'autres. C'est aussi la prière des Archanges et des Anges en plus de très nombreux Maîtres Spirituels.

L'être humain a peur de commander, a peur de s'imposer, car les églises lui ont dit qu'il était un pêcheur. Elles ont transformé les prières des Maîtres, ont même intégré dans le Notre Père la peur de succomber. Elles ont mis dans le Je vous salue Marie, la bassesse « Priez pour nous, pauvres pêcheurs ». Tout ceci afin de maintenir esclaves de leurs doctrines, de leurs imposantes structures, les petits êtres humains dans le but de mieux contrôler les politiques sur Terre.

Heureusement, Nous le disons, les églises perdent de leurs pouvoirs, et l'Homme retrouve sa force. Les enseignements des Grands Maîtres, tels que ceux que Jéshua de Nazareth a reçus, sont en train de revenir sur terre pour ne former qu'une seule et très grande Église, qui sera tout simplement la Liberté de l'Homme d'être Divin et de manifester cette Divinité.

Illustrons un peu comment fonctionnent les prières, imaginez ceci. Une belle grosse madame qui se prélasse dans son « lazy-boy » devant son téléviseur et qui décide tout d'un coup de faire un cheminement spirituel. Elle a entendu dire par l'une de ses voisines que les prières marchaient et qu'elle n'aurait aucun effort à faire. Comme elle a tenté plusieurs régimes qui n'ont pas fonctionné, bien entendu, elle dit « Voilà la voie facile, je vais prier : Dieu Tout-Puissant, je te commande de m'aider à maigrir immédiatement ».

Elle fait ses prières, se recueille et en allant à l'épicerie, s'achète une caisse de liqueurs douces, dix sacs de chips, trois boîtes de chocolats, des petits biscuits, des belles viandes raffinées, de la crème, sans oublier les deux livres de sucre blanc, bien entendu. Et elle dit « Je vais mettre tout ceci dans mon garde-manger, au cas où les prières ne fonctionneraient pas ».

Et voilà l'autre qui fait la prière de Remerciement. Une très belle jeune dame, toute vêtue de noir, qui dit le soir avant de fermer ses jolis yeux bleus « Je remercie l'Univers de m'aider à cesser de fumer, de m'aider à me départir de la nicotine ». Le lendemain matin, à son réveil, elle envoie son ami de gars quérir un paquet de cigarettes chez le dépanneur au cas où la prière ne fonctionnerait pas.

Et que dire du troisième qui dit « Je demande à l'Univers de m'apporter richesses et prospérité afin que je puisse réaliser mes désirs les plus chers ». Gentil homme d'affaires à qui le lendemain matin on demande « Pourriez-vous me donner 0,25¢ pour que je fasse un appel téléphonique » et cet homme d'affaires pense dans sa tête « Si je lui donne, il manquera 0,25¢ au 1 854 032 $ que je désire obtenir » et il refuse ce don.

Voilà les trois façons idéales de mettre toutes vos prières directement aux vidanges. Vous devez, bien entendu, faire des efforts et persévérer dans la voie que vous aurez choisie. L'auto-orientation signifie, acquérir la discipline pour contrôler et pour neutraliser votre inconscient. Il vous faut être constant et avoir la foi, donc vous n'agirez pas en sens contraire à vos prières. Vous devez devenir **responsable** de vos choix, et agir en fonction d'eux.

Un autre outil très intéressant peut être utilisé pour vous aider à devenir conscients, et il est enseigné par les Grands Maîtres. Autant par les Mages, par l'Enseignement des Druides, que par les Maîtres de la Fraternité Blanche et les Maîtres de Melchisédech, c'est l'Écriture. À l'instant même où vous possédez une pensée négative, une pensée qui n'est pas dans l'Ordre Spirituel, écrivez-la sur un papier.

Imaginez que vous êtes en train de discuter avec des gens, et que l'un d'entre eux sort une stupidité quelconque, vous pensez immédiatement « Mon Dieu, qu'il est épais cette espèce de dingue ». Inscrivez-le immédiatement sur votre petit calepin, et écrivez en dessous « Cet homme agit selon sa capacité Divine, et je l'accepte tel qu'il est ». Reprogrammez ainsi immédiatement toutes les pensées négatives qui vous habitent.

Ceci vous demandera l'humilité de transporter votre petit calepin, de l'ouvrir devant les gens, et l'humilité ainsi acquise est équivalente à une année entière de travail. Chaque phrase que vous reprogrammerez en lumière, chaque phrase que vous bénirez représente l'accélération d'une année de travail et de cheminement. Vous ne devez pas penser que de vivre dans l'auto-orientation exigera cinquante ou cent ans de labeur intense.

Déjà le premier jour, déjà l'instant présent où vous dites « Je choisis maintenant de devenir libre, je choisis d'auto-orienter ma vie », vous venez de détruire la membrane du temps. Vous venez de permettre au temps de ne plus exercer de fonctions dans votre vie. Vous venez de dissoudre le temps et d'apprendre à faire du temps avec le temps que vous vivrez.

L'auto-orientation demande aussi une très grande discipline pour devenir et être à votre écoute, car plus vous avancerez dans l'auto-orientation, plus vous créerez immédiatement dans la matière ce que vous aurez semé par vos pensées, à un point tel que vous pourrez mourir d'une niaiserie. Obtenir la maîtrise de soi est un travail de chaque seconde. Un exemple métaphorique serait « Tu vas me faire mourir de raconter de telles choses » et bang ! Ceci est un exemple très farfelu et très exagéré, mais Nous tentons de vous faire comprendre la puissance des mots. Chaque mot représente une fréquence vibratoire numérique excessivement précise et déclenche une action immédiate dans l'Univers.

L'étude de la numérologie (la science des nombres) et les études des mathématiques quantiques sont deux sources importantes d'outils dans votre cheminement, si vous désirez mieux comprendre la puissance vibratoire des lettres, des mots ou du Verbe. Le Verbe reprend sa puissance sur Terre, tel que Dieu l'avait proclamé.

L'être humain a toujours pensé, grâce aux églises et grâce à l'église Catholique en particulier, qu'heureux étaient les pauvres d'esprit. Qu'heureux étaient ceux qui ne réfléchissaient pas ! Heureux pour ces églises, car l'église les manipulait ainsi et pouvait faire accroire aux hommes ce qui lui semblait bon.

Mais il vous faut comprendre qu'à ce tournant du siècle, qu'au moment où un autre Messie vient, qu'au moment où l'être humain reprend enfin son autonomie Christique et devient libre, il vous faut utiliser votre intelligence et votre discernement à partir du ressenti de votre cœur.

Utiliser l'Intelligence vous aidera aussi, si vous l'utilisez afin de discerner le moins bien du bien. Car le mal n'existe pas. Vous aidera à développer l'écoute intérieure, appelez-la l'Intuition de la Voie Divine, que votre esprit ouvrira devant vous. Réalisez bien ceci, votre esprit est un Pétale de Rose faisant partie de la Rose-Mère qui est Dieu. Ce Pétale de Rose blanche sent aussi bon que la fleur tout entière et est aussi doux que celle-ci.

Il est aussi beau que la fleur tout entière, mais il est entouré d'un fil, un peu comme un coton à fromage, que vous devez déficeler. Autrement dit, plus vous déprogrammerez ou effacerez sur la bande magnétique de votre âme les fréquences de bas niveau, plus la fréquence vibratoire de votre corps s'élèvera, plus l'Esprit Divin que vous êtes habitera chacune des parcelles de votre corps.

Bientôt, tous autant que vous êtes, vous pourrez par vos yeux guérir, apporter la paix, apporter la joie. Vous pourrez par vos paroles répandre le bonheur, apporter la libération, apporter l'abondance. Vous pourrez répandre par vos mains, les mêmes cadeaux Divins que vous posséderez.

Tous autant que vous êtes, vous pourrez diviniser vos cultures, diviniser chacune des semences de vos jardins, qu'elles soient physiques ou spirituelles. Pourrez, par le simple désir de votre pensée, transformer de l'eau en vin dans des cruches, multiplier les pains pour nourrir vos frères, mettre des pommes sur vos tables.

L'antiloi de l'auto-orientation est l'égoïsme, l'orgueil. « Je suis devenu un Maître ». « Je possède les connaissances spirituelles et je les applique dans ma vie ». La vantardise est le lot des immatures. Cet être vaut moins que le dernier, car il s'est vanté de son cheminement, car il n'arrive même pas à la cheville de celui qui ne sait encore rien. Prenez exemple sur le Christ, s'est-il déjà vanté à qui voulait l'entendre qu'il était un Maître, non.

Et lorsqu'on parle d'une injustice, qu'il vous semble que c'est une injustice, vous vous enragez et vous émanez de la colère. Ceci est aussi très loin des attitudes qu'un être conscient devrait avoir. Vous devez apprendre à être posés et à réfléchir avant d'agir. Très souvent les gens émanent de la haine envers d'autres personnes seulement parce que quelqu'un leur a parlé contre eux. Ils n'ont même jamais vécu de relation directe avec cette personne. Il la déteste tout simplement, parce que leur ami a souffert.

Plus vous deviendrez libres, plus vous deviendrez Maîtres, plus vous devrez être sévères avec vous-mêmes. Plus vous devrez respecter les douze Lois dont la première de toutes est, Tu ne mutileras point. Ne point mutiler veut dire, ne prendre dans sa main que ce qui peut être pris par sa main. Avez-vous déjà tenté d'arracher une tranche de steak sur la fesse d'une vache pour la manger ? Avez-vous tenté, par votre main, d'obliger votre conjoint à vous aimer ?

Comprendre les Lois Spirituelles, ne point juger, et les dix autres Lois, que Nous tairons afin de stimuler votre besoin d'apprendre, est une chose essentielle au cheminement vers la Liberté. Bien sûr, à l'époque, les Grands Maîtres vivaient des Initiations extrêmes, enterrés dans un cachot sous terre, à jeun pendant sept jours, pour vivre la mort de l'ego. C'était bien effrayant. Pourtant, dans le monde d'aujourd'hui, vos pénitences sont bien plus épouvantables.

Vous vivez enfermés sur vous-mêmes trois cent soixante-cinq jours par année. Vous ne vous connaissez pas, vous avez peur de vous-mêmes, car vous craignez qu'en vous dévoilant aux autres vous soyez punis ou tués. Tel que les grandes églises vous l'ont appris, vous craignez de rencontrer la méchanceté en vous, le diable qui détruit tout. Vous restez donc renfermés sur vous-mêmes, ayant peur de déranger autour de vous.

Voyez-vous, il y a trois sortes de races d'humains. Il y a ceux qui ne savent pas que les autres existent. Qui ne savent pas que les autres ont des sentiments et des émotions, et qui dirigent leur vie dans la réponse de leurs petits besoins égocentriques !

Il y a le second groupe, qui est formé de ceux qui se doutent bien qu'il se passe quelque chose, ceux qui ont l'impression qu'il se passe quelque chose, quelque part. Qui se nourrissent d'ateliers, de livres de toutes sortes, qui apprennent par cœur les mots exacts à dire. Qui utilisent quasiment le langage de Jésus, mais qui rendus chez eux, fument, boivent, mangent de la viande, insultent les autres, regardent des films pornos, etc. Volent le voisin, jurent contre tout le monde. Ils sont bien beaux à l'extérieur ceux-là, mais vides à l'intérieur.

Et il y a le troisième groupe, formé par ceux qui sont en Éveil. Ceux-ci représentent en ce jour environ douze pour cent des humains sur Terre. Ceux-ci désirent sincèrement cheminer, désirent sincèrement déficeler l'écrin de leur âme, désirent sincèrement atteindre le bonheur dans l'extase de la Liberté et font ce qu'ils ont à faire.

Ceux-ci, la grande majorité d'entre vous en font partie. La façon de reconnaître ce troisième groupe c'est tout simplement par la simplicité de leur être. Ils peuvent bien être millionnaires, ils peuvent bien être pauvres, mais ceci a très peu d'importance pour eux. Ce qui est important pour eux est qu'au moment où ils se retrouvent seuls dans leur grotte, ils se sentent unis au Pouvoir de Dieu et font en sorte que leur vie soit une quête, une Quête Spirituelle vers la Liberté. L'Initiation est, en quelque sorte, chaque instant de leur vie vécu dans la conscience.

La dernière façon d'utiliser l'auto-orientation est d'examiner ce qui vous arrive, d'observer les coïncidences. Est d'étudier ce qui vous arrive, sous trois angles différents et de faire taire votre mental. Par exemple, vous roulez à cent vingt kilomètres à l'heure sur l'autoroute. Vous êtes en train de penser « Je suis pressé, il ne faudrait pas qu'un policier arrive » et le voilà qui arrive. Il vous donne deux cents dollars et quelques sous de contravention.

Et voilà votre petit week-end en l'air. Il repart et vous dites « l'écœurant ». Réfléchissez un peu. Premièrement, réflexion du coté corps, pourquoi suis-je allé si vite ? Qu'est-ce que j'ai besoin de fuir autant ? Pourquoi ai-je besoin de répondre à l'image d'une personne qui est toujours à l'heure ? Pourquoi ai-je besoin de toujours courir pour être à temps ?

Deuxième réflexion, côté âme (émotion). Pourquoi suis-je en maudit contre ce policier ? Pourquoi suis-je en maudit contre moi-même ? Pourquoi est-ce que je juge ce policier avec autant de sévérité ? Pourquoi ai-je eu envie de déchirer cette maudite contravention ? Étudiez les émotions que la situation vous a fait vivre.

Ensuite, accédez au troisième questionnement, celui de l'esprit. Quelle est la leçon que je reçois dans le moment présent ? Ai-je à apprendre à faire chaque chose en son temps ? Ai-je à apprendre que la vie me protège par cet arrêt ? Réfléchissez !

Chacune de ces trois étapes, le corps, l'âme et l'esprit, devrait représenter trois autres sous-questions. Ce qui vous fera neuf réflexions différentes en tout et vous aidera grandement à atteindre la Libération en devenant conscients.

Dites-vous bien ceci, peut-être que ce policier qui n'a même pas pris le temps de prendre son café afin d'être au bon moment pour vous arrêter, vient de vous éviter un accident dans lequel vous auriez probablement été gravement blessé ! Votre inconscient l'a appelé pour que vous réfléchissiez au sens de votre vie.

Apprenez à remercier l'Univers à tous les matins de l'abondance de la journée. Apprenez à remercier l'Univers à tous les soirs de l'abondance de la journée. Comprenez bien une chose. Aucune autre personne que vous-même ne pourra vous rendre libre, ne pourra vous faire évoluer spirituellement.

Aucun traitement de « oum-a-pathoum », aucun médicament, aucun traitement d'énergie ne vous libérera de vos tourments car, vous êtes les seuls et uniques Maîtres du Pétale de Rose que vous possédez. Vous êtes tous emmurés dans un écrin de verre transparent. Personne ne peut vraiment vous comprendre, personne ne peut vraiment vous connaître et personne ne peut vraiment communiquer avec vous, si vous n'avez pas déjà, au préalable, communiqué vous-même avec vous-même. Si vous ne vous êtes pas déjà compris et reconnus avant toute chose.

Vous ne pouvez connaître l'Univers si vous ne vous connaissez pas.

La meilleure façon de prouver ceci est de prendre une page de texte dans un livre au hasard. De la faire lire par douze personnes différentes, et de leur demander ce qu'elles ont retiré de cette page. Vous aurez douze réponses différentes. Vous êtes votre seul enseignant et le serez toujours !

Priez pour remercier l'Univers de l'abondance qu'il vous a donnée, et si vous entrez dans une bibliothèque et qu'un livre vous attire, n'allez pas dire « Ben non, je ne peux pas l'acheter, il va me manquer neuf piastres pour sortir ce soir ». Ce livre vous tombera dans les mains, car vous en avez réellement besoin au moment présent de votre cheminement.

De jour en jour ce Pétale de Rose à l'intérieur de vous embaumera votre esprit et votre corps afin que vous tendiez la main vers ce que l'Univers vous offrira. Cessez d'avoir peur, quatre-vingts pour cent de vos vies sont créées sur la peur. Quatre-vingts pour cent de vos pensées sont créées sur la peur.

Faites-vous une liste des peurs que vous possédez, sans vous mentir, bien entendu. Puis, pendant une période de sept jours, à tous les jours, écrivez une peur ou deux ou trois, peut-être une vingtaine. À la fin de ces sept jours, relisez-les et remerciez-les. « Je te remercie de l'expérience que tu m'as permis de vivre, maintenant je n'ai plus besoin de toi », et brûlez votre feuille. À partir de ce moment-là, autogérez votre orientation de vie personnelle. Devenez Maître à bord de votre vaisseau corporel et de votre vie tout entière.

Rendez-vous bien compte, réalisez l'importance de ce Pétale de Rose immortel qui vit en vous. Et agissez de façon à plaire à ce

Pétale. Consacrez votre vie à vous purifier, non pas pour plaire aux autres, mais pour vous plaire à vous-même. À tous les soirs, remerciez-vous des efforts que vous avez faits au cours de la journée. Une simple prière « Je remercie l'Être Divin en moi d'occuper de plus en plus de place, et je me remercie du cheminement et du bonheur que je me suis donné aujourd'hui ». Car personne d'autre que vous-même ne peut vous rendre heureux.

Illustrons ceci par une situation cocasse. Imaginez que vous préparez un très beau repas, un peu de vin, des épices fines, de la moutarde de Dijon. Que vous vous efforcez de préparer une très belle table, des fleurs, de la petite musique romantique, tout ceci dans le but de plaire à une autre personne.

Cette personne arrive, s'assied, commence à manger et s'étouffe. Elle devient de plus en plus rouge, de plus en plus enflée, elle était allergique à la moutarde de Dijon ! Ceci pour vous faire comprendre que vous ne pouvez pas rendre les autres heureux car, vous ne savez pas ce dont ils ont besoin, ils sont seuls à le savoir. Donner sans avoir demandé ce que l'autre veut vraiment apporte très souvent des déceptions et des peines.

Commencez par vous occuper de vous-même, et si quelqu'un vous propose une demande très claire, aidez-le. Ne l'aidez pas en lui donnant du poisson, aidez-le en lui apprenant à pêcher. Ne l'aidez pas en lui donnant cent dollars, aidez-le en lui faisant comprendre comment manifester l'argent dans la matière.

Vous pourriez lui donner cent dollars pour qu'il s'achète de l'épicerie, mais la semaine suivante, il sera autant affamé. Et si vous possédez trop de cent dollars, bâtissez un Temple, bâtissez un lieu d'Enseignement dans lequel vous ferez venir des enseignants, dans lequel un coût minimum sera exigé. Si vous n'acceptez aucune reconnaissance financière ou autre, vous n'aidez pas les gens à se réaliser dans leur spiritualité. Chacun vous apportera ce qu'il lui est possible de vous donner, et ainsi chacun deviendra responsable de sa propre vie.

C'est vous-mêmes les humains qui aviez décidé de créer l'argent. C'est vous-mêmes les humains qui aviez choisi de ne plus utiliser le troc car, vous trouviez injuste d'échanger un mouton contre une paire de bobettes. C'est votre problème désormais l'argent. Y a-t-il des questions ?

Participant : J'aimerais que vous développiez sur ce qu'est pour vous l'Humilité ?

Tamara : L'Humilité est premièrement l'acceptation entière de ce que vous êtes. L'Humilité débute par l'acceptation. Aujourd'hui, je suis ainsi, aujourd'hui j'ai tel défaut, aujourd'hui j'ai telle incapacité, et j'accepte d'être ainsi aujourd'hui.

L'Humilité est aussi le non-jugement. Vous n'avez pas à vous critiquer d'avoir été impatient aujourd'hui. Vous n'avez pas à vous critiquer d'avoir eu une mauvaise pensée. Vous n'avez pas à vous critiquer d'avoir eu un mauvais geste.

L'Humilité est l'acceptation de la situation, le non-jugement de la situation, et finalement la non-vantardise. « Je t'ai guéri par ce soin de Reiki ». Quelle grossière erreur ! L'être humble ne se vante jamais de ses réalisations humaines, car en tant qu'humain il n'a absolument rien fait. Tout ce que vous faites est par l'Essence Divine que vous possédez. Vous êtes un outil de Dieu.

Vous êtes un Pétale de Rose, et si quelqu'un vous dit « Je te remercie de m'avoir guéri », vous lui répondrez « Je ne t'ai point guéri, c'est toi-même qui t'es guéri au travers de ta Foi, au travers de ton désir ». « C'est toi qui t'es guéri au travers de ta simplicité ». Car les trois Lois de l'auto-orientation sont le Désir, la Foi et la Simplicité. Sans le désir, vous ne penserez pas à ce que vous voulez améliorer. Sans la Foi, vous ne vous améliorerez pas, et sans la Simplicité, vous vous compliquerez la vie.

Participant : Est-ce que l'Humilité doit nous faire accepter les injustices ? Devons-nous nous battre ou ne pas réagir devant ces injustices ?

Tamara : Absolument pas. Cependant, comme Nous vous l'avons expliqué un peu plus tôt, vous devez comprendre que chaque être humain est libre de se faire frapper sur le visage s'il le désire.

Vous devez comprendre en vous questionnant de neuf façons différentes, afin de découvrir quel était le but de l'événement que vous ressentez comme étant injuste. Ensuite, si vous voulez participer vraiment au changement de la planète pour que les injustices humaines cessent, vous ne devez jamais, cher ami, le faire par un combat ou même par la violence. Vous ne devez jamais vous battre. Vous devez simplement, par la rayonnance de votre être, dédramatiser la situation. La façon d'agir en présence d'une injustice, et après l'analyse par les neuf niveaux, est d'agir en temps que Conciliateur Divin.

Vous pouvez faire réaliser à tous et chacun la juste partie Divine de la situation, avec tout votre amour et un doigté céleste. Une injustice sur douze peut nécessiter une implication extérieure, c'est-à-dire, amener un conciliateur d'ordre psychologique ou juridique dans la situation. Les onze autres injustices sont là exprès pour faire évoluer l'être humain qui vit cette injustice ou qui en est le témoin, c'est le karma !

Si vous croyez une chose injuste, réfléchissez de neuf façons différentes et peut-être qu'à la fin vous réaliserez que ceci finalement n'était pas injuste. C'était dans l'Ordre Divin des choses. Bien sûr, il peut paraître épouvantable que des enfants subissent l'inceste ou soient assassinés. Bien sûr, il peut paraître épouvantable à vos oreilles, que Nous vous disions que tout ceci est parfait dans l'Ordre Divin des choses.

La Loi du karma s'appliquera sur Terre tant et aussi longtemps que l'esprit sera emprisonné dans la membrane de l'âme. Lorsque tous les humains sur Terre auront déficelé au moins un tiers de leur écrin, la Loi du karma n'aura plus d'effet ou du moins possédera de moins en moins de pouvoir sur l'homme.

Participant : Au niveau des prières et des demandes, quelles démarches peut-on faire ? Y a-t-il un rituel à suivre ?

Tamara : L'idéal serait tout simplement d'allumer un lampion, car là où un lampion est allumé, la présence des Maîtres et des Anges y est. Placez ce lampion de préférence sur un mur face à l'Est, car c'est par la porte de l'Est que l'Énergie émise par les Maîtres, donc Dieu naturellement, entre sur terre. C'est la voie de la naissance de tout, c'est la voie de la Vie.

Ensuite, concentrez vous et choisissez l'une des trois formes de prière, selon votre ressenti intérieur. Autrement dit, si vous avez l'impression que dans le moment présent c'est par la Demande que vous vous sentez le mieux, vous pourriez choisir de faire votre prière sous la forme de la Demande, et ainsi de suite.

Puis concentrez-vous, en faisant le vide à l'intérieur de vous, par sept profondes respirations, que vous faites de la façon suivante. Vous inspirez en comptant jusqu'à sept, vous retenez en comptant jusqu'à sept, et vous expirez en comptant jusqu'à sept, lentement. Ensuite, vous pourriez dire simplement « Je demande à l'Univers de m'éclairer sur le sens précis de mon existence et de guider mes pas », ou toute autre forme de demandes dont vous serez inspiré.

Si vous choisissez la forme de Remerciement, vous direz alors « Je remercie l'Univers de guider ma vie dans sa réalisation entière et de guider mes pas ». Ou, si vous choisissez la Commande, vous direz, « Je commande au Seigneur Dieu Tout-Puissant à l'intérieur de moi de guider mes pas. Je te le commande, car tu as la Puissance de le faire ».

Tout dépend naturellement de l'état intérieur dans lequel vous êtes. Si vous sentez que commander est un petit peu trop pour vous dans le moment présent, remerciez ou demandez. Prier de cette façon est l'idéal, cependant vous pouvez autant prier dans votre voiture, dans la salle de bain, dans un ascenseur ou partout où le désir de prier se fait ressentir en vous.

Cette rencontre arrive maintenant à sa fin. En dernier message, Nous vous disons ceci :

Visualisez bien la Rose en vous car,
la Rose est la fleur des Maîtres.

C'est pourquoi lorsqu'un Maître se manifeste sur Terre, il y a toujours une odeur de rose qui le suit dans son sillon ! Car la Rose a été mise sur terre pour vous rappeler Dieu et dites-vous bien que vous avez la Puissance de créer des Univers et qu'un jour ou l'autre, vous en créerez.

2

Comment découvrir son plan de vie

Comment découvrir son plan de vie

Nous tenterons au cours de ces rencontres de vous donner le maximum d'outils possible afin d'accélérer l'autonomie de vos personnes, afin de vous aider à mieux vous comprendre. De vous aider à mieux vous connaître. De vous aider à vous réaliser en tant qu'être Divin est aussi Notre source de motivation.

Dans le moment présent, un peu partout sur la planète, de tels enseignements sont propagés provenant de maintes sources. Le temps urge que chacun développe son autonomie entière et complète. Que chacun retrouve la confiance en lui. Que chacun se réalise dans le maximum de ses possibilités humaines et Divines, afin d'aider les autres et de s'aider lui-même, et de surcroît, développer l'autonomie entière.

Dans les temps venant, la Force et le Courage seront essentiels. Les événements se précipitent à une vitesse telle, que cela peut vous sembler un peu étourdissant. Dans les temps venant, d'autre part, les joies seront immenses, enfin la Lumière entrera dans la majorité des cellules de la Terre pour recréer la Vie en abondance.

Revenons, un petit peu, aux informations que Nous vous avons déjà offertes sur l'auto-orientation. Nous vous avons expliqué le cheminement que l'esprit devait faire afin d'entrer dans la matière, et habiter un corps physique. Nous vous avons parlé aussi des trois plans, celui du corps, celui de l'âme et celui de l'esprit. À partir de cette base, voyons comment découvrir votre plan de Vie. Dans l'Univers, rien n'est laissé au hasard, tout est entièrement étudié et planifié, et dans vos vies terrestres, c'est le même principe aussi, naturellement.

Voyons un peu ce qui se passe dans l'Histoire de la Vie. Après un décès, vous quittez ce corps physique et graduellement allez vivre certaines étapes afin de préparer la prochaine incarnation. L'incarnation présente étant intégrée, et après avoir franchi une série d'états préparatifs, vous êtes prêt à entrer dans une nouvelle vie physique.

Vous observez à l'intérieur de vous quelles sont les gammes émotionnelles que vous voulez vivre dans votre nouvelle incarnation. Au cours de ce voyage dans l'au-delà, vous ne choisissez pas un futur parent parce qu'il mesure six pieds, qu'il a une belle barbe et qu'il rit aux éclats. Mais vous les choisissez bien, autant votre père que votre mère, que la famille tout entière, pour l'apprentissage émotionnel, en premier lieu, qu'ils peuvent vous offrir selon ce qu'ils possèdent comme bagage d'expérimentation de vie.

Si vous avez à apprendre à vous occuper de vous par vous-même, vous choisirez un parent qui, dans ses émotions, ne pourra pas vous dégager beaucoup d'amour. Il ne pourra vous dégager beaucoup d'écoute. Il sera inattentif à vos besoins et vous serez plus souvent laissé à vous-même pour voir à votre propre survie.

Le premier choix que vous faites, dans la planification de votre future incarnation, est face à tout ce qui concerne l'apprentissage émotionnel que vous viendrez vivre auprès de votre mère et de votre père, ainsi que de votre famille immédiate. Vous planifiez même les possibilités d'adoption, sachant ainsi que vous vous joindrez à ceux que vous recherchiez, que ce soit pour une raison karmique ou autre.

La deuxième série de choix s'effectue en ce qui concerne la réalisation sociale en tant que telle, la profession, les aptitudes sociales, ainsi de suite. Ceci comporte aussi tout ce qui a rapport à l'apprentissage en tant que sociabilité, si vous voulez. C'est-à-dire que vous choisirez une mère qui aime l'écriture si vous souhaitez vous-même écrire. Ou vous choisirez une mère qui a un dédain complet de l'écriture pour que son dédain vous stimule à écrire.

Autrement dit, vous choisissez toujours vos parents, soit parce qu'ils vous offrent à la lettre ce que vous souhaitez apprendre ou qu'ils vous offrent le contraire complètement pour vous stimuler à l'apprendre. Tout dépendamment de votre personnalité. Est-ce plus facile pour vous d'apprendre en étant encouragé ? Ou est-ce plus facile pour vous d'apprendre en étant stimulé par le contraire ?

La deuxième période de choix étant faite, vous évaluerez finalement l'éveil spirituel, soit le choix au niveau de l'esprit. Vous regarderez si le parent peut vous apporter dans sa sagesse les besoins spirituels que vous avez, afin de vous réaliser. Vous regarderez s'il possède le contraire, s'il est complètement athée, si vous avez besoin de ce genre de stimulation.

Il peut vous sembler un peu bizarre que les choix face à la spiritualité soient les derniers, mais il vous faut comprendre que c'est par l'apprentissage des émotions que toute la base du cheminement spirituel réel se développe. Par la suite c'est dans l'encadrement social que les émotions seront vécues et les apprentissages de la personnalité se développeront à leur tour. Ces deux étapes sont le tremplin qui ouvrira la porte de votre spiritualité.

Ces trois étapes de choix seront faites à partir naturellement de la base que vous aviez provenant de vos vies passées. Exemple, suite à une série d'incarnations dans lesquelles vous avez développé l'ingénierie, vous venez sur Terre pour inventer une petite machine qui aidera beaucoup le genre humain. Vous venez sur Terre, pour vivre l'isolement affectif, vous venez sur Terre pour croître spirituellement.

Vous avez choisi ces trois grandes lignes, observé les trois points sur lesquels vous pouviez choisir vos parents et l'environnement parfait. Et lorsque tout a été bien choisi, vous avez débuté la préparation de la matrice qui vous accueillera dans les corps subtils de votre futur père et de votre future mère, afin d'entrer sur Terre.

Ceux d'entre vous qui n'aiment pas leurs parents auront beaucoup de difficultés à accepter que ce soit eux qui ont choisi eux-mêmes de venir auprès de tels parents. Vous n'avez pas choisi votre père parce qu'il était un bon gars jadis dans la taverne où vous veniez prendre un verre avec lui, lors d'une incarnation qui date de quelques centaines d'années.

Vous n'avez pas choisi votre mère parce qu'elle était une bonne confidente dans une vie passée non plus. Vous avez bel et bien choisi ces parents de façon à pouvoir vivre exactement, à cent pour cent la planification des trois plans que vous aviez choisis, étudiés et préparés dans l'Au-delà.

Voyons maintenant de quelle façon vous pouvez savoir quel est le plan de vie réel que vous êtes venu faire. Vous comprendrez que cette rencontre se veut un petit peu exigeante au niveau des exercices que vous aurez à faire. Mais le Cheminement Spirituel réel, impose une Volonté, impose des exercices, impose des choix, impose des efforts à toute minute, impose une structure, comme Nous vous l'avons déjà un peu exprimé.

Établissons maintenant ensemble le triangle duquel vous êtes issu. Vous êtes une entité née d'un père et d'une mère, eux-mêmes étant déjà nés d'un père et d'une mère. La première pointe du triangle est donc vous-même. Deuxième pointe du triangle, votre père et votre mère.

Spécifions que si vous avez été adopté, dites-vous bien que ceci avait été planifié. Que la mère et le père qui devaient vous être utiles afin de vous aider à vous réaliser n'avaient peut-être pas la génétique nécessaire à vous concevoir dans la forme de corps dont vous aviez besoin pour votre réalisation !

Vous êtes alors passé par une autre matrice afin de régler un petit karma. Afin de donner un petit dharma peut-être. Et pour prendre exactement la forme de corps, la couleur de peau, la couleur des yeux et de cheveux dont vous aviez réellement besoin afin d'accomplir votre plan de vie. Pour par la suite vous rendre aux parents auprès desquels vous aviez besoin de développer vos capacités humaines. Ces parents adoptifs avaient aussi besoin de vous pour leur propre réalisation, naturellement.

Troisième pointe du triangle, les grands-parents, autant maternels que paternels. Ceux qui ont eu une influence sur ce que vos parents sont devenus. Ceux de qui la génétique découle. Ceux à qui remonte le travail que vous êtes venu faire. Car votre travail personnel d'évolution influence sur la génétique passée ainsi que future. Et voilà que le cadre se situe exactement.

Comment comprendre ce qui est à utiliser ? Nous vous avons parlé à la dernière rencontre de cases d'évaluation. De vous faire un petit dessin, de vous faire un genre de diagramme dans lequel neuf carrés, neuf cases se situent. C'est-à-dire, un carré au niveau de la réalisation du corps, un au niveau de la réalisation de l'âme, et un dernier au niveau de la réalisation de l'esprit.

Chacune de ces trois cases possède, elle-même, trois sous-cases. La façon de connaître votre plan de Vie est de retravailler à l'intérieur de ces trois cases, fois trois, de ce fait dans les neuf espaces de conscience.

Établissez un premier schéma de cases pour le corps. Exemple, les talents physiques des parents, une feuille pour le père, une feuille pour la mère. Une feuille pour les grands-parents individuellement, chacun des grands-parents possédera sa propre feuille de route. Remplissez maintenant chacune de ces cases selon votre souvenance la plus précise possible. Il vous faut ici porter une attention particulière aux fausses souvenances.

Les humains sont portés à s'inventer des expériences de vie fictives afin d'éviter la réalité. Soit parce qu'ils désiraient une vie plus parfaite, soit parce qu'ils désiraient une raison d'être victimes d'une situation. Prenons un exemple simple, le père est un bon menuisier. Le père aime les bricolages, le père aime lire. Définissez chacune de ses qualités. Définissez la patience, définissez l'observation, définissez la minutie, ainsi de suite. Exécutez le même travail au niveau positif pour toutes les autres personnes.

Une fois que ceci est fait, analysez quelles sont les Voies qui vous dirigent. Exemple, Nous revenons à un père qui est menuisier. Il vous aura transmis les talents, c'est-à-dire que génétiquement vous avez la connaissance du bois et des outils sans l'avoir étudiée. C'est la raison pour laquelle vous avez, en partie, choisi ce père, pour qu'il vous transmette génétiquement ces informations.

Tout ce que vous apprentissez transforme votre génétique, s'imprime dans votre aura et devient en quelque sorte un bagage gratuit. En examinant tous ces petits tableaux en ce qui concerne l'apprentissage corporel, en ce qui concerne les métiers, vous découvrirez quelle profession vous êtes venu faire. Exemple, vous avez une mère qui ne travaillait pas à l'extérieur, mais qui s'occupait bien de ses enfants, qui les dorlotait bien, qui aimait leur raconter une histoire, qui aimait leur apprendre la délicatesse. Il y a de fortes chances pour que vous deveniez infirmière ou thérapeute ou encore professeur.

Vous avez un père qui était un plombier, mais qui aimait beaucoup enseigner ses techniques de plomberie. Il y a ainsi de fortes chances que vous deveniez un enseignant et au lieu de débloquer des tuyaux de métal, vous débloquerez peut-être des tuyaux de Conscience ! Vous passerez le siphon dans les esprits un peu bloqués.

Revenant à ces tableaux, il vous faut définir en premier lieu, neuf cases qui représentent les fonctions physiques. Vous allez devoir vous questionner pour remémorer vos souvenirs. Naturellement, votre frère ou votre sœur n'aura pas vécu l'apprentissage de la même façon que vous. Ne verra pas ses parents de la même façon et n'aura pas du tout les mêmes diagrammes que vous. Un père menuisier qui vous a appris à caresser le bois, aidera un de ses fils à devenir menuisier, et l'autre fera de la menuiserie corporelle, caressera les corps, replacera les champs d'Énergie ou l'ossature.

Vous devez observer dans quel domaine vous pouvez vivre les apprentissages physiques que vos parents vous ont permis d'acquérir. Vous devez analyser dans quel métier vous pouvez utiliser ces capacités. Observez avec une vision très large tous les métiers qui vous viendront en tête. Vous serez Divinement inspiré et dirigé vers le métier qui vous conviendra le plus.

Passons maintenant au deuxième schéma, côté âme. Quelles sont les émotions que vous êtes venu vivre ? Quelles sont les gammes émotionnelles que vous êtes venu affranchir ? Qu'êtes-vous venu apprendre en ce qui concerne vos émotions ? Que souhaitez-vous découvrir dans le monde des émotions ? Pouvez-vous identifier vos émotions réelles ?

Encore une fois, nous repartons avec nos plans. Un plan pour le père, un plan pour la mère, et les quatre grands-parents. Vous avez à ce moment six documents différents de neuf cases chacun. Et vous exprimez, dans les neuf cases pour chacun des six documents quelles sont les émotions que vous êtes venu vivre avec vos parents, comme vous l'aviez fait pour la partie du corps.

Dites-vous bien ceci, lorsqu'un esprit s'incarne à travers des parents, il prend toujours leurs défauts et les multiplie par dix et il prend toujours leurs qualités et les multiplie par dix aussi. Dites-vous bien que tout ce que vous affranchissez comme émotions négatives, vous venez de les changer dans votre génétique, dans votre aura et ainsi vous créerez une race de plus en plus parfaite. Ou vous créerez une race qui sera de pire en pire.

Par exemple, dans cette série d'émotions, vous marquerez dans la fiche de votre mère, joyeuse, enjouée, tendre, présente ou alcoolique, dépendance, insécurité, manque de confiance en elle, etc. Et vous pourrez ainsi reconnaître en vous ces gammes d'émotions négatives dont vous n'aviez peut-être pas encore pris conscience. Ou encore toutes ces qualités que vous n'aviez pas identifiées en vous.

Il ne sert à rien ici, mais absolument à rien, de juger vos parents. Il serait inutile de les critiquer sur ces émotions que vous avez vécues auprès d'eux, ils ne s'en sont peut-être même pas rendu compte. Dites-vous bien qu'ils vous ont donné à cent pour cent, à la lettre ce dont vous aviez besoin pour vous réaliser. Et pardonnez-vous un peu de leur en avoir voulu. Vous n'avez aucun droit de leur en vouloir, vous pourriez aussi leur en demander pardon. C'est vous qui les avez choisis, c'est vous qui vous êtes imposé à eux.

Peut-être que Gertrude n'avait absolument pas besoin de cette petite Maude, à la tête de cochon, et qu'elle était bien mieux seule tranquille devant sa bière et sa télévision à écouter son idole chanter ! Vous ne pouvez pas en vouloir à vos parents, vous ne pouvez que les remercier de vous avoir laissé venir en vie dans ce monde. Vous ne savez absolument pas ce qu'ils ont vécu, vous auriez peut-être fait pire. Alors ne les jugez pas, comprenez-les !

Après avoir étudié ces neuf cases de ces six personnes, sur les gammes émotionnelles, vous pourrez reconnaître ce sur quoi votre vie s'appuie et ainsi trouver des outils pour vous aider à intégrer ces prises de conscience. Une forme de thérapie vous sera peut-être utile. Du moins l'expression de vos découvertes vous fera le plus grand bien.

Parenthèse, si les parents ou les grands-parents sont décédés avant la naissance, c'est que vous n'aviez plus à affranchir les émotions venant d'eux. Exemple, si vous êtes né après que la grand-mère maternelle soit décédée, c'est que vous n'aviez plus besoin des trois bagages de celle-ci. C'est que vous les avez déjà vous-même expérimentés dans le passé, dans les incarnations passées. Si votre père décède au moment de votre très jeune enfance, les souvenirs qu'il laissera en vous seront suffisants pour vous aider dans votre cheminement. Y a-t-il des questions présentement ?

Participante : Si on était très jeune quand les grands-parents sont décédés, est-ce que c'est un peu le même principe que s'ils sont morts avant la naissance ?

Tamara : Non, si vous étiez très jeune, il y a sans doute encore en vous certaines petites membranes de souvenirs. Peut-être vous souvenez-vous du sourire taquin, des fossettes de votre grand-père. Peut-être vous souvenez-vous des confitures aux framboises de votre grand-mère. Peut-être détestiez-vous sa confiture de rhubarbe trop amère. Il reste en vous certains souvenirs qui vous aideront à remplir vos grillages.

Une fois ces deux premières étapes complétées, vous pouvez effectuer le même travail dans le monde de l'esprit. L'esprit représentant la Foi, représentant les notions spirituelles. Représentant les croyances. Établissez les mêmes cédules. Neuf cases pour chaque personne, soit trois expériences selon le corps, trois selon l'âme et trois selon l'esprit. Évidemment, vous allez devoir fouiller un peu vos méninges !

Réexaminons vos schémas, la première cédule au niveau du Corps représente toutes les capacités corporelles dans la matière. C'est-à-dire, votre mère faisait très bien des tartes, votre père clouait bien des clous. Toutes les réalisations physiques, menuisier, électricien, danseur, jardinier, etc. Si votre père était plombier et qu'il aimait jardiner, vous aurez dans la case du corps, plomberie et jardinage. Et s'il aimait bien passer la balayeuse, entretien.

Et puis, au niveau de l'âme, au niveau des gammes émotionnelles. Inscrivez dans vos cases la façon dont vous perceviez les parents. N'allez pas demander à votre père « T'étais-tu vraiment jaloux du voisin ? », « T'étais-tu vraiment possessif ? ». Ou « T'étais-tu vraiment séraphin quand tu comptais ton argent ? ». Inscrivez ce que vous percevez de ce que vos parents ont représenté, et n'allez surtout pas justifier ces choses.

N'allez pas penser non plus que vous êtes en train de faire le jugement dernier qui condamne ces parents. Vous êtes en train de vous chercher. Vous êtes en train d'apprendre à vous reconnaître. Vous cherchez votre plan de vie et la raison pour laquelle vous vous êtes incarné, ici bas.

Dans les cases pour l'âme, inscrivez les gammes émotionnelles que vous avez vécues par rapport à chacun d'entre eux. Exemple, pour le grand-père, lorsqu'il enlevait son râtelier, bon Dieu qu'il vous faisait peur ! Inscrivez, il était effrayant ou il aimait à faire peur.

Dans la gamme de l'esprit, si votre grand-mère croyait qu'en lançant de l'eau bénite sur les murs la foudre ne tomberait pas pendant l'orage, elle était sans doute croyante. Inscrivez dans sa case, foi aux objets matériels, puisque l'eau bénite est un objet matériel ou foi au pouvoir Divin, car l'eau bénite est une Source Divine.

Après avoir terminé le travail dans toutes vos cases et qu'elles soient bien remplies, prenez vingt et un jours pour les analyser. À tous les jours retravaillez-les. Un crayon à la mine de plomb et une efface vous seront bien utiles au cours de ce travail. Vous aurez ainsi deux séries de feuilles. Première série, les neuf cases pour les six personnes au niveau du positif, soit pour tout ce qui était bien que vous avez reçu. Deuxième série de feuilles, les neuf cases pour les six parents dans ce qui était négatif. Exemple, parents absents, parents alcooliques, parents autoritaires.

Une fois que vous aurez fait ce travail, pendant vingt et un jours, prenez un autre vingt et un jours de repos, et ne pensez plus à tout ceci. Laissez vos inconscients effectuer le travail, laissez vos inconscients faire remonter en vous les souvenances. Laissez vos inconscients effectuer le travail de Pardon nécessaire dans chacune de toutes ces situations.

Ces quarante-deux jours peuvent être un peu bouleversants, beaucoup de souvenirs remonteront à la conscience. Des changements intérieurs en vous auront fort probablement lieu, car des manifestations inconscientes de vieux souvenirs remonteront afin de vous aider à pardonner. Afin de vous aider à mieux vous connaître et à découvrir votre plan de Vie.

Cette période de repos, dont tout bon spiritualiste a besoin, étant terminée, vous reprenez une troisième étape de vingt et un jours. Vous reprenez toutes ces petites cases l'une après l'autre. En passant vous n'avez pas besoin d'inscrire les noms au-dessus des cases, rendu à ce stade. Ceci était mon père, ceci était ma mère ou mon grand-père, etc. Rendu à cette étape-là, les noms n'existent plus, tout ce qui existe c'est l'expérimentation pure et simple, vous pourrez effacer tous ces noms.

Au cours de cette troisième étape, vous reprenez chacune des cases, une par une, et vous les divisez en deux raisonnements. L'un dans l'ordre positif, « Comment avez-vous intégré positivement tous ces choses dans votre vie ». Le deuxième dans l'ordre négatif « Qu'avez-vous à travailler ou à améliorer dans tous ces bagages génétiques ».

Faisons-Nous bien comprendre. Exemple le grand-père était impatient. L'impatience, vous la vivez comment ? Êtes-vous vous-même impatient ? Ou avez-vous développé une patience de « superman » ou « superwoman » ? De quelles façons, avez-vous géré son impatience dans votre vie ? Dans quel domaine de votre vie êtes-vous impatient ? Quelle est votre limite de tolérance ?

Une fois toutes ces cases subdivisées en deux, vous avez devant vous le plan de qui vous êtes. Le plan de ce que vous êtes venu réaliser. Il vous reste simplement à l'étudier pour comprendre très exactement dans quelles Voies vous vous réaliserez, ce que vous avez à changer et ce que vous avez à améliorer.

Encore un autre petit outil pour vous aider. Exemple, nous prenons une mère qui n'avait pas de profession réelle, mais qui soignait bien ses enfants. Vous aurez inscrit dans sa case, « soin des enfants ». Vous pourrez dans vos cases personnelles, après avoir fait les réflexions nécessaires à votre raisonnement, comprendre que ces soins maternels, vous les adresserez aux autres. Vous réaliserez que vous avez une écoute attentive des autres. Ou vous réaliserez peut-être que vous êtes un petit peu trop porté à vouloir aider les autres ou à materner les autres.

Vous aurez, à la suite de ces soixante-trois jours, qui donnent une vibration de neuf, qui donnent l'éveil spirituel complet, défini sur vos papiers qui vous êtes exactement. Autant en ce qui concerne le corps, dans le domaine que vous êtes venus exercer. Autant au niveau de l'âme, soit dans les gammes émotionnelles que vous êtes venus franchir, vous saurez très bien ce que vous êtes venus transcender en Lumière. Quels comportements vous êtes venus changer et quels comportements vous êtes venus améliorer ? Si vous aviez déjà le don de la patience avant cet exercice, vous l'aurez encore plus !

Vous pourrez aussi vous reconnaître au niveau de l'esprit. Si vous aviez des parents complètement bornés dans leur Foi, qui croyaient au diable, qui croyaient en toutes ces conneries de l'ancien âge, c'est peut-être grâce à ceci que vous avez rejeté entièrement les anciennes connaissances pour devenir un être spiritualisé, qui s'ouvre aux Connaissances du Nouvel Âge.

Soyez très sincères avec vous-mêmes tout au long de ce voyage intérieur, la réussite de cette démarche en dépend. Il ne s'agit pas ici de vous mentir. « Oh le grand-père, il crachait par terre et il n'avait pas de respect du tout des plates-bandes de la grand-mère, je ne suis pas pour mettre ça ! Parce que ça voudrait dire que moi aussi je crache un peu partout ». Bien oui ! Crachez-vous sur votre voisin en disant, « Y avez-vous vu le ventre qui déborde de son chandail ? ». C'est aussi cracher sur les autres que de les juger !

Vous allez devoir étudier le sens de chacun de vos écrits. Si nous revenons à l'exemple de l'impatience. Vous allez aussi devoir étudier l'impatience sur les trois angles. Impatience au niveau du corps ; Est-ce que vous vous brossez les dents à une vitesse telle que vous pourriez vous étouffer ? Impatience dans vos émotions (de l'âme) ; Très gentil avec tout le monde, mais quand votre enfant vous dérange pendant votre télé-roman préféré, vous dites « Que c'est que tu fais là, t'es pas encore couché toi ? ». Impatience au niveau de l'esprit ; « C'est de la foutaise la spiritualité, ça va pas assez vite, ça n'a pas de sens, ce n'est pas magique, et j'ai trop d'efforts à faire pour aboutir quelque part. Après tout, j'étais très bien comme j'étais ! ».

Chacune des petites cases que vous aurez écrites, vous aurez à les ré-analyser en trois parties. Ces quelques soixante-trois journées que vous vous serez donné, ces quelque soixante-trois journées de réflexion où vous aurez à apprendre la structure pour vous donner du temps, pour vous offrir le temps de faire ce travail, pourront vous sauver facilement, dix ans, vingt ans, trente ans de recherches personnelles, des changements de jobs à toutes les saisons, des changements de partenaires fréquents, et ainsi de suite. Chose certaine cela vous demandera des efforts. Cela vous demandera de l'observation, cela vous demandera de la patience. Y a-t-il des questions au stade présent ?

Participant : Oui, si admettons qu'un parent a été une certaine chose toute une période de sa vie, et l'autre partie de sa vie a été l'inverse ?

Tamara : Il faut en déduire que dans les cases positives, vous marquerez les « bonnes informations », les bonnes sensations que vous avez vécues auprès de ce père et dans les cases négatives, vous marquerez les sensations ou émotions ou états d'être négatifs que vous avez vécus auprès de lui aussi. Vous n'avez pas à trancher la vie de ce père en deux. Vous devez le voir comme étant un tout.

Dans votre cas personnel, un père qui s'est débrouillé à partir de zéro depuis le début de sa tendre enfance, un père qui a vécu beaucoup de violence, un père qui a vécu beaucoup de solitude, et un père qui est devenu riche aujourd'hui, veut dire que vous-même, vous aurez besoin d'être accompagné, d'être entouré de gens étant donné que vous n'aimerez pas la solitude.

Vous aurez besoin de toujours vous opposer à la violence venant des autres, protéger des femmes violentées ou battues par leurs anciens conjoints. Protéger des petits enfants battus ou violentés par leurs anciens pères. Vous aurez aussi à faire attention à votre argent pour ne pas le dilapider pour des niaiseries, pour embobiner ces jolies filles, n'est-ce pas ? Mais conserver cet argent, puisque votre vocation devrait être de vous occuper de centres d'hébergements pour enfants violentés afin de les aider dans leur spiritualité. Voilà une partie des réflexions qui ressortira de votre travail.

Participante : Quand on tape un enfant sur les fesses parce qu'il nous dérange, est-ce qu'il y a une raison pour que les enfants nous passent une remarque, disent que l'on est injuste ?

Tamara : Ce que vous voulez savoir, c'est si vous avez à porter la culpabilité d'une tape sur les fesses ? C'est bien cela ?

Participante : Oui.

Tamara : Absolument pas. Tout ce qui est fait, est bien dans ce qui devait être fait, cependant le jour où vous prendrez conscience que vous n'avez plus à utiliser de tels comportements, vous cesserez d'agir ainsi.

Tant qu'à l'intérieur de vous, vous ne ressentez pas que le geste que vous posez n'est pas dans l'Ordre Divin de votre vie, vous le ferez et il n'est pas négatif. Il est ce qu'il devait être. Cette notion est encore très difficile à accepter par l'être humain, car les églises ont imposé la notion de péché et ainsi de suite.

Mais une tape sur les fesses pourrait être bonne aussi si l'enfant est en train de s'étouffer. Ou s'il fait une crise d'hystérie. Ou si encore, il fait une crise d'asthme importante. Vous pourriez lui faire boire du café et le taper sur les fesses. Dans l'ancienne position, n'est-ce pas, bien couché sur les genoux. Réalisez qu'il n'y a jamais rien de mal.

Ce qui est moins bien, c'est lorsque vous êtes conscient que vous êtes en train de mentir à votre femme sur votre retard et que vous mentez quand même. Là, ceci n'est pas punissable d'amende Céleste, ceci ne vous amènera pas dans les cachots de l'enfer. Mais ceci détruit vos propres énergies spirituelles. Lorsque vous mentez sciemment et que vous savez que vous êtes en train de mentir, que vous mentez quand même, c'est à vous que vous causez des torts.

C'est à vous seuls que vous causez des torts ! Vous aurez à assumer les douleurs de cette conjointe face à votre mensonge. Et le poids de votre Conscience face à ce mensonge aussi. Y a-t-il quelqu'un dans la salle qui ne sait pas s'il est aligné dans le bon métier ?

Participant : Oui.

Tamara : Quel métier exercez-vous présentement ?

Participant : La gestion.

Tamara : Financière ou d'organisation ?

Participant : Gestion mitigée au sein d'une entreprise.

Tamara : Quelle était la fonction de votre père ?

Participant : Il était journalier, il travaillait à l'extérieur au grand air.

Tamara : Quelle était l'essence primaire de votre mère ? Est-ce qu'elle faisait la comptabilité à la maison ?

Participant : Oui, elle s'occupait des choses à la maison.

Tamara : Quelle était la fonction de votre grand-père maternel ?

Participant : Difficile, il y en a un de mort, j'étais très jeune et l'autre je ne l'ai pratiquement pas connu, mais au niveau des émotions, ils m'ont transmis beaucoup d'amour.

Tamara : Pourriez-vous Nous donner votre nom et votre âge.

Participant : Monsieur X , j'ai trente-sept ans.

Tamara : Voilà, Nous en déduisons ceci. Vous êtes venu travailler à la gestion de l'organisation interne des finances et du personnel, dans une entreprise qui crée à partir de matériaux de construction, de bois en particulier, des objets pour la vente internationale. Le désir de voyager de votre mère se transpose pour vous en voyage téléphonique la plupart du temps.

Cependant, tout l'amour que vous avez reçu, toute la patience de votre mère, sa franchise et son acceptation des gens, puisque cette femme malgré sa fragilité était toujours ouverte à l'écoute des autres, fait en sorte que vous devez vivre une éco-gestion d'entreprise, c'est-à-dire gérer cette entreprise à partir des besoins physiques, émotionnels et spirituels des employés. Nous réalisons que vous n'êtes peut-être pas au bon endroit, à moins que le Président de cette compagnie décide de changer, vous aurez à changer d'emploi !

Pour l'aider à changer, vous pourriez, tout simplement vous achetez un livre sur l'éco-gestion(*). Étudiez cet ouvrage, imposez-le à votre patron, et si au bout de cinq mois cet homme ne vous donne pas la chance de vous réaliser dans ce que vous êtes, quittez cette entreprise, un nouvel emploi vous comblera grandement.

Participant : Concernant les parents inconnus, est-ce qu'il y a une façon, sans aller à l'extérieur, de chercher à l'intérieur ce qu'ils m'ont apporté ?

Tamara : Absolument, vous allez tout simplement écrire sur un papier blanc avec un crayon à la mine, avant de vous coucher,

« Je demande à l'Être Suprême qui m'habite de me laisser remémorer les souvenances de mes parents biologiques », et vous signez en n'oubliant pas d'inscrire Merci.

Vous placerez ce petit papier sous votre oreiller et au cours des nuits qui viendront, le travail se fera. Vous aurez des prémonitions, vous aurez pendant vos rêves des informations importantes. Normalement, en l'espace de vingt et un jours, ce petit travail vous aura redonné tout ce que vous aurez besoin de savoir.

Avant de terminer cette rencontre, Nous voulons vous dire ceci. Plus vous vous connaîtrez vous-mêmes, plus vous aurez besoin de l'écoute d'un ami ou d'un thérapeute pour qu'il vous aide à effectuer les changements dont vous aurez besoin. La thérapie en régression est l'une des plus efficaces présentement sur Terre. Et si vous êtes en couple, vous pourrez partager ensemble ces informations, vous pourrez vous entraider mutuellement dans ce Cheminement de Conscience.

La raison principale de la rencontre en ce jour est de vous aider à accélérer les changements, puisque le temps presse grandement. Vous devez faire l'apprentissage de l'autonomie affective, financière et spirituelle. Vous devez être de ceux qui reconstruiront, qui recréeront cette Terre d'Émeraude. Vous devrez être de ceux qui côtoieront le Nouveau Christ, et être de ceux qui font partie de la puissance de l'Éveil Spirituel.

N'oubliez pas une chose. Gardez le sens de l'humour au cours de ces soixante-trois jours, riez des découvertes que vous ferez, ainsi vous ne vous re-traumatiserez pas sur les anciens traumatismes. Dernier petit commentaire ! Commencez ce travail dans la première journée de la lune montante, vous aurez ainsi sur le plan énergétique les meilleures conditions de travail et d'intégration.

Tableau de réflexion :

Pour : L'auto-orientation et Comment découvrir son plan de vie.

Suite à un excès de vitesse vous avez une contravention. Quelle devrait être votre réflexion au niveau des neuf cases afin de pouvoir intégrer cette expérience sous tous ses aspects ?

	Corps	**Âme**	Esprit
Corps	Pourquoi suis-je aussi stressé ?	Est-ce que je me sens coupable de ne pas être à temps ?	Qu'est-ce qui me porte à vouloir lutter contre les systèmes établis ?
Âme	Quelle émotion suis-je en train de fuir ?	Quelle émotion personnelle est-ce que je refuse de voir ?	Vais-je trop vite dans ma vie au point que je ne ressens plus mes limites ?
Esprit	Suis-je en train de me fuir moi-même ?	Je devrais peut-être m'arrêter et regarder ma vie de plus près ?	Suis-je authentique avec moi-même ?

3

La réincarnation et ses leçons

La réincarnation et ses leçons

La réincarnation, que de questions à se poser sur elle. Existe-t-elle vraiment ? Est-ce une histoire « éso-pétée » ? Est-ce une histoire de sectes inventée pour attirer de pauvres gens ? Qu'est-ce que la réincarnation en réalité ?

Nous vous dirons ceci, la réincarnation s'établit en réalité sous trois formes complètement différentes :

- en l'incarnation comme telle, ce qui veut dire n'avoir qu'une existence corporelle unique. C'est-à-dire habiter un corps et le mener à l'Ascension au cours d'une seule existence dans le plan physique ;

- en la ré-incarnation, que Nous écrivons en deux mots bien séparés ré et incarnation. Voulant dire pour le ré, répétition continuelle d'un cycle d'incarnations, et incarnation qui veut dire habiter un corps physique dans un plan physique ;

- et la troisième étape étant la non incarnation, ce qui signifie que l'entité n'accueillera pas un corps physique, tels les Anges, les Archanges et multiples autres êtres des plans subtils.

Si vous le voulez bien, démêlons tout ceci. Les entités qui ne souhaitent pas habiter un corps physique sont, en général, les Anges, les Archanges, les elfes, les gnomes. Il peut être question aussi tout simplement d'entités désincarnées qui demeurent dans les plans supérieurs sous forme d'énergie pure. C'est-à-dire, un esprit autonome qui choisit de vivre ses apprentissages dans les plans subtils, et qui ne considère pas l'utilisation d'un corps physique comme étant nécessaire à sa réalisation.

L'incarnation comme telle signifie qu'une entité, Esprit, autonome décide un jour de venir prendre un corps physique pour apporter un Message essentiel et important sur la Terre. Par la suite, elle retournera dans l'invisible, ou dans sa Demeure Céleste, en compagnie de son corps physique qui aura une autre dimension vibratoire. Cet être aura atteint l'Ascension. De son plan, il pourra travailler à différentes tâches afin d'aider toutes les créations de Dieu.

Ces êtres qui ne se réincarnent pas, ces êtres qui s'incarnent, ont tout simplement bâti, par la Puissance de leurs Pensées, un corps matérialisé dans la Demeure Céleste, dans l'Invisible. De très nombreux Maîtres existent déjà de cette façon. Ceci leur permet de se déplacer autant dans l'invisible que dans le visible.

L'un d'entre vous a-t-il déjà lu une histoire sur un millionnaire ou sur un garagiste, dans le Chemin pacifique, dans le Millionnaire apprivoisé ? Ce ne sont pas des contes de bonnes femmes à dormir debout ! Il existe des milliers de Maîtres Incarnés qui peuvent vous arriver sur Terre, sur un coin de rue et vous offrir une rose. Qui peuvent vous arriver comme un simple client à la maison chez vous, et vous donner une information excessivement importante ou une dose d'Énergie particulière.

Mais ceux-ci ont atteint un niveau vibratoire excessivement puissant. La preuve, essayez donc, dans le moment présent, de vous faire disparaître et réapparaître. Vous aurez, Nous croyons, une petite difficulté. Ces Maîtres ont donc atteint, par le désir d'obtenir cette conscience, un niveau vibratoire tel qu'ils sont dans l'Humilité complète, la Simplicité complète, l'Honnêteté complète et l'Amour Inconditionnel complet. Ils ont donc en eux tous les pouvoirs que Dieu Lui-même possède.

Vous ne les verrez pas arriver sur un coin de rue avec la Cadillac rose, la Mercèdes ou vêtus tout de blanc. Vous ne les verrez pas débarquer, habillés tout de blanc, disant qu'ils sont le nouveau Messin, et qui ouvrent des chaînes alimentaires lucratives. Ce sont tout simplement des gens de passage.

Pour vous illustrer leurs pouvoirs, voici un exemple. Vous roulez à une vitesse folle et soudain quelqu'un fait de l'auto-stop. Vous vous arrêtez, vous l'embarquez. Il n'ira certes pas très loin, mais il vous ramènera sur la bonne Route. Ces Maîtres se manifestent au moment prévu dans vos incarnations où vous êtes en train de vous dérouter de votre mission, ou de votre plan de vie, et ils vous ramènent tout simplement au bercail.

Les êtres réincarnés sont, et vous serez peut-être choqués d'entendre ceci, des êtres bornés et stupides qui ont créé, eux-mêmes, les Lois de la Réincarnation. C'est un gros morceau que celui-ci, n'est-ce pas ! Cette situation a pris naissance à la fin de la période de la Terre de Pan, lorsque l'Homme a cessé de croire à ses pouvoirs Divins et a mis en doute son immortalité. Depuis lors, la grande majorité d'êtres, autant animal, végétal, minéral qu'humain s'est enchaînée dans ce cycle.

La Réincarnation, comme le Karma et le Dharma sont des inventions purement humaines rattachées au sentiment de culpabilité. Vous vous êtes créé, vous-mêmes les humains, un système d'autopunition excessivement sophistiqué et compliqué afin de vous prouver que vous avez à payer toutes vos erreurs. Et comme tout ce que vous faites est communiqué par les énergies dans les autres plans, vous avez propagé cette idée aux autres plans de la création.

L'insécurité de la mort est tellement forte qu'il y a même présentement des médiums aux États-Unis qui, pour quelques cinq mille dollars américains, vous donnent le nom, l'adresse et la date de votre prochaine incarnation pour que vous vous léguiez à vous-mêmes vos richesses de la vie présente. Nous pourrons vous donner les coordonnées à la fin de la rencontre, si vous le souhaitez !

Comme Nous voulons communiquer avec vous et non seulement Notre groupe dénommé *Tamara*, mais toutes les Entités Spirituelles qui communiquent sur Terre, Nous devons utiliser votre langage. Utiliser vos termes afin de Nous faire comprendre. Nous avons donc adopté vos termes de karma, de dharma, de réincarnation et de « oum-a-patoum ».

Voyons, qu'est-ce qui s'est passé dans l'histoire de la Terre ? Au début des temps, dans votre Univers, car dans les onze autres Univers les règles sont différentes. Dans votre Univers, dans votre Constellation, vous êtes issus de l'Esprit, vous êtes issus de Celui que vous avez dénommé Dieu. Vous êtes devenus des Êtres libres et avez commencé à expérimenter, pendant un peu plus de neuf milliards d'années les Pouvoirs de la Pensée dans les Demeures Célestes.

Un jour, vous avez réussi à manifester l'apparence d'un corps physique. Et ce n'était ni les dinosaures, ni l'homme des cavernes. Cette apparence physique était très semblable à celle que vous possédez dans le moment présent à quelques différences près. Vous n'aviez que trois doigts par main. Vous n'aviez pas de système digestif, seulement un système respiratoire. Vous vous nourrissiez, à l'époque, de gaz rares et subtils dont le Xénon en particulier et de l'Énergie pranique.

Donc, si vous vouliez élever votre taux vibratoire en absorbant l'Énergie d'une pomme, vous n'aviez pas à la croquer pour ce faire. Vous n'aviez qu'à vous en approcher et à ressentir son

Énergie se manifester en vous. D'ailleurs si vous appreniez, dans le moment présent, à ressentir l'Énergie des aliments que vous engloutissez, les trois quarts de vos armoires seraient vides et vous auriez beaucoup moins besoin de nourriture.

Après cette petite bifurcation, revenons à l'histoire. Vous étiez donc des Êtres entièrement réalisés. Vous étiez unis à la Pensée Divine. Vous étiez la Manifestation Divine. En ce moment très précis de l'histoire, d'une hauteur Spirituelle exceptionnelle, vers laquelle vous vous dirigez tous et chacun en ce moment précis, vers laquelle vous souhaitez aujourd'hui retourner, s'est passé un événement dans les plans subtils un peu dramatique. C'est-à-dire, que parmi les Entités les plus élevées, l'une d'entre elles a tout à coup créé la vibration de l'Orgueil.

Parce que l'Équilibre Spirituel parfait était incompréhensible. Cette Entité ne comprenait pas qu'on ne pouvait pas voir la noirceur s'il n'y avait pas de clarté. Ne comprenait pas que tout devait être Lumière constamment pour que les autres plans, ceux de la noirceur, puissent exister aussi. Que tout pouvait être Lumière constamment mais que la noirceur existait malgré tout ! Elle a décidé d'éprouver le Système Divin, de le tester. Comme vous vous amusez à tester votre conjoint en lui demandant « Est-ce que je suis vraiment jolie ce soir ? » afin de savoir s'il a un peu d'intérêt pour vous.

Cette Entité a donc créé en ce moment précis l'Orgueil. L'Orgueil entraîna immédiatement la naissance du Doute. Et du Doute naquirent la jalousie, la possession et tous les systèmes de manipulation. Nous vous avons déjà expliqué que lorsqu'une pensée est présente, elle habite tout ce qui existe jusqu'à la plus petite des molécules dans votre Univers. Donc cette jolie Entité vous a donné le cadeau du Doute, vous a donné, à vous les humains, le vil cadeau de l'orgueil et tout ce qui s'en est suivi.

Un peu comme une maladie contagieuse.

Certains d'entre vous ont choisi de ne pas utiliser ces fréquences, de ne pas vivre ces émotions. Mais la grande majorité a trouvé cela intéressant de pouvoir un peu négocier avec leur Divinité, l'éprouver, la tester, vérifier son endurance. Ils aimaient la sensation qu'ils pouvaient être plus forts que Dieu.

Et voilà que le taux vibratoire des humains s'est graduellement abaissé. Un jour l'un d'entre eux a pensé « Et si on croquait la pomme ». Et ce n'était pas Adam bien entendu, puisque Adam est une légende imaginaire. Ceci signifiant tout simplement « Le premier des humains qui a abaissé sa vibration en mangeant un fruit Divin ». Le fruit Divin, signifiant une œuvre Divine, donc l'homme a détruit une création de Dieu ou s'en est servi à mauvais escient pour satisfaire ses besoins. La pomme n'a jamais existé, c'était une métaphore religieuse.

En réalité ce n'est ni Ève, ni Adam qui ont mangé cette pomme. Le nom de l'entité qui l'a fait n'a aucune importance. Il l'a fait et d'autres l'ont suivi. Pourquoi avoir créé Ève ? Parce que l'homme moderne avait peur de la Puissance de la Femme. L'homme dans les églises a créé cette histoire des millénaires après que l'événement se soit produit. Et oui, l'Homme avait peur de la résistance de la Femme, de ses possibilités, de sa féminité, de son pouvoir d'engendrement.

Il a voulu créer chez la femme le sentiment de culpabilité pour la dominer et ainsi s'octroyer le pouvoir suprême. Au début de l'existence humaine, la manifestation masculine était parfaite et la manifestation féminine était parfaite aussi. Autant l'un que l'autre vivait sa sexualité et sa polarité d'une façon harmonieuse dans le monde où ils vivaient. Nous reviendrons à la conception masculine et féminine dans la rencontre sur la sexualité.

Après avoir mordu la pomme, bien entendu, le système digestif a dû se raffiner. Le système d'évacuation des déchets a dû se raffiner, et c'est là que le gaspillage a commencé. C'est là où l'Homme a commencé à penser, « Si je rejette des choses c'est qu'elles ne sont pas complètes ». « C'est qu'elles sont en partie négatives ». « C'est qu'elles ne servent pas à tout ». Et le gaspillage réel a commencé.

Plutôt que de vivre entièrement et complètement le mouvement, c'est-à-dire, d'aller cueillir une pomme, de l'amener à lui, de la manger doucement, de la digérer doucement et de replanter ses noyaux pour renourrir la Terre du cadeau qu'Elle venait de lui faire, l'Homme a pris trois ou quatre bouchées et a rejeté sa pomme derrière lui.

Ce qui s'est créé à ce moment-là est une tension inconsciente qui disait « Cet ouvrage n'est pas terminé ». Et cette chaîne a continué et continué ainsi. Plus l'homme a accumulé de tensions inconscientes sur ses gestes non complétés, sur ses pensées non exprimées, sur ses désirs non réalisés, plus il est devenu mortel et il a finalement dû mourir.

En mourant, il s'est dit, « C'est cette pomme que j'ai jetée derrière moi, je n'ai pas fini de faire comme il faut cette étape ». « Ce sont ces gestes, ce sont ces paroles, ce sont ces pensées, ces attitudes que je n'ai pas menées jusqu'au bout qui m'ont amené à la mort », « **je devrais donc les reprendre pour les terminer** », et voilà, le tour était joué.

Vous étiez devenus réincarnables, mortels et périssables. Le Pouvoir de la Pensée Négative s'est installé à ce moment-là. Et cela fait cinq milliards d'années que vous l'utilisez, même si cela avait pris sept milliards d'années pour vous réaliser en tant qu'Êtres complets et Divins dans la matière.

Vous avez, à l'heure présente, expérimenté cinq milliards d'années de cycles de réincarnations. Vous pouvez maintenant, si vous le souhaitez, dès demain matin, terminer ces cycles, redevenir immortels, et retourner à la Puissance Céleste pour réaliser d'autres plans. Vous n'êtes pas obligés d'être encore piégés dans votre propre système deux ou trois milliards d'années.

Les humains décèdent de plus en plus jeunes, étant donné qu'ils s'épuisent de plus en plus rapidement. Dans votre dos, à la hauteur des hanches se situe un chakra de Survie que les Maîtres ont dû créer pour les humains lorsqu'ils se sont aperçus que ce cycle ré-incarnatoire existait.

Ce sceau est en réalité une banque d'énergie, une banque d'ions que vous manipulez à votre guise. Remarquez que lorsqu'une personne vous pose sa main à ce niveau, vous pouvez vous sentir un peu mal à l'aise, agacés ou même violentés, Nous ne parlons pas, bien sûr, pendant les moments intimes. Vous pouvez même vous sentir complètement épuisés si la personne est négative, en fait elle a, en quelque sorte, en apposant sa main sur vous, bloqué l'émission d'énergie de ces ondes ioniques.

Des ions, ce sont tout simplement des molécules purement Divines qui ont un rythme vibratoire, donc qui tournent, qui bougent sur elles-mêmes selon vos besoins propres. Plus ils tournent vite, plus vous perdez vos énergies. Et elles tournent selon vos pensées et vos émotions du moment.

Lorsque vous partez du Plan Céleste pour vous en venir sur Terre, vous avez pris suffisamment d'essence pour la route et lorsque la panne sèche arrive, c'est bien dommage, mais vous retournez à pied à la maison, dans votre corps de lumière, sans amener avec vous votre Cadillac, votre système vidéo et tout le reste. Vous repartez les mains vides mais le cœur plein. Y a-t-il des questions ?

Participante : Quand on a toujours un malaise au bas du dos à cet endroit, c'est pourquoi ?

Tamara : C'est souvent une crainte de vivre intensivement votre vie. Une crainte d'être imparfaite. Une peur de manquer de temps ou d'énergie pour vous réaliser.

Expliquons un petit peu le fonctionnement ionique. Une vibration positive se crée lorsque vous êtes en relation avec votre Divinité Parfaite. C'est-à-dire, vous êtes par exemple dans un petit restaurant, vous venez de prendre un café avec un petit repas et lorsque arrive le moment de payer, la serveuse a fait une erreur de cinq dollars en votre faveur. Vous dites : « Bien, je viens de sauver cinq piastres ». Vous vous la fermez et vous partez rapidement avant qu'elle s'en aperçoive. Vous venez de brûler des ions.

Reprenons la situation où vous dites à la demoiselle « Gente dame, vous avez fait une erreur, voici les cinq dollars que vous venez de perdre, je vous les rends ». Vous avez été en accord avec votre sens Divin parfait. Le sens Divin représente ceci :

L'Humilité, l'Honnêteté, la Joie, la Courtoisie, l'Entraide, la Foi, la Persévérance, l'Endurance, l'Acceptation et l'Admiration.

Ce sont les thèmes représentant l'Essence du Sens Divin, représentant chacune des vibrations de l'Essence Divine que vous possédez en vous. Ce ne sont pas les neuf principes mais tout simplement la nomination d'une Essence Divine Parfaite.

Lorsque vous avez une pensée, un geste, une parole qui respecte entièrement votre Divinité, vous venez de multiplier un ion positif par cent. Celui-ci, se re-multipliera par lui-même de façon continuelle si vous continuez à bien être centré sur votre Divinité. Vous pouvez de cette façon augmenter votre banque très rapidement.

Cependant, si vous avez la réflexion suivante. Vous êtes en voiture, un « épais » vous dépasse, vous vous mettez à sacrer contre lui et tout à coup vous dites « Mon Dieu, si mon Ange me surveille et m'entend penser comme ça, faut que je change tout de suite ma pensée, Ok. « Chéri vas-y, fais de la vitesse, je te bénis ». Mais vous êtes rouge de colère, vous serrez les dents et votre volant. Vous l'avez fait au cas où votre Ange verrait la situation. Ceci ne vaut absolument rien, c'est de la pure bêtise.

Exemple, vous venez de vous faire pincer par quelqu'un qui vous a pris en défaut. « Michel tu m'as menti, ce que tu viens de dire est faux ». Vous êtes en colère parce que vous vous êtes fait pincer, et vous dites « Bien non, voyons donc, c'est vrai ». Vous venez de multiplier par deux la puissance des Énergies négatives et brûler un minimum de deux cents ions, tour minute.

Déjà d'avoir agi de façon à mentir, vous vous éloignez de votre Divinité. De confirmer que vous n'avez pas menti vous ré-éloigne encore plus d'elle. Et ces deux cents ions, bien entendu, se re-multiplient par eux-mêmes. Vous pouvez donc, tout simplement, en devenant conscient, réaliser la situation suivante. Exemple, vous n'avez pas envie d'aller à un rendez-vous, vous ne vous sentez pas à l'aise de vous y rendre. Vous appelez la personne et vous dites « Je m'excuse mais ma voiture ne part pas, je crois que c'est le démarreur ». Cette situation représente un taux d'énergie émotionnelle. D'accord !

Exemple, ceci représenterait le chiffre trois cents, vous suivez bien le raisonnement ? Toutes les expériences de vos vies passées mesurant la même fréquence peuvent être réglées au même moment dans le moment présent. Vous n'avez qu'à rappeler la personne qui vous avait invité, et lui dire « Je m'excuse, je t'ai menti, je n'avais pas envie de me rendre chez toi ce soir, mais j'avais trop peur de te faire de la peine ». Et voilà vous venez de peser sur le bouton « delete », tout s'est effacé jusqu'au début des temps et tout s'efface dans le futur en cet instant précis. Donc plus de raison de se réincarner à cause d'un démarreur déficient !

Ce qu'il vous faut réaliser est ceci, et c'est très important de bien le comprendre, dans votre vie présente, dans les choix que vous avez faits en ce qui concerne votre réincarnation, dans les gammes émotionnelles que vous avez choisies, des centaines d'expériences représentent un seul codage vibratoire. Ce codage est tout simplement composé de lignes parallèles horizontales qui ont un rayonnement ionique précis, selon chaque expérience.

Si vous êtes jaloux, c'est que vous traînez des parcelles d'énergie de jalousie depuis le moment où vous êtes devenu mortel. C'est que tout ce que vous vivez dans le moment présent, dans votre vie présente, est un parallèle parfait des expériences passées. Et que si vous vivez chaque minute présente, de façon à être en communication parfaite avec votre Divinité, vous venez de faire disparaître autant dans le passé que dans le futur ce genre d'expérience. Donc, vous venez d'augmenter la force de votre sceau, votre banque d'énergie, votre chakra dans le bas du dos, au point tel qu'il éclatera et répandra son Énergie dans votre aura et vous redeviendrez immortel !

Cependant, certains d'entre vous pensent que ce serait ennuyeux de devenir immortel dans les Plans Célestes, puisqu'il n'y aurait pas la partie de hockey, les danseuses nues, les billets de loterie et les impôts à payer et tout ce qui habite votre quotidien normal. Vous ne comprenez pas le sens de la Paix que l'immortalité apporte.

Devenir immortel veut tout simplement dire, avoir le pouvoir de créer autant de chose que Dieu, Lui-même, peut créer. Ne vous inquiétez pas de savoir ce qui se passera dans l'invisible, de l'autre coté de la vie terrestre. Il y a beaucoup de travail à faire pour aider les humains à devenir immortels, encore pour quelques milliards d'années. Devenez conscients, que quand vous réparez une erreur, vous venez de l'éliminer de vos expériences et vous allégez votre corps pour qu'il puisse ascensionner.

Afin de vous aider à visualiser cette situation, admettons qu'un mensonge pèse deux livres, une grimace cinq, une fraude soixante, une impatience quarante, un manque de confiance trois cents. Imaginez le poids qui se maintient autour de votre corps ! Vous pouvez bien être mortels ! Vous pouvez bien vous épuiser, vous pouvez bien avoir mal aux pieds quand vous vous couchez. Avoir marché avec un tel poids sur les épaules, c'est exigeant ! Vous n'avez pas besoin d'aller à confesse, ceci ne sert à rien. C'est une invention de l'église catholique pour savoir tout ce qui se passait dans les villages, et ainsi tout contrôler. Ils pouvaient donc menacer le mari cocu, ils pouvaient donc menacer un tel trop riche, un autre qui n'avait pas assez donné, puisque ainsi ils savaient tout ! La confession ne sert absolument à rien. Vous êtes votre propre confesseur, votre seul et unique confesseur face à votre propre conscience.

Si vous dites à des amis « Ah ! Je suis assez fier de moi, cette semaine j'ai trouvé sept péchés, je les ai pardonnés, je les ai réglés et je me suis excusé » et bien vous venez de vous ramasser un beau cent livres de plus, par l'orgueil et la vanité.

Si dans une vie passée, vous avez tué un homme et que dans votre vie présente, vous êtes certain d'être tué par un homme, cela vous arrivera, bien entendu. Vous pourrez vous faire tuer autant physiquement, psychologiquement que mentalement. Mais en réalité ce qui se produit, c'est que l'homme que vous avez tué a vécu une série d'émotions au moment de sa mort. Par votre sentiment d'incapacité d'être Divin, par votre sentiment de culpabilité, ces émotions que cet être a vécues, sont devenues les vôtres. Vous les vivrez forcément, un jour ou l'autre.

Vous les avez prises en vous et ce sont ces émotions que vous revenez vivre dans votre purge ésotérique. Afin de vous libérer de ce sentiment, vous vous attirerez donc un mari violent, un mari qui ne vous tuera pas physiquement, mais qui tuera tout ce qui est beau en vous. Vous ne vous trouverez plus belle, vous ne vous trouverez plus intelligente. Vous perdrez toutes vos qualités sous le poids de cet homme.

Un autre exemple, vous aviez planifié avant votre incarnation que dans dix ans vous étiez pour rencontrer une belle-mère du style de celle de Cendrillon et qu'elle vous fera expérimenter une fréquence vibratoire sur l'acceptation de son caractère. Si aujourd'hui, en cette date précise, quelqu'un vous tape sur les nerfs et que vous arrivez à reconnaître en cette personne sa Divinité, la belle-mère arrivera dans votre vie, mais votre contact avec elle sera agréable. Ce qui revient à dire, que si vous vous détachez émotionnellement de la situation et que vous devenez capable de percevoir en elle la Beauté de sa Divinité aucune autre personne de ce style n'aura d'effets sur vous. Vous ne devez pas penser « Pauvre elle, c'est à cause de sa triste enfance qu'elle est aussi grave ». Non ! Ne versez pas dans le mélodrame, soyez observateur et neutre.

Voyez en elle tout simplement sa capacité Divine. Elle a un beau timbre de voix, elle a de beaux yeux. Elle a suffisamment confiance en elle puisqu'elle offre cette domination-là. L'accepter de cette façon dans sa Divinité, et vous venez de faire disparaître, dans dix, ans la venue de cette belle-mère marâtre. L'expérience n'aura pas besoin d'être vécue. Vous pouvez vous éviter tellement de souffrances inutiles en reconnaissant en l'autre son Être Divin.

Il vous faut apprendre à faire la différence entre les sept péchés capitaux humains et les vrais péchés. Péché dans le sens de dire, être en agissement contre votre propre Divinité. Le péché n'existe absolument pas dans les Plans Célestes. Tout ce qui existe c'est une expérience émotionnelle vibratoire. Les péchés inventés par les êtres humains et punissables par eux, sont tout simplement une façon que l'homme a trouvée pour contrôler l'homme. Y a-t-il des questions ?

Participant : Est-ce que cela faisait réellement partie de ce qu'on pourrait appeler le Plan Divin, cette expérimentation-là de cinq milliards d'années qui ont été faites à partir de la pomme ?

Tamara : Le Plan Divin, absolument pas. Le Plan Divin était simple. Dieu a pondu des œufs. Les œufs sont devenus libres et c'est l'Être Humain qui a créé cela. Ce n'est pas Dieu. Dieu vous a tout simplement observés vivre vos expériences. C'est pour cela qu'Il n'a pas de corps physique. Il aurait ri à s'en rompre les côtes ! C'est l'Humain qui choisit, c'est l'Humain qui a décidé de créer plein de dépendances. C'est l'Humain qui crée le temps.

Réunissez-vous, dix personnes ensemble. Puisqu'à deux vous ne croirez pas avoir suffisamment de forces. Planifiez une journée avec l'utilisation du temps comme si c'était trois jours. Ensuite après un bon café, dites « Maintenant, on réalise ce que l'on a écrit ». Et vous verrez qu'à la fin de la journée, il vous restera du temps pour un autre café.

Si vous accomplissez tout ceci en ne pensant pas que cela prendra du temps, en ayant la joie de le faire, et en étant centrés sur votre Divinité et votre ressenti. C'est vous les Humains qui avez créé le temps et qui Nous avez appris ce qu'étaient des milliards d'années.

Si vous vous êtes réalisés. Si vous avez effacé les expériences émotionnelles dont vous n'aviez plus besoin. Si vous avez fait éclater ou plutôt accoucher ce chakra d'une énergie très puissante. Si vous avez élevé le taux vibratoire de chacune de vos cellules, et en particulier du Xénon que chacune de vos cellules corporelles a en elle. Si vous vous êtes ascensionnés. À quoi bon servirait de monter votre voiture louée de l'autre côté ?

Une fois ascensionnés, vous n'avez plus besoin de rien, absolument de rien. Ce dont vous pourriez avoir besoin pour aider les autres, vous le manifesterez, vous l'amènerez dans la matière. Vous le précipiterez de la Substance Spirituelle. Si vous avez besoin, en tant qu'Être Ascensionné de vous rendre au coin de la rue Ste-Catherine et Peel pour embarquer une petite fille sur le pouce afin de la ramener dans sa Voie, vous vous manifesterez une Mercèdes si cela est nécessaire, mais une fois le job terminé, vous ne la conserverez pas !

Vous étiez immortels au début des temps car, vous étiez Essence Divine Parfaite. Vous avez fait un grand, grand, grand voyage pour expérimenter toutes sortes de choses. L'expérimentation est complète, que voudriez-vous inventer de plus ? Une méthode plus rapide de tuer les humains, de démolir les villes, tout a été expérimenté.

Au début des temps, vous aviez la Puissance, en regardant un grain de pomme, de faire pousser un pommier en une fraction de seconde. Toutes les expériences spirituelles très élevées, vous les avez vécues avant de plonger dans ces expériences plus lourdes dont vous êtes prisonniers présentement. Conséquemment, vous n'en avez plus besoin, vous pouvez revenir à la Puissance, revenir à la Surface. Et même certains parmi vous pourront, dans leur vie présente, se réaliser entièrement en manifestant des objets dans la matière, puisque plus vous vous approchez de l'Ascension, plus vous manifestez dans votre corps physique la Puissance vibratoire que vous possédez.

Comprenez bien ceci, certains d'entre vous pourront donc faire apparaître, sur les tables des enfants qui ont faim, un bol de fruits tout en leur faisant comprendre dans leurs âmes et consciences comment briser ce cycle de karma de pauvreté. Plusieurs d'entre vous, simplement par le rayonnement qu'ils dégageront, aideront les autres à s'autoguérir.

Plus, vous vous approchez de votre Source Divine, plus vous possédez cette capacité dans la matière et ceci est le test ultime avant l'Ascension. Vous devrez savoir si vous développerez un besoin égocentrique et orgueilleux d'utiliser ces capacités pour obtenir le contrôle des êtres humains ou si vous serez vraiment à leur service.

C'est un test dont vous ne pouvez pas réaliser la puissance et la difficulté. Il est très facile, quand vous êtes capable, de manifester un parfum de Givenchy dans votre main pour séduire une femme, de vouloir en séduire vingt-cinq. Et lorsque vous arriverez à ce stade, si vous utilisez ces pouvoirs pour manipuler et dominer les autres, vous verrez bien la série de réincarnations que vous allez devoir recommencer !

Lorsque vos Êtres, lorsque vos Esprits étaient entre deux vies, si l'un d'entre vous a massacré un chien, il s'est dit que pour bien se punir et bien comprendre, il devrait peut-être revenir sous la forme d'un chien et il aura une chienne de vie !

Vous ne revenez pas en forme d'animaux, à moins vraiment de cas excessivement graves, comme par exemple le savant du gouvernement des États-Unis qui a créé par un vaccin, à travers une transformation génétique des chimpanzés, le SIDA. Des milliers, des milliards d'êtres humains périront grâce à ses stupidités. Même si votre loi du Karma existe, il aura quand même à assumer sa propre responsabilité face à la destruction de tous ces êtres.

Voici un très simple commentaire. La joie et le plaisir de vivre, et Nous ne parlons pas pour cela d'irréflexion, d'immaturité, mais tout simplement de joie pure et de plaisir de vivre pur, vous aideront à toujours être branchés à votre Source Divine. Prenez le temps de devenir un observateur de votre vie. Et comptez toujours jusqu'à sept dans votre tête avant de faire un choix, avant de dire une parole, avant de faire un geste.

Participant : Concernant le chakra au bas du dos, est-ce qu'il a la forme d'un triangle ?

Tamara : Il a un peu la forme de l'Étoile de David en plus d'avoir une ligne qui retient chacune de ses pointes. Il est violacé mauve, avec un centre lumineux doré et dans le centre se trouve la forme d'une larme, d'un œuf.

La rencontre arrive maintenant à sa fin, ne voyez pas la mort comme étant quelque chose de pénible, dites-vous bien que c'est une joie d'être libéré d'un corps physique, lorsqu'on n'a pas atteint le bouton à peser pour monter l'ascenseur avec tout ce qu'il y a dedans. C'est vraiment une joie pour vous de se débarrasser de ces carapaces jusqu'au jour où vous pourrez Diviniser chacune des cellules de votre Être et ascensionner.

Et si un ami doit mourir, n'allez pas l'inquiéter de vos questions. N'allez pas l'inquiéter de vos tourments, dites-vous bien qu'il accomplit ce qu'il avait à accomplir et profitez intensément de tout ce qu'il vous apportera jusqu'à son dernier respire.

Vous n'avez pas de leçons à donner à qui que ce soit, vous n'avez qu'à être Divins.

La perfection n'existe pas tant
que vous n'êtes pas retournés entièrement
à la Source Divine en vous,
et à ce moment-là,
vous n'avez plus de personnalité,
vous êtes Dieu !

Tableau des étapes de la conscience

Stade non conscient

L'inconscient contrôle toutes les actions de l'être.
Aucune sens Divin à sa vie.

Stade début de conscience

L'être commence à se demander pourquoi il existe.
Aucune sens Divin à sa vie. Il est là par lui-même, vit et meurt.

Stade de l'éveil de la conscience

L'être commence à réaliser qu'il s'attire ce qu'il est
et désire un changement dans sa vie.
Il croit qu'un Dieu existe et fait un faible lien avec Lui.
Il s'ouvre à la possibilité de la réincarnation.

Stade de la conscience pure

L'être sait qu'il est entièrement responsable
de tout ce qu'il vit et de tout ce qui se passe autour de lui.
Il sait que Dieu existe mais il ne peut être comme Lui.
Il sait qu'il renaîtra et fera mieux.

Stade de la conscience ultime

L'être s'auto-analyse continuellement et il possède un contrôle
parfait de sa pensée, de ses paroles et de ses gestes.
Il sait que Dieu existe et qu'il est Dieu lui-même.
Il n'a plus besoin de se réincarner.

Conscience suprême

Il a ascensionné son corps dans l'Esprit de Dieu.
Il est Dieu.

4

L'Honnêteté, première loi spirituelle

L'honnêteté, première loi spirituelle

Pour débuter cette rencontre, comme votre groupe ne Nous connaît pas, Nous vous expliquerons qui Nous sommes. Nous pouvons vous imager Notre forme en parlant d'un regroupement de consciences, c'est-à-dire que cent quarante-quatre entités ayant déjà bien vécu sur Terre, bien rempli leurs existences, ont accompli ce que vous appelez l'Ascension.

Une fois Ascensionnés, un certain règne d'incarnation existe encore dans l'au-delà. En tant qu'Êtres Ascensionnés, vous pouvez prolonger une existence au service des autres dans les plans divers de la Conscience. Peu importe l'Univers dans lequel vous décidez d'expérimenter ces choses. Vous continuez de grandir dans la lumière en aidant les autres dans leur évolution.

Lorsque l'expérimentation est terminée, l'apparence de l'enveloppe corporelle s'efface. À ce moment, vous n'êtes plus qu'un Esprit, un Esprit pur, un Esprit mature, dans le sens où il possède en lui les Lois, les Règnes, les Espèces, les Harmonies complètes que Dieu a créés.

Ces Esprits sont des Sources d'information, ils se regroupent entre eux et viennent communiquer un peu partout, dans tous les Univers, afin d'aider le cheminement spirituel. Notre but principal, en tant que *Tamara*, est d'apporter les explications face à tout ce qui touche la Vie et d'aider l'intégration des neuf Principes qui régissent le Cheminement Spirituel sur Terre. Chacun de ces Principes doit être bien intégré en vous, doit devenir un comportement inné, si vous désirez, tous et chacun,

ascensionner un jour ou l'autre. Nous parlons ici de la réalisation entière de votre Être Divin par un choix conscient.

Le nom *Tamara*, comme tel, est formé par l'essence vibratoire de ces cent quarante-quatre entités ainsi réunies. C'est-à-dire, que chacune d'entre elles possède une vibration propre à son Essence. Toute vibration est numérique, peu importe sa forme, son règne ou son espèce. Et l'onde numérique peut être transformée en lettre, c'est le principe de la numérologie, si vous voulez. Pour Notre regroupement, une fois cette numérologie accomplie, vous obtenez le nom de *Tamara*.

Revenons au thème de la rencontre. Nous aurions aimé vous parler du premier Principe du cheminement spirituel. Car si celui-ci n'est pas intégré, les huit étapes consécutives ne peuvent pas s'intégrer entièrement en vous. Vous ne pourrez atteindre l'Ultime but de l'Ascension sans avoir franchi toutes ces étapes. C'est un peu comme un escalier que vous devez gravir jusqu'aux portes du Ciel. Ce premier Principe est donc l'**Honnêteté**.

Quelle est donc l'essence de l'honnêteté ? Être honnête veut dire reconnaître la capacité réelle autant dans l'autre qu'en soi-même. La respecter, autant pour l'autre que pour soi-même. Et finalement s'analyser continuellement face à l'utilisation que vous faites de vos capacités autant que de celles des autres.

Afin de mieux comprendre cette loi, vous devez connaître le fonctionnement des personnalités humaines. Vous avez trois types de personnes qui vivent présentement sur Terre. Vous avez le **donneur**, celui qui donne sa vie au service des autres. Celui qui est toujours en train de servir. Ce donneur peut servir à cause de trois états différents de sa personnalité.

Premièrement, parce que sa vie l'emmerde tellement qu'il aide les autres pour se désennuyer. Deuxièmement, parce qu'il a besoin d'enorgueillir son ego et de dire « J'ai aidé un tel et j'aide un autre encore ». Ou troisièmement, parce qu'il est un Maître venu aider ceux qui prennent. Venu aider ceux qui prennent, pour leur faire prendre conscience qu'ils prennent trop parfois.

Le deuxième type, des êtres humains, est le **preneur**. Ceux qui prennent par paresse de faire eux-mêmes. Ceux qui prennent pour grossir leurs petites bourses dans le haut côté comme Séraphin Poudrier (un être très avare), et qui laissent tout pourrir sur place. Et ceux qui prennent tout simplement pour prendre, pour dire « J'ai ceci » et qui s'en débarrassent par la suite.

Naturellement, ils donneront très peu et ne recycleront presque pas, cela fait partie de leurs personnalités. Ces séraphins-là n'auront plus rien un jour ou l'autre, bien entendu. À trop prendre, on finit par tout perdre. Lorsque nos mains sont trop pleines, il est fréquent qu'on échappe une bonne quantité de choses en chemin. Ils auront tendance à se faire voler leurs biens. Ils chercheront à cacher ce qu'ils possèdent et à refuser leur aide aux autres, naturellement.

Le troisième type, lui, est divisé en deux sous-groupes. Soit celui du **Maître-preneur** qui vient donner une leçon à ceux qui donnent trop ou qui donnent mal. Et celui du **Maître-donneur** qui vient aussi faire une certaine sorte d'éducation à tous ceux qui prennent trop. Ces deux maîtres sont des experts dans le domaine de la manipulation de la naïveté humaine.

Si vous réfléchissez, vous pourrez sans aucun doute vous reconnaître un peu à l'intérieur de l'une de ces catégories ? L'Être réalisé, lui, connaît le parfait équilibre entre le fait de donner et le fait de prendre. Il sera toujours équitable et juste, même dans ses pensées. Il sera l'équilibre parfait en toute chose. Afin de respecter cette Loi et conserver un équilibre parfait sur Terre, il vous faut savoir donner ou prendre équitablement. Cependant, dans un sens comme dans l'autre, la responsabilité du donneur et du preneur est identique. Exemple, quelqu'un vous dit « Oh ! Je ne me sers pas de ma bicyclette dans le moment présent, je peux te la donner » et le preneur qui dit « Wow, quelle belle chance, pour rien j'ai un bicycle de trois ou quatre cents dollars, je lui prends vite, vite, avant qu'il ne change d'idée ».

Et voilà que les deux personnages se sont grandement appauvris en même temps. Le preneur aurait dû réfléchir et dire « Écoute, ne rien te donner pour ta bicyclette me semble injuste. Tu sais sur le marché présentement elle vaut au moins quatre cents dollars. Tu mérites plus et je te l'offre, réfléchis comme il le faut ». Et le donneur de dire « D'accord, je comprends et je te remercie de ton respect ». Le donneur réalisera son besoin d'être aimé en donnant, et le preneur réalisera son besoin d'utiliser les autres pour ses fins.

En agissant de cette façon vous venez d'éduquer le donneur. Et le preneur n'aura pas appauvri inutilement le donneur. Réalisez que le principe de votre société, dans le moment présent, est l'appauvrissement continuel, et ce, dans tous les domaines. C'est une course aux gains, par tous les moyens. Regardez les jeux vidéos avec lesquels vous occupez vos enfants. Que de la compétition pour gagner à tout prix. Même vos systèmes d'éducation sont basés sur la compétition et le gain.

Avez-vous trouvé de l'argent un peu aujourd'hui ? Y a-t-il des emplois aujourd'hui ? Y a-t-il des choses qui sont vraiment lucratives à part certaines magouilles illégales ou basées sur la manipulation ? Et bien non, grâce à qui, grâce aux preneurs qui prennent trop et aux donneurs qui ne savent pas se respecter.

Les preneurs ont beaucoup trop pris. Ils ont appauvri grandement les donneurs, et, de plus, ne les ont pas vraiment aidés à se réaliser. Ce qui se produit sur Terre présentement, c'est qu'il ne reste que deux classes sociales, les très riches et les très pauvres. Et puis il y a toujours ceux dans le centre qui tentent de se débrouiller en recevant leurs dûs, quelques minutes avant que le compte rouge de la compagnie d'électricité ne rentre.

Comprenez bien ceci, si vous voulez intégrer les Principes de Vérité, les Principes d'Amour, les Principes de Création, méditez sur votre capacité de donner et votre capacité de recevoir. Méditez aussi sur votre capacité de prendre et votre capacité de donner. Il est essentiel que personne ne s'appauvrisse pour gratifier la vie d'un autre. Que personne ne s'appauvrisse pour enrichir un autre. Parce que lorsque cet autre sera riche, il ignorera le pauvre qui mangera des pissenlits par la racine et qui dormira sous de vieilles feuilles de papier journal. Il l'ignorera complètement.

Apprenez à bien gérer, apprenez à prévoir le futur, plus vous avancerez dans cette société malade, moins il y aura d'emplois, moins il y aura d'argent. Plus elle sera informatisée, plus elle sera contrôlée par des machines. Bien sûr, cela vous apportera un grand temps pour les loisirs, cela vous apportera des moments privilégiés qui devraient être orientés sur votre spiritualisation, quel beau mot n'est-ce pas ! Et le reste du temps, il vous faudra apprendre à vous auto-suffire.

Mais si vous échangez un sac de graines de tournesol contre une voiture, vous allez être drôlement perdants ! Apprenez plutôt qu'une voiture vaut au moins mille livres de graines de tournesol, et partagez ces graines de tournesol avec les gens qui vous entourent dans un échange équitable. Celui à qui vous en offrirez pourrait peut-être vous donner un plan de fraises. Et de cette façon, vous deviendrez autonomes. Autonomes dans vos connaissances, autonomes dans votre alimentation, dans votre habitation et dans votre être.

Le but de vos incarnations présentes, si vous êtes nés en ce moment précis, est d'expérimenter l'autonomie à tous les points de vue. Si vous vous inquiétez pour un emploi qui se termine, c'est que vous ne connaissez pas la Loi de l'Honnêteté. Vous ne connaissez pas la Loi du Donneur et du Preneur. Et vous ne connaissez surtout pas la Loi de la Dîme. Peu importe si vous n'avez plus un sou, la monnaie vaut de moins en moins, regardez simplement la différence entre celle du Canada et des États-Unis dans le moment présent. Et regardez chuter les valeurs boursières.

Cependant, le troc lui existe. Vous n'avez pas d'argent, vous pouvez donner des services, en étant rémunéré de façon équitable et non pas de façon exagérée vers un sens ou vers l'autre. Les gens qui ont des bureaux et une clientèle dans le moment présent, vont devoir s'assouplir. Certains pourront donner dix dollars et trois sacs de graines, d'autres pourront donner cinquante dollars pour les services obtenus. Vous ne pouvez plus budgéter en fonction d'un horaire fixe, ni d'un honoraire fixe.

La prospérité viendra à celui qui réalisera que l'abondance c'est de manger à tous les jours, c'est d'avoir un toit sur la tête, qu'il soit en paille, en bardeaux ou en métal, n'a aucune importance. D'avoir un véhicule ou un moyen de transport, qu'il soit à vous ou à quelqu'un d'autre qui fait du co-voiturage, ce n'est pas important non plus. Vous détacher de l'étiquette matérielle est le plus grand service que vous pouvez vous rendre, ainsi vous éviterez les ulcères d'estomac, vous éviterez les maux de tête, les migraines, les tensions artérielles, les troubles cardiaques, les infarctus. Peut-être que vous appauvrirez les thérapeutes, n'étant pas malades, mais vous serez heureux !

Si vous le permettez, Nous allons vous raconter une petite histoire. Il était une fois, il y a très longtemps de cela, deux jeunes amoureux qui avaient envie de vivre une vie de luxure, de facilité. Alors ils ont développé des talents de comédiens, des talents de manipulateurs. Ils étaient gitans. Lui, faisait des tisanes à partir d'herbes qu'il vendait disant que ceci apporterait la non-vieillesse du corps, la source de Jouvence.

Elle, elle tirait aux cartes et disait continuellement « Tu rencontres l'amour de ta vie demain matin », et à l'autre « Tu seras heureuse demain matin avec l'amour de ta vie ». Elle bernait le monde de cette façon et croyez-le ou non, dans sa clientèle, il y avait quatre cents vieilles filles ! Où étaient passés les amoureux ?

Et ils ont continué leurs incarnations. Un peu plus tard, dans une vie un peu plus près d'aujourd'hui, ils se ramassent encore ensemble. Ils ont des choses à comprendre, des choses au niveau de prendre et de donner. Ils se retrouvent dans un beau château. Lui joue aux cartes, il est « joueur ». Elle gente dame, dame séduisante, s'occupe d'œuvres de charité en manipulant un petit peu par-dessous pour obtenir ses tableaux et ses perles, et ainsi grossir sa fortune personnelle.

Une bonne journée, il perdra tout au jeu et elle se ramassera assise dans son divan préféré, dans la charrette qu'un syndic utilise pour venir tout prendre. Dans leurs vies présentes, encore unis ensemble, ils sont revenus réapprendre l'Honnêteté, et ils l'apprennent très bien de jour en jour, car la vie leur donne toutes les occasions nécessaires à leur compréhension. Ils apprennent à savoir prendre juste ce qu'il faut, et donner juste ce qu'il faut aussi, puisque quand ils prennent trop à un endroit, ils se sont rendu compte qu'ils perdent beaucoup dans l'autre. Que les contrats sont perdants ou que le paiement de voiture n'est pas tout à fait, fait à temps.

Voyez-vous, une journée ou une autre, dans cette vie-ci ou dans une autre, vous aurez à apprendre la Justice dans le don et la Justice dans le fait de prendre. Ne prendre que ce que vous avez besoin dans le moment présent, et ne donner que ce que vous pouvez vraiment donner est la seule façon d'obtenir l'équilibre, autant émotionnel, matériel que spirituel. À quoi sert d'accumuler des milliers de choses pour demain, serez-vous là demain ? Êtes-vous bien certains que vous allez y être ? Ou aimerez-vous encore la marmelade de pamplemousse demain ? Pourquoi en avoir une armoire pleine ?

Nous connaissons une autre dame qui a trois armoires remplies de spaghetti, au cas où les prix montent et pendant ce temps, huit petits enfants dans le bloc appartement où elle vit, ne mangent pas ! Il faut savoir prendre ce dont a besoin dans le moment présent et donner ce que l'on peut donner dans le moment présent.

Le don apporte la prospérité lorsque **le don est équitable**. Si vous donnez trop, la prospérité ne viendra pas, elle va rire de vous. Elle va vous dire « Mais pourquoi est-ce que je viendrais ici, tu gaspilles tout ! », « Reste pauvre, innocente … c'est ce que tu désires ». La prospérité vient à vous lorsque le don que vous donnez est mesuré et **fait par le cœur**, non par la tête. « Tiens, je vais donner cinq piastres à celui-là au coin de la rue, avec le don de la prospérité c'est multiplié par dix, je vais donc recevoir cinquante piastres d'ici quelques heures que je vais aller dépenser à Blue Bonnet ! ».

Ne vous attendez pas à voir courir grand cheval. La prospérité ne viendra pas. Il faut donner dans un état d'Amour. Il faut donner une parole, une écoute, un conseil, il faut donner principalement **l'éducation**. Apprenez aux gens à s'écouter, apprenez leur à se connaître, et à se reconnaître. Si vous êtes devant quelqu'un qui manque de nourriture, commencez par discuter avec lui pour qu'il trouve la source de ce problème.

Méditez avec lui, échangez avec lui, donnez-lui des moyens pour qu'il puisse subvenir lui-même à sa propre épicerie. Envoyez-le prendre des cours sur l'alimentation sauvage, par exemple. Apprenez à donner avec plaisir et à prendre avec plaisir.

Si quelqu'un vous offre quelque chose dont vous n'avez pas vraiment besoin, ne l'acceptez pas. Dites-lui, « Non merci, mais nous pourrions voir ensemble pourquoi tu tiens tant à donner et à qui tu pourrais l'offrir, si c'est le cas ». Y a-t-il des questions ?

Participant : Je recherche un mot qui a rapport au sixième chakra. Le mot de passe, le mot de vérité. Pouvez-vous m'aider à trouver ce mot ?

Tamara : Vous venez de le dire, Vérité. La Vérité veut dire, vous exprimer sous tous les angles de l'expression, exactement tel que vous êtes et cesser de jouer un personnage. Laissez votre joie vous habiter, laissez votre joie s'exprimer, laissez vos peurs vous habiter, laissez-les s'exprimer aussi. Faites de vos peurs des amis, parlez-leur. « O toi, je te connais, viens ici un instant on va discuter. Tu m'as suffisamment manipulé dans le passé, je n'ai plus vraiment envie de t'expérimenter. Tu es là, mais tu n'y resteras pas, et voilà, je te remercie de l'expérience, maintenant, va-t-en ».

Et la Vérité est accomplie, la peur a fait son règne, vous lui avez parlé franchement, véridiquement de ce que vous ressentiez et vous venez de l'annuler, de la retourner à la lumière, de la retourner à sa source. Découvrir la Vérité, votre vérité est le but que tout être humain devrait chérir toute son existence durant.

Le Troisième Œil perçoit la Vérité à l'intérieur de toute chose, exprime la Vérité par le chakra de la Gorge, entend la Vérité par le Cœur. Votre Troisième Œil est un peu comme un rayon X qui perçoit la Vérité ou la fausseté en toute chose. Nous appelons ces mots les Commandants des chakras ou les Principes des chakras, si vous voulez.

Le Troisième Œil est basé sur la Vérité au niveau d'une vision claire et non pas d'une illusion. Exemple, vous rencontrez une personne qui médite deux heures par jour, est végétarienne, ne fume pas, ne prend pas d'alcool, respecte toutes les règles sociales. Et lorsqu'elle est seule, sacre des coups de pied à son chien s'il pisse par terre, condamne le voisin pour des riens, et s'enrage contre les nouvelles télévisées.

La vérité que vous percevez par votre Troisième Œil est celle de l'essence intérieure de cette personne. En élevant votre propre taux de vérité, c'est-à-dire en apprenant à vous reconnaître dans vos qualités et dans vos défauts, vous pourrez percevoir la vérité en toute chose. Autrement dit, percevoir l'Essence Mère de toute chose. Voir une roche, pénétrer en elle par votre Troisième Œil et comprendre son histoire. Le savoir deviendra vôtre. Le Troisième Œil a pour fonction de vous diriger à la source créatrice de toute chose lorsqu'il est bien grand ouvert, et la vision des auras n'est que le tout début de l'ouverture de ce chakra.

Participante : Moi, je suis très intriguée et surprise par votre accent, et je voulais savoir si vous ne vous servez pas de la voix et de l'esprit repenti du parler de Pagnol ?

Tamara : Ce qui se produit c'est que les cent quarante-quatre entités qui Nous forment, ont toutes un timbre sonore différent et cela crée une grande cacophonie. Nous avons tout simplement ajusté la vibration sonore pour être audible. Nous ne sommes rattachés à aucun langage ou nationalité terrestre en particulier.

Participante : J'aimerais savoir pourquoi il y a des gens qui font simplement donner et d'autres qui font simplement recevoir, qui ne peuvent pas échanger, c'est simplement séparé ?

Tamara : Nous vous avons expliqué les trois formes de donneurs et les trois formes de preneurs. Une entité humaine peut bien passer toute une vie à donner ou toute une vie à prendre. Il faut en plus de cela réaliser la notion karmique des choses. Peut-être que le donneur, dans sa vie passée a été un manipulateur, voleur dans plusieurs incarnations et dans sa vie présente, il se doit de donner.

Peut-être est-il venu expérimenter le don pour tellement s'appauvrir qu'il finira par comprendre qu'il doit apprendre à accepter aussi, et apprendre à recevoir. Peut-être qu'il est un maître avec un petit « m » qui est venu donner des leçons aux autres autour de lui. Et même chose pour son côté preneur. Tout est différent d'une personne à l'autre, mais tout repose toujours à l'intérieur d'une de ces trois étapes.

Qu'il soit un petit maître à cause d'une dette karmique, un donneur qui a peur de sa propre vie, à cause de dettes karmiques ou d'autres états intérieurs. Un preneur comme celui du groupe du milieu peut venir aussi à cause de dettes karmiques ou des mêmes raisons que pour le donneur.

L'important c'est qu'au tournant de l'an 2000, vous êtes venus, vous les humains, et particulièrement les regroupements spirituels de toutes sortes, vous affranchir des karmas, intégrer les neuf Principes, arrêter la Roue Karmique, équilibrer la Vie, la Justice, la Vérité, l'Honnêteté et le partage d'Amour. Créer un équilibre partout sur terre.

Dans les années 60, 70, vous avez tenté de le faire, mais la société vorace a ridiculisé les « hippies ». Pourtant ils avaient une grande sagesse mais un petit peu trop de marijuana. Reprendre ce cheminement, signifie aussi que vous avez à confronter dans le moment présent, tous et chacun, les peurs de ceux qui ne veulent pas que le système change.

Le médicament pour le sida existe depuis fort longtemps, ne coûte pratiquement rien, mais s'il sort sur le marché, ce sera la faillite de la pharmacologie, des bureaux de médecins fermés en grande quantité, etc. Ces institutions ont le pouvoir financier dans le moment présent, et ils ne veulent pas le perdre. Apporter l'équilibre dans ce domaine ne sera pas chose facile.

Vous avez à lutter contre une entité très grosse qui ne sent pas très bon, avec tous ces essais nucléaires un peu partout. Avec tous ces poisons dans l'alimentation un peu partout. Tenez-vous loin d'elle, tenez-vous au-dessus d'elle. Ne vous laissez pas arrêter par cette forme, cette vague de noirceur. Continuez votre chemin droit devant vous. Continuez à donner et à prendre équitablement dans l'Honnêteté. Continuez d'enseigner tout ce que vous savez, partagez-le.

Savez-vous quelle est la plus grande malhonnêteté de la Terre dans le moment présent ? C'est que les gens sont très riches d'informations spirituelles, mais ils demeurent assis sur leurs fessiers avec un diachylon sur la bouche et ne les partagent avec personne. Vous connaissez plein de choses pour éveiller les autres, répandez le message, informez les autres. Diffusez les informations que vous possédez sans les vendre naturellement.

Vous les avez reçues gratuitement, vous les donnez gratuitement. Vous les avez reçus pour cinq dollars, vous les donnez en équitance du cinq dollars. Voici une petite histoire en passant.

Il était une fois un très gentil jeune homme qui donnait des cours sur les pierres et cristaux. Il remerciait ses sources de références et donnait une qualité d'information assez exceptionnelle. Et là où la malhonnêteté s'est installée, c'est que ses participants sont partis revendre pour de très grosses sommes d'argent, les informations qu'ils avaient reçues pour une brindille, ça c'est malhonnête !

Vous ne pouvez plus penser dans le futur exclusivement lucrativement. Vous devez penser en offrande pour l'Univers, en partage avec l'Univers. Si vous coupez un sapin sur votre terrain, allez en replanter un ailleurs et vous serez honnête. N'arrachez pas plus à la Terre un arbre, sans lui en redonner un, car bientôt vous mourrez tous intoxiqués, le poumon de la Terre étant presque coupé à blanc.

Participante : Je voudrais que vous nous parliez de la culpabilité.

Tamara : La culpabilité, a été créée grâce aux églises et aux preneurs. Grâce aux notions religieuses et aux peurs infligées par les manipulateurs, elle est entrée sur Terre. Grâce à la possibilité de punition, d'enfer, de limbes et ainsi de suite. Grâce à tout ce système qui voulait contrôler l'évolution spirituelle sur Terre.

La culpabilité est tout simplement, en réalité, un manque d'Amour pour le Respect que vous avez envers vous-même. Vous vous sentez coupable lorsque vous ne vous aimez pas suffisamment pour vous respecter et être capable de dire non lorsqu'il faut dire non, et dire oui lorsqu'il faut dire oui.

La culpabilité est en quelque sorte une notion de peur basée sur le manque d'Amour pour le Respect de vous-même. Apprenez à aimer le respect que vous vous offrez et vous ne vous sentirez plus jamais coupable. Dites-vous bien que si vous avez dit non à un preneur qui en prend trop, vous venez de lui rendre le plus beau service de sa vie. Lorsqu'il se sera fait fermer huit ou dix portes sur le nez, il pensera soit, à une chirurgie plastique pour son nez ou à se prendre en main.

Nous aimerions vous suggérer ceci. Avant de prendre ou de donner, posez-vous toujours trois questions. La première, « Est-ce qu'au plan matériel j'ai vraiment besoin de cet objet ou est-ce qu'au plan matériel, je peux vraiment m'en départir ? ».

Deuxième question, « Est-ce qu'au plan émotionnel, je donne cet objet pour me faire aimer, pour manipuler l'autre parce que si je lui donne, il va m'en devoir une. Ou est-ce pour obtenir certaines grâces ou pour me déculpabiliser ? ».

Et troisième question, « Est-ce que je respecte l'Ordre de ma vie et de la vie de l'autre personne en donnant ou en prenant ? Est-ce que ce don ou cette prise me fait grandir spirituellement ? ». Posez-vous ces trois formes de questions par rapport à tous les dons que vous ferez, et à tout ce que vous prendrez. Que ce soit matériel, émotionnel et spirituel. Que ce soit dans vos relations intimes, amicales. Que ce soit dans l'éducation pour quelqu'un. Que ce soit dans un sac de farine ou dans n'importe quelle situation. Posez-vous toujours ces trois questions, et ensuite posez votre geste.

Tranquillement, vous apprendrez à vos inconscients à discerner l'équitabilité dans tout ceci, à discerner les bons moments pour donner, les bons moments pour prendre. Mais n'oubliez pas une chose, commencez par prendre de l'énergie du soleil, de la vie à tous les matins en vous réveillant et redonnez à la Terre chaque fois que vous prenez, soit en la remerciant, soit en lui faisant une offrande.

Si vous êtes thérapeute en Énergie par exemple, en recevant votre client demandez que l'Énergie soit en même temps diffusée à tout être qui sur Terre pourrait en avoir besoin sans égard à son règne. De cette façon vous recevez en vous l'Énergie qui vous permet d'évoluer, qui vous permet d'aider votre client à s'autoguérir, et vous rendrez à la Terre et à l'Univers en même temps.

Vous apprendrez très rapidement en réfléchissant de cette façon que vous pouvez prendre et donner en même temps, toujours, partout, à chaque instant de votre vie. Prendre le sourire de quelqu'un et le redonner en passant à une dame triste sur la rue. Ceci ne vous aura rien coûté et votre vie sera de plus en plus belle. N'oubliez jamais que l'Honnêteté apporte le bonheur, l'équilibre, la joie, le désir de continuer sa vie, le désir de créer, de découvrir et d'avancer devant soi.

Participante : Si j'ai une question à poser, ce serait sur mon ajustement de donner et de recevoir que je dois faire pour évoluer le plus rapidement possible.

Tamara : La plus belle façon que vous pouvez donner, c'est de vous promener partout ; votre corps, votre aura dégagent une énergie stabilisatrice, dégagent une énergie de solidité, dégagent une énergie de guérison au niveau des blessures affectives. Tout simplement vous promener partout en souriant est déjà un don extraordinaire de votre part.

Il vous faut apprendre à vous respecter un petit peu plus dans votre horaire du temps, vous êtes portés à vouloir vous dédoubler pour pouvoir accomplir tout votre agenda. Ralentir un petit peu votre rythme. Prendre le temps de vous donner à vous-mêmes, refaire le plein avant d'aller vous promener dans le public. Apprenez à faire respecter votre solitude. De petits moments de solitude fréquents pour vous ré-énergiser, tout simplement en ressentant la beauté de la vie, et marchez droit devant vous. Ainsi vous attirerez à vous tous ceux qui ont besoin de vous et tous ceux dont vous avez besoin.

Participant : Je pose la même question. Comment équilibrer mon donner et mon recevoir, s'il-vous-plaît ?

Tamara : Équilibrer votre sens de l'Honnêteté serait premièrement, cher ami, de soigner votre corps physique. Lorsqu'on manque d'Énergie et qu'on va donner des séances de thérapie, on est malhonnête par rapport à soi-même et par rapport à l'autre. On se vide, on donne trop. Vous ne pouvez pas donner ce que vous ne possédez pas. Vous avez besoin de restabiliser vos énergies corporelles en particulier au niveau de l'intestin, de la rate et du pancréas.

Au fur et à mesure que ces énergies corporelles seront replacées, vous pourrez donner à votre livre du temps, pourrez donner à votre pratique privée du temps, pourrez donner à votre école du temps. Commencez par vous occuper de votre temps, structurez votre temps de soin pour vous-même. Pourrions-nous vous poser une question à laquelle Nous allons vous demander de répondre.

Participant : Oui, absolument.

Tamara : Quelle est la dernière fois où vous avez pris un bain mousse chaud avec une chandelle pendant au moins vingt minutes ?

Participant : Avec une chandelle, je ne m'en souviens pas, mais je ne m'en souviens pas vraiment, ça fait très longtemps ?

Tamara : Nous voulions tout simplement vous dire que vous ne prenez pas suffisamment de temps pour vous relaxer, pour détendre votre corps. Pour réaliser où sont les tensions physiques dans votre corps. Être honnête veut dire, honnête envers soi-même, si on a mal aux pieds et qu'on l'ignore, on prend une énergie qui nous est interdite, parce que le pied ne possède pas cette énergie-là, et on force le pied à marcher toute la journée. Donc on appauvrit le pied. Être honnête veut dire, prendre le temps d'écouter votre corps, de l'harmoniser, de le respecter, de le soigner, avant de faire autre chose.

Lorsque vous avez un plein d'énergie vous pouvez offrir et donner. Mais lorsque vous êtes vide, ce qui se produit c'est que vous siphonnez l'énergie des gens qui vous approchent pour vous remplir. Ce vol d'énergie est malhonnête. Vous devez vous auto-suffire dans vos énergies.

Nous vous remercions tous de votre écoute. Remettez en question de A à Z, ce que Nous venons de vous dire. Placez-y le doute, re-brassez tout ceci, et ensuite faites une juste mesure dans ce qui vous appartient. L'important est de comprendre que la Justice doit être parfaite, que l'Honnêteté doit être parfaite si vous voulez rebâtir une Terre d'Émeraude et si vous voulez vivre en tant qu'Êtres Ascensionnés sur cette planète, heureux pour l'Éternité.

Petit conseil avant de partir, si tous et chacun prenaient quelques minutes le soir pour visualiser une larme de lumière cristalline, blanche, avec un rayonnement doré et violet au-dessus de leur tête. Visualisez cette larme environ à six ou dix pouces de hauteur, faisant la largeur de votre tête, ainsi l'Esprit Saint vous baignera de sa présence et vous ne manquerez jamais d'énergie, personne.

Visualisez cette larme, ce symbole de l'Esprit Saint, visualisez-là au-dessus de votre chakra coronarien et ressentez toute la Puissance Divine qui est en elle et qui baigne chacune de vos cellules.

5

La communication avec les plans subtils

La communication avec les plans subtils

Notre commentaire initial de ce matin serait beaucoup plus une question. Pourriez-vous Nous dire, à votre idée, combien d'entités sont présentes dans la salle au moment présent ?

Participants : Une quarantaine, plus ou moins !

Tamara : Très exactement, il y a cent dix-sept entités ! Nous parlerons donc de la communication avec les plans subtils et vous serez étonnés, à la fin de cette rencontre, de vous apercevoir que vous n'êtes jamais seuls, nulle part. Cette rencontre représente beaucoup de théories, beaucoup d'informations. Nous tenterons de les développer de notre mieux. Débutons, si vous le désirez. Que sont les plans subtils ?

Les Plans Subtils représentent toutes les entités non corporelles, donc non incarnées dans un corps physique. Au plus près de vous, autour de la Terre, se situent sept champs d'énergie. Vous possédez votre propre aura mais la Terre possède, elle-même son aura, possède elle-même ses sept champs d'énergie, ses chakras et ses méridiens d'énergie.

Et les âmes, les esprits, les êtres, ceux incarnés ou non incarnés habitent à l'intérieur de ces champs. Vous, les humains qui possédez un corps physique, vivez dans la partie du corps éthérique de la Terre. Ce qui veut dire dans sa manifestation matérielle. Les personnes décédées naturellement, sans provocation, vivent un bon moment dans la phase astrale de la Terre. Ensuite vont à des plans supérieurs pour intégrer ce qu'ils étaient venus faire sur Terre, pour réaliser ce qu'ils reviendront faire sur Terre un jour.

Une fois ces réalisations faites, ils reviennent en voyage dans le plan éthérique de la Terre. Plusieurs d'entre vous, ici présents, ont soit un enfant, un conjoint, un père ou une mère, une grand-mère ou un grand-père, ou un ancien professeur d'école un peu trop sévère dans le temps, qui vient se faire pardonner.

Qui vient graviter autour de vous en tant que guide, que Nous appelons les Guides, non Spirituels, mais les Guides Affectifs. À ne pas confondre avec les Anges Gardiens. Exemple, la grand-mère de Thomas, après avoir établi ses plans pour sa prochaine incarnation, vient passer du temps auprès de lui pour lui apprendre à conduire, à conduire son automobile ou sa vie parfois. C'est en quelque sorte de petits voyages d'apprentissage. C'est en quelque sorte de petits voyages d'expansion affective, de compréhension des plans humains, et d'attente du moment ou de l'heure précise où elle pourra venir se réincarner.

C'est aussi le moment où les esprits évaluent leurs projets futurs. C'est-à-dire, qu'en voyageant ainsi sur Terre, ils perçoivent des gammes émotionnelles qu'ils souhaiteraient expérimenter et décident, de retour en haut, s'ils vont ou non les vivre dans leurs prochaines incarnations. Ils peuvent aussi évaluer les contextes sociaux et autres sur Terre afin de percevoir si c'est le moment approprié pour leur nouvelle naissance.

Certes, une personne qui vient de décéder ne peut vous apporter de l'aide. Et lorsque vous la pleurez, vous la suppliez, vous lui placez des lettres dans sa tombe, que vous l'embaumez, la parfumez, la tournoyez et tout ce que représente l'exposition du corps dans un salon funéraire, vous la dérangez profondément.

Sept jours sont **essentiels** au détachement que doit faire l'Esprit du corps physique. Sept journées entières pour permettre à l'Esprit de venir prendre dans l'Âme les expériences dont l'être a besoin pour continuer son cheminement dans l'au-delà. C'est un peu comme s'il imprimait sur une imprimante des textes ou des fichiers provenant de son ordinateur central qui est l'Âme. Qu'il prend ses copies, qu'il les apporte avec lui au ciel pour les étudier, les intégrer et trier ce qu'il lui reste à apprentir.

Le fait de manipuler le corps, le fait de pleurer beaucoup, de le prier, de le supplier, le fait d'un peu importuner cette personne décédée peut créer une difficulté pour la communication entre l'Esprit, l'Âme et le Corps. La personne à son décès tente de quitter sa forme afin de réaliser qu'elle est morte. Ceci lui nuit aussi pour être capable de percevoir ceux qui l'attendent de l'autre coté de la porte.

Cependant, il est intéressant de savoir que lorsqu'une personne décédée se sent la capacité de s'approcher, par elle-même, du plan terrestre sans que cela nuise à son départ, elle le fera et communiquera avec vous au cours de vos rêves. Parfois, sa pensée se dirigera vers vous, et vous la ressentirez auprès de vous. C'est très rare que ce soit la personne elle-même qui se déplace ainsi, c'est son esprit qui dirige une pensée vers vous, et qui vous permet de capter sa présence.

Après cette septième journée, dépendamment de la personne naturellement, car certains esprits ont besoin parfois de beaucoup plus de temps, neuf étapes de conscience doivent se vivre pour que cette entité devienne un guide affectif pour vous. Cela dépend de la vitesse d'évolution de chacun, cela peut prendre trois mois, un an, deux ou cinquante. Non pas que cette personne ne soit pas brillante, intelligente ou paresseuse, mais tout simplement parce que l'Esprit a parfois certaines difficultés à accepter l'état mortel et les étapes qui s'en suivent.

Certains esprits ont de la difficulté à franchir les neuf étapes dans l'au-delà. Prennent des sortes de pauses-café, s'endorment, attendent, assimilent, se reposent. Puis se réveillent, se désengourdissent et passent à une étape suivante. Si vous êtes très attaché aux choses de la Terre ou si vous êtes un dépendant affectif ou autre, vous aurez certes beaucoup de difficultés à accepter la mort de votre forme et bien vivre ce grand départ.

Naturellement, vous pouvez prier les personnes décédées. Vous pouvez leur demander de l'aide. Que ce soit David, Nathalie, Étienne, Bernard, Gertrude ou Napoléon, ils pourront venir vous aider, chacun à leur manière. Mais dites-vous bien que l'essentiel, pour obtenir de l'aide est d'adresser votre prière directement à Dieu. Par contre, si vous le faites tout le temps, ces personnes auront beaucoup de difficultés à monter vers la lumière, et au pire peuvent carrément demeurer accrochées dans votre aura. Ce qui risque de vous amener des problèmes sérieux, comme des dédoublements de personnalité, ou encore des événements tout à fait déplaisants à vivre. Vous aurez alors besoin des soins d'un exorciste professionnel qui aidera cette personne à reprendre le chemin vers le ciel.

Tous les Êtres des plans subtils ont un travail à faire, ont une sorte de mission à accomplir. Ils peuvent vous aider à apporter vos prières à Dieu et ainsi qu'elles soient exaucées. Ce n'est pas Nathalie qui apporte toute la foi et la puissance à une Dame pour l'aider à guérir les petits enfants. C'est Nathalie qui transporte en elle l'Énergie Christique Divine pour la transmettre à la belle dame, pour qui elle est devenue un guide affectif.

Ce ne sont donc pas ces aides ou ces êtres qui vous aident directement, mais ils deviennent des pôles d'émission d'énergie, des transmetteurs. Ce n'est pas parce qu'une personne est morte que tout d'un coup elle devient puissante et parfaite, et qu'elle peut par miracle guérir tous vos petits bobos. Une fois décédés, vous avez exactement la même puissance spirituelle que vous aviez sur Terre, **ni plus ni moins.**

Voyons le deuxième groupe d'entités qui se retrouvent dans l'au-delà, et ceux-ci sont un petit peu moins agréables à fréquenter. Il s'agit des entités humaines désincarnées qui ont eu une mort volontaire. C'est-à-dire, les personnes qui se sont suicidées. Plusieurs formes de suicides existent. Une bonne balle dans la tête s'est direct, c'est clair, c'est net et c'est précis, une pendaison aussi. Cela ressemble beaucoup plus clairement à un suicide. Mais une personne qui sait que son cœur est malade, qui sait qu'elle a une douleur importante. Qui ne consulte pas, qui ne cherche pas à soigner son corps. C'est aussi un suicide.

Une personne qui se sait diabétique, qui se bourre de sucreries et de cafés, qui travaille beaucoup plus que nécessaire. C'est aussi une forme de suicide. Brûler votre vie en écoutant des idioties à la télévision, en utilisant des saletés comme médicaments, en vous bourrant de toutes formes de nourriture polluée et dégradante, c'est aussi une forme de suicide. Épuiser vos énergies en parlant contre les autres, est aussi une forme de suicide !

C'est aussi une façon que vous avez de ne pas accepter la vie et de faire en sorte qu'elle vous quitte plus rapidement. Entre parenthèse, si l'être humain respirait convenablement, mangeait convenablement, priait ou méditait convenablement et soignait son corps convenablement, il vivrait une moyenne de **deux cent années.**

Les personnes suicidées ont un travail particulier à faire. Si Arthur s'est suicidé à cinquante ans et qu'il avait quatre-vingt-un ans d'existence à vivre, il aura pendant trente et une années à végéter autour de ceux qu'il a quittés. Autour de ceux qu'il a fait souffrir par son décès, pour apprendre à travers la douleur de ces êtres. Et c'est un état excessivement douloureux, croyez-Nous .

Imaginez que vous êtes dans un restaurant, devant une très belle table. Des fruits, des légumes, un bon petit vin sans alcool, une petite brise fraîche sur la terrasse, en très bonne compagnie. Vous avez tout ceci devant vous mais vous avez sur vous une camisole de force et un diachylon sur la bouche. Comment vous sentirez-vous ? Très mal, n'est-ce pas ? C'est ce qui arrive aux personnes suicidées.

Et lorsque sa conjointe fait l'amour avec un autre et bien alors, c'est le bout des bouts. Il ressent tout ce qu'elle vit, et ne peut plus le vivre. Ces êtres suicidés ou désincarnés peuvent même aller, dans le cas de drogue ou d'abus d'alcool, siphonner les énergies des êtres humains en vie, corporelles, qui sont sensibles ou qui les appellent à eux pour recevoir une aide quelconque.

Quelques-uns d'entre vous doivent penser que Nous disons un peu de conneries ! Mais, ceci existe. Exemple, vous êtes très fatigué, vous n'avez pas eu l'honnêteté de vous occuper bien de votre corps. Vous avez dépassé vos limites, vous prenez un peu d'alcool, un peu trop d'alcool. Vous subissez toutes ces tensions et voilà qu'une brèche se crée dans votre aura. Par cette brèche peut venir s'installer une entité désincarnée qui s'est suicidée. Elle peut même cohabiter avec vous, y demeurer des années entières, si elle se sent à son aise. C'est le cas des schizophréniques. Elle peut même vous faire faire des choses incroyables. Ceci est réel.

Lorsque la science médicale, en ce qui concerne la psychiatrie, la psychologie s'en rendront compte, les exorcismes pourront facilement libérer les personnes schizophrènes ou atteintes de débilité mentale, dans certains cas ou atteintes de rétrogradation de l'esprit. C'est-à-dire, des personnes qui se mettent à perdre leur pouvoir mental tranquillement. Il y a aussi les dédoublements de personnalité qui sont des cohabitations d'un seul corps. Dans certain cas, il peut y avoir jusqu'à une vingtaine d'entités désincarnées qui prennent racine dans l'aura d'un seul hôte. Dans tous ces cas, il s'agit souvent d'une cohabitation.

Comme il y a toujours trois étapes en toute chose, une troisième série d'entités astrales, encore un peu plus malveillantes, circulent autour de vous, sur Terre, en toute liberté. Cette dernière série, sont des esprits qui ont été déchus. Sont des esprits qui sont tourmentés. Exemple, Napoléon qui a tué des centaines de milliers de personnes. Hitler qui a tué des centaines de milliers de personnes. Même si ce n'était pas leurs mains, c'étaient leur vouloir, donc leur responsabilité. Ils ont les dettes en conséquence à assumer. Et ils en sont à cent pour cent responsables.

Il y a des milliers d'entités dans ce cas. Ce sont des êtres désincarnés que vous pouvez appeler ceux du bas astral. Ces êtres ont toujours vécu leur vie dans la méchanceté, le mal, la destruction, la manipulation, les meurtres, et ainsi de suite. Et ceux-ci influencent la création des films pornographiques, la création des films d'horreur, la fabrication d'engins nucléaires, comme ceux qui ont sauté en Inde il y a peu de temps, et qui vous apporteront sous peu une série de problèmes terrestres incroyables. Sans compter la fabrication d'outils pour avorter, pour tuer ou pour martyriser. Tout ce qui détruit l'Énergie Spirituelle Vitale est créé par ces entités de bas astral.

Pour qu'ils s'en sortent, ils doivent un jour émettre le désir de se transformer. Émettre le désir de retourner à l'Amour. Mais pour un esprit malveillant, les « sensations » qu'il reçoit en laissant des films pornographiques sur les enfants se faire, le nourrissent à un point tel qu'il a beaucoup de difficultés à monter dans un autre réseau spirituel.

Imaginez, quand vous-mêmes vous avez un peu de difficulté à ne pas fumer une cigarette, comment vous vous sentez. Un peu de difficulté à ne pas boire votre bière, comment vous vous sentez. Imaginez comment ces entités de bas astral peuvent avoir de la difficulté à cesser de se nourrir de l'énergie de colère et de l'énergie sexuelle des humains ou encore mieux de l'énergie de leurs peurs.

Et il y en a partout. Ceux qui tentent d'évoluer, ceux qui tentent de retourner vers la lumière colleront souvent des personnes qui ont un bon développement spirituel. Ils essayeront de vous faire des problèmes. Mais vous ne fléchirez pas, puisque vous êtes Divinement protégés, si vous êtes honnêtes avec vous. Et plus vous respecterez les neuf Principes de la Vie, moins ils auront d'emprise sur vous, et plus ils se nourriront de votre énergie spirituelle pour monter au Ciel.

Vous venez de comprendre un phénomène : **« Les gens de l'invisible comme toutes les formes qui vivent dans les plans invisibles, ont besoin de ceux qui vivent dans des corps pour évoluer. Et ceux qui vivent dans des corps ont besoin des plans invisibles pour évoluer. Et ces deux plans ont besoin de Dieu pour être ».**

Nous avons vu, à date, le premier plan spirituel. Ce qui veut dire, ceux qui sont les plus près de vous dans la matière. Maintenant, regardons une couche un peu plus élevée, celle où se situent les

Anges. Nous ne pourrons vous faire une étude des Anges aujourd'hui, puisqu'ils représentent soixante-douze fois neuf formes d'énergies différentes. Ceci prendrait neuf rencontres complètes pour vous expliquer tout leur cheminement.

Ces Anges ont été créés par Dieu dans des fonctions spécifiques pour vous aider en ce qui concerne tous les points de vue de la Réalisation. C'est-à-dire, que neuf Principes régissent la vie, trois Principes-Maîtres régissent les neuf Principes. Et chacune de ces douze étapes contient douze étapes personnelles. Vous obtenez ainsi cent quarante-quatre niveaux d'Évolution que soixante-douze Anges vous aident à parcourir. Ces Êtres ne sont pas non plus ce que vous pouvez appeler des Guides Spirituels.

Première étape, pour les vivants et les non-vivants. Deuxième étape, pour les Anges et les Hiérarchies Angéliques. Troisième étape, dans laquelle se situent les Guides Spirituels ainsi que les Maîtres-Guides. Qui sont donc vos Guides Spirituels, et non pas vos guides émotionnels ou affectifs ? Les Guides Spirituels furent jadis des entités physiques, des entités humaines, corporelles. Elles ont franchi les étapes de vie pour arriver, au minimum, au septième niveau de Conscience. C'est-à-dire, qu'elles se sont incarnées et réincarnées, qu'elles ont appris et expérimenté la puissance de l'Esprit jusqu'au moment d'avoir atteint en elles la sagesse qui fait en sorte qu'elles ne sont plus influencées par l'ordre émotionnel des choses ! Comprenez-vous bien ceci ? **Les Guides Spirituels ne sont pas influencés par le conscient et l'inconscient émotionnel.**

Lorsque vos Guides Spirituels se présentent à vous, ils peuvent le faire de diverses façons. Ils privilégieront trois façons différentes en réalité. La première est par le niveau Astral, c'est-à-dire, dans une communication à l'intérieur d'un rêve. Un personnage viendra à vous et discutera avec vous. Il annoncera des choses. Il peut venir sous la forme d'un visage que vous connaissez bien, de façon à éviter que votre peur se manifeste. Le Guide prendra l'apparence corporelle de quelqu'un que vous connaissez bien ou dépendamment de l'information, choisira l'apparence d'un personnage important pour vous.

Il pourrait prendre l'apparence d'un saint, d'un artiste, d'un voisin ou d'un ami, d'un parent. Prenez note de ces rêves, il s'agit souvent de messages importants. Si vous êtes ouverts à vos Guides, ils se présenteront sous leurs traits réels au cours de la nuit onirique, s'ils sont absolument certains que vous accueillerez leurs messages avec ouverture d'esprit.

Deuxième façon de fonctionner. Le Guide Spirituel passera par le bras astral et par l'intuition. Vous êtes en train de faire quelque chose et tout d'un coup une oreille vous bourdonne, une petite sensation étrange dans la colonne vertébrale et vous dites « Wow ! C'est ça ma réponse ». Vous alliez partir de la maison et ça vous dit intérieurement « Non ! Reste. Reste. Attends un petit peu » et tout à coup le téléphone sonne pour une nouvelle importante.

Le bras astral signifie une brèche de Lumière créée par les Guides ou les Maîtres-Guides par laquelle ils peuvent pénétrer leurs Énergies dans vos corps subtils afin d'atteindre votre environnement matériel immédiat. Ils créent ainsi une possibilité de télékinésie et ont un impact plus direct sur la matière. Vous pourriez même entendre leurs voix clairement ou leurs souffles dans votre cou ou sur votre visage.

La troisième façon dont les Guides Spirituels s'imposent à vous c'est en manipulant la matière. Un bon matin, vous ne trouvez pas vos clés pour démarrer votre voiture. Où sont-elles ? Un bon matin, vous voulez ouvrir une bière, et le bouchon ne veut pas s'ouvrir. Un bon soir, vous venez pour vous étendre, vous prélasser et il n'y a pas moyen de trouver une position confortable.

Ou vous voulez engueuler quelqu'un et vous ne vous rappelez pas du numéro de téléphone ou bien même en ayant très bien composé ce numéro, l'appel ne se rend pas. Mille et un petits événements peuvent se produire, mais vous ressentirez toujours une bizarrerie dans ce qui se passe. Vous aurez une drôle d'impression. Si vous êtes très attentif, vous aurez une réponse immédiate à ce qui vous préoccupe.

Pourquoi vos Guides se manifestent-ils ainsi dans la matière, ainsi dans vos rêves ou ainsi par vos intuitions ? C'est qu'ils répondent à vos demandes, ils répondent à la commande ou aux ordres que vous leur avez donnés avant de vous incarner, ou au fur et à mesure que votre vie se déroule. Expliquons ceci un peu plus en profondeur. Vous êtes mort parce que vous vous êtes étouffé avec un noyau de cerise. Vous êtes monté au ciel. Franchi vos étapes. Êtes venu fréquenter sur Terre ceux que vous aimiez. Avez été un petit guide affectif. Avez fait les intégrations et les préparations nécessaires et êtes maintenant prêt à vous réincarner. Vous allez dans la salle, si vous le voulez, de préparation à cette incarnation et vous regardez dans les Grands Livres les recettes que vous voulez utiliser, les expériences que vous voulez choisir.

Vous évaluez en trois phases chacune de ces expériences. Côté négatif, les difficultés que vous aurez à affranchir. Côté positif, les qualités que vous en ressortirez. Et côté de l'Esprit, l'expérimentation dans l'évolution de votre être que vous ferez tout au long de cette future existence. Une fois cette préparation faite, vous dites « Bon, j'aurais besoin de quelqu'un pour m'accompagner dans tel genre et tel genre d'expérience ».

Ces expériences se calculent en zones ioniques. S'ouvrir une main sur un objet tranchant représente cent onze ions tour minute. Avoir un accident d'automobile représente dix-sept mille ions tour minute. Ce genre de calcul se fait aussi pour les événements heureux. Exemple l'acquisition d'une maison peut représenter huit mille ions, la rencontre de l'âme sœur soixante-quinze mille ions, et ainsi de suite.

C'est-à-dire que chaque expérience sur Terre qu'elle soit dans l'ordre positif ou négatif des choses représente toujours l'utilisation d'une quantité d'énergie, qui dans Notre plan est calculable. Et ainsi de suite, vous faites un calcul du nombre ionique des expériences que vous allez vivre et vous cherchez en correspondance des Guides représentant cette onde ionique.

Autrement dit, vous ne recherchez pas un Guide Spirituel parce qu'il ressemble à Brad Pitt ou qu'il est intelligent, ou qu'il avait beaucoup d'argent sur Terre, ou qu'il avait des dons de ci ou de cela. Vous recherchez un Guide qui possède un niveau vibratoire ionique correspondant à vos expériences. Dépendamment des vies, vous pourrez en avoir jusqu'à une douzaine facilement autour de vous. Plus vous êtes venu expérimenter de choses, plus il y aura des Guides ou plus votre Guide aura en lui toutes ces connaissances. Il est évident que les expériences correspondent aux ions, et les ions correspondent aux même expériences.

Si vous êtes venu apprendre, étudier, enseigner et faire de la thérapie, exemple d'acupuncture, vous aurez forcément des Guides spécialistes en ce domaine. Vous choisissez vos Guides en fonction des expériences humaines que vous êtes venus vivre. Et ces Guides correspondent à cent pour cent aux trois niveaux d'expériences que vous êtes venus vivre sur Terre, comme Nous vous l'avons expliqué un petit peu plus tôt.

Après le Guide, que se passe-t-il un peu plus haut ? Un peu plus haut, il s'agit de Maîtres-Guides. Qu'est-ce qu'un Maître-Guide ? Un Maître-Guide est une Conscience représentant un groupe de consciences. Et voici comment ceci se passe. Vos Guides Spirituels évoluent eux-mêmes dans neuf Principes au niveau des Plans Supérieurs. Autrement dit, vous tous, les humains êtes venus expérimenter neuf Plans d'Énergie physique et matérielle. Une fois que vous avez ascensionné, vous avez encore à expérimenter neuf étapes de niveau d'Expérimentations Spirituelles, toujours dans le but de vous diviniser de plus en plus. Puis en tant que Maîtres d'Ascension vous pouvez partir en mission.

Par contre, une fois vos séries, qui ont un but précis, terminées, exemple, vous vouliez expérimenter la médecine et afin de l'approfondir au maximum vous avez vécu trente incarnations dans les domaines de la médecine. Aussi bien en tant que malade que médecin, que chirurgien, pour intégrer jusqu'au moindre détail ce qu'est la médecine. Vous pouvez choisir de vous diriger comme Guide Spirituel médical pour parrainer quelques-uns ou plusieurs humains sur Terre qui développent les expériences médicales.

Tout au long de cette étape, vous avez encore là à expérimenter neuf Niveaux de Conscience. Puis, lorsque votre rôle de Guide Spirituel Médical est terminé, vous pouvez choisir de recommencer une nouvelle expérimentation en tant que politicien, et vous voilà reparti pour quelques vies. Et un jour vient où vous avez expérimenté l'amour au point tel que vous êtes devenu Amour. Vécu l'apprentissage de la Conscience au point tel que vous êtes devenu Conscience. C'est après ces étapes seulement que vous pouvez devenir un Maître-Ascensionné.

Le cheminement du Maître-Ascensionné est le même, il doit franchir une série d'épurations Christiques à un niveau encore plus élevé. Une fois ces neuf autres Niveaux de Conscience expérimentés, une fois que vous êtes dépersonnalisé, déségotisé et « dé » tout ce que vous voulez, vous pouvez vous unir dans une masse vibratoire énergétique et créer ensemble un Maître-Guide. Le Maître-Ascensionné n'a cependant aucune obligation de s'unir à un groupe de Maître-Guides. Il peut demeurer individuel, continuer son chemin de divinisation et après avoir créé des univers ou quelques autres babioles, se réintégrer en Dieu, redevenir Dieu.

Mais quelle est la fonction du Maître-Guide et pourquoi vient-il sur Terre communiquer par des ondes astrales ? La fonction du Maître-Guide est de surveiller, d'éclairer, de conseiller et de diriger les Guides qui, eux-mêmes, vous aident. Et on ne parle absolument pas ici des Anges, des Archanges et de tout cet univers d'Êtres Célestes. Mais parlons ici, exclusivement, de ce qui vient de la race humaine.

Dans les plans subtils, il existe trois formes d'énergies ou d'êtres subtils si vous préférez. Il y a les Anges et les Archanges qui sont divisés eux-mêmes par des sous-groupes. Les Êtres de la nature, les Elfes et ainsi de suite. Et les Guides et les Maîtres-Guides.

Les Maîtres-Guides sont en quelque sorte des évaluateurs du travail des Guides, dans une phase. Sont donc en quelque sorte des conseillers. Votre Guide a un peu de problèmes avec vous parce que vous avez une tête de cochon, et malgré tout ce que vous faites et tout ce qu'il fait pour vous faire comprendre les choses, toutes les épreuves de votre vie et les portes fermées sur le nez, vous continuez à vous obstiner. Il a une certaine difficulté à trouver des ressources en lui et va se diriger auprès d'un Maître-Guide pour être, en quelque sorte, rechargé d'énergie, conseillé et expérimenté. Le Maître-Guide l'éclairera, lui donnera des petits trucs, lui donnera des doses d'énergie supplémentaires, l'aidera à vous aider.

En passant, si vous chassez vos Guides, n'oubliez jamais **qu'ils vous obéissent à la lettre.** Certains d'entre vous l'ont fait. Certains d'entre vous sont seuls ou ont moins de Guides autour d'eux à cause de ceci. Lorsque vous dites à vos Guides « Bien moi, j'en ai assez de manger toutes ces épreuves sur Terre. Tu ne fais pas bien ton travail. Tu me tapes sur les nerfs. Décolle d'ici, je vais me débrouiller tout seul », il vous obéit. Et tant et aussi longtemps que vous ne ferez pas un Mea Culpa, que vous ne donnerez pas vos excuses, il ne reviendra pas. L'appeler, lui dire, « J'ai besoin de toi, excuse-moi, reviens ». L'appeler avec sincérité, représente une excuse aussi. Y a-t-il des questions à ce niveau ?

Participant : Si on a un Guide Spirituel, est-ce qu'il peut faire partie d'un groupe de Maîtres-Guides ?

Tamara : À l'intérieur de l'Ordre de vos propres Guides Spirituels existent trois niveaux de Guides. Des Guides premièrement, dans un plan que Nous dirons physique. Ils sont là pour veiller sur vous corporellement, pour vous guider dans les expériences physiques comme telles.

Une autre catégorie de Guides se situe au niveau des expérimentations émotionnelles. Ils vous éclaireront sur la connaissance de vous-mêmes, sur les relations avec les autres, sur tout ce qui touche le ressenti et l'affectivité.

Et un troisième niveau de Guides Spirituels est en supervision directe ou missionné directement par les Maîtres-Guides, et travaille au niveau de votre Esprit. Ces Êtres très particuliers, exemple comme Aï-dha, comme Hilarion, comme d'autres, sont auprès de vous, car vous avez une mission d'éducation spéciale auprès des êtres humains. Sont auprès de vous, parce que vous êtes venus, en quelque sorte, faire changer la face de la Terre.

Si vous êtes venus, en quelque sorte, lutter contre des principes déjà établis pour faire évoluer la planète tout entière. Anciennement, ces êtres humains qui possédaient ce genre de Guides étaient crucifiés, étaient martyrisés, et sont devenus des Saints auprès de l'Église Catholique. Ils étaient des prophètes, se sont fait couper la tête, et on l'a mise dans des plateaux d'argent. Ils étaient brûlés sur des bûchers et ainsi de suite.

Une chance, l'évolution humaine a un petit peu avancé depuis et ces châtiments n'existent plus. Donc, si vous possédez un Guide, en ce qui concerne l'état de votre Esprit, qui est directement associé à un Maître-Guide, c'est que vous avez une **mission à accomplir sur Terre.** Nous n'aimons pas cependant le mot mission, il représente pour Nous une forme égotique importante. Vous avez un travail particulier à effectuer pour l'évolution de la race humaine.

Ce, appelons-le, sous-Maître-Guide pour tenter de vous imager les choses, cet être peut venir dans votre vie à n'importe quel moment. Il peut arriver quand vous avez huit ans, il peut arriver auprès de Madame Unetelle d'ici trois mois. Peut arriver auprès de vous à l'heure ou au moment désigné pour la réalisation de votre travail.

Ne vous sentez surtout pas désévalués parce que vous avez des Guides de niveaux différents. Le travail d'un simple cultivateur est aussi important que celui d'un premier ministre. Le travail d'une simple mère de famille est aussi important que celui qui fabrique des outils scientifiques. Toutes les expériences humaines sont aussi importantes l'une que l'autre. La différence est que certaines expériences brassent un peu plus que d'autres autour d'elles.

Un être humain qui possède les trois niveaux de Guides, dont le Maître-Guide mineur, un nouveau nom pour lui, et le Maître-Guide majeur, est un être humain qui aura une vie passablement difficile. Car, pour qu'un Maître-Guide ait accepté que ses sous-Maîtres-Guides travaillent avec un être humain en particulier, c'est que cet humain est un petit maître, lui-même.

C'est-à-dire, un maître sans majuscule, sans lettre majuscule. Ce petit maître aura une vie assez difficile émotionnellement. Partout où il se présentera sur Terre, il fera exploser des nœuds. Son énergie sera forte et entrera directement un doigt dans l'œil s'il y a une poussière dedans. Qu'il le veuille ou qu'il ne veuille pas, il aura toujours le mot, le geste, la parole, la respiration pour déranger l'autre, et l'obliger à évoluer. Ne souhaitez pas trop rapidement de devenir ce genre d'être humain, ce genre d'existence demande une grande préparation.

Les Maîtres-Guides, avec un grand « M », ont pour fonction de faire entrer dans l'Énergie de la Terre, les neuf Principes de la Vie ainsi que les trois Grands Principes Gouverneurs, afin de réaliser le Plan de Dieu sur Terre, et dans les autres Univers, bien entendu. Un Maître-Guide est un rassemblement, en général, de cent quarante-quatre Consciences, qui veillent sur des Maîtres-Guides juniors, ou des sous-Maîtres-Guides. Qui, à leur tour, communiquent avec un maître, ayant un « m » minuscule humain.

Qu'est-ce qui se passe à ce moment-là ? En général, se greffera, autour de cet être humain, donc autour des Guides, du Maître-Guide junior, du Maître-Guide majeur, des Anges, des

Archanges, des Êtres de la Nature, et compagnie, se greffera donc un groupe d'humains sélectionnés à l'avance. C'est-à-dire, un groupe d'humains qui ont choisi d'évoluer ensemble, qui se sont incarnés dans la même période sur Terre, et qui étaient conscients qu'ils seraient reliés autour d'un même être pour préparer des plans importants de changements de la planète. Jésus-Christ avait bien douze apôtres n'est-ce pas ?

Ces êtres humains, qui sont des petits maîtres, avec un « m » minuscule, auront aussi autour d'eux une équipe de douze personnes. Ceci s'appelle un Nœud Énergétique d'Évolution. Les phases ne sont pas toujours faciles à accepter. Exemple, lorsqu'un groupe prend conscience d'un des Principes comme l'Honnêteté par exemple, l'Honnêteté qui représente le donneur et le preneur, il doit évoluer plus vite. Les situations se manifestent afin d'ouvrir la conscience. C'est loin d'être toujours facile. Les épreuves afin de voir si la loi a été intégrée se suivent l'une derrière l'autre. N'importe quel membre du groupe peut être mis à l'épreuve.

Des séries de situations se présenteront entre les personnes du groupe pour faire prendre conscience plus rapidement des déniements que tous et chacun ont en eux. Si c'est face à la Loi de l'Honnêteté, des situations, peut-être très difficiles ou même cocasses, se manifesteront pour que chacun puisse prendre conscience soit de son essence de preneur, soit de son essence de donneur. Les autres membres du groupe devront aider celui qui vit l'expérience. Très souvent dans de telles situations c'est le petit maître qui créera, bien sans le vouloir, l'éclatement du nœud et provoquera la situation.

En d'autres mots, l'inconscient aura souvent évolué avant que le conscient n'ait eu le temps de prendre conscience de ce que l'inconscient avait vécu. Que ces inconscients créent des situations, ouvrent des chemins, vous fassent faire des choses un peu bizarres, que vous ne vouliez pas nécessairement faire, afin que vous puissiez intégrer ce Principe d'Honnêteté.

Maintenant, revenons à la communication avec les plans subtils. Comment communiquer directement avec vos Guides ou les personnes désincarnées ou le bas astral et compagnie ? Premièrement en ce qui concerne le bas astral. Étape primordiale de **ne jamais avoir peur**, si vous avez peur vous les nourrissez et ils colleront encore plus après vous.

Un chien qui voit une personne qui a peur vient lui mordre le fond de culotte, l'entité de bas astral fera pareil. N'ayez surtout pas peur ! La façon de les éloigner est simple. Sur un petit autel, déposez un cristal de quartz rose dans un bol de sel de mer, le cristal est déposé sur le sel de mer. Placez un bâton d'encens de rose et un lampion allumé près de ce bol. Vous vous centrez face à l'Est et vous demandez d'être entouré et protégé du manteau de Lumière Christique. Ce petit autel sera placé, naturellement, face à l'Est sur un mur.

Et puis vous partez en marchant à l'intérieur de la pièce, à partir de l'Est, et ferez ainsi tout le tour de l'espace en frappant sur les murs et en disant : « Je commande aux énergies astrales de bas niveau de quitter immédiatement les lieux, par Dieu, j'ai la Force Divine de vous ordonner de partir. Je vous l'ordonne. Quittez immédiatement et à jamais ce lieu ». Et vous marchez dans la pièce de l'Est tranquillement en faisant le tour jusqu'au point de départ, en tapant le mur souvent.

Vous laisserez le lampion s'éteindre de lui-même, et vous le remplacerez par un autre. Avoir un lampion allumé chez soi est comme avoir la lumière du Christ toujours en sa demeure. Il pourrait être sage et intéressant d'effectuer ce petit travail à tous les mois. Les entités astrales qui viennent du bas astral, qui viennent auprès de vous pour recevoir de l'Énergie d'Amour et devenir conscientes, ne seront pas chassées des lieux, puisque celles-ci ne pourront pas vous faire de tort.

Concernant les êtres chers que vous avez perdus. La façon de communiquer avec un être décédé peut se vivre sous trois formes différentes. Toujours ce petit autel sur le mur Est, de la même façon, avec cependant une moldavite comme pierre. Vous vous installez devant ce lampion, vous vous centrez, et demandez la communication avec la personne. Faites attention, ne dites pas « Papa je veux te parler ». Il y a des millions de pères dans le Ciel, dites son nom au complet, décédé à telle date, à tel âge. Et remerciez la communication comme si vous l'aviez déjà reçue, avec une expression comme « Je te remercie de bien vouloir venir communiquer avec moi ».

Posez-lui vos questions ou partagez-lui vos états intérieurs. La personne décédée pourra vous répondre à son tour par trois façons différentes. Soit vous vous installez, avec une feuille de papier et un crayon mine, et il vous répondra directement sous votre main. Soit, il communiquera avec vous à l'intérieur des rêves. Soit, il passera par une autre personne, souvent votre enfant ou une personne près de vous, qui recevra, par son intuition, la réponse pour vous la transmettre, par hasard, tout banalement.

Désormais, vous savez comment communiquer avec une personne décédée et avec des entités de bas astral. Voyons comment communiquer avec votre Guide Spirituel ? Même petit autel, demandez d'être inspiré, guidé et éclairé par votre Guide. Comme pour une personne décédée faites-lui votre demande. Soyez le plus précis possible. Il vous répondra de la même façon qu'une personne décédée vous répondra. Par l'une des trois même étapes.

Deuxième façon de contacter votre Guide Spirituel, vous vous installez en état de méditation. La meilleure méditation que vous pourriez faire est dans le silence total, sans éclairage électrique, en faisant circuler les énergies à l'intérieur de vous par chacun des chakras. Ressentez le contact avec votre Guide, ressentez sa présence, sa paix. Lorsque ce contact sera établi, ouvrez-lui votre cœur et partagez-lui vos soucis. Demeurez réceptif à toute pensée qui circulera en vous, ou à tous états physiques. Au cours de votre méditation, votre Guide vous infiltrera les informations dont vous avez besoin. Il se peut que ces messages ne vous reviennent à l'esprit que quelques jours plus tard. Il se peut aussi que la réponse semble tarder, mais une série d'événements se produiront dans lesquels vous aurez assurément votre réponse.

Troisième façon d'entrer en contact avec votre Guide Spirituel. Vous prenez un miroir, vous le mettez sur votre petit autel comme pour les autres communications, avec cette fois-ci une pierre d'émeraude. Vous vous fixez directement dans les yeux, dans le miroir. Ne faites pas cet exercice plus que quelques minutes à la fois, jusqu'à un maximum de onze minutes. Tranquillement, vous verrez les visages de vos Anges, de vos Guides, s'installer autour de vous. Tranquillement, vous percevrez vos propres auras et aurez une communication télépathique avec eux. Il se peut qu'une personne décédée très proche de vous puisse aussi utiliser ce contact. N'en soyez pas surpris.

Pour ce qui est des Maîtres-Guides comme tels, vous ne pouvez avoir accès directement à eux. C'est eux qui viennent à vous au moment où ils le souhaitent. Y a-t-il des questions au moment présent ?

Participant : Concernant le miroir, est-ce un miroir clair ou un miroir noir ?

Tamara : Un miroir clair, si non, vous fréquenterez le bas astral. Jamais utiliser un miroir sur un mur nord, celui-ci étant la porte d'entrée du bas astral. Une nappe blanche sur le petit autel serait préférable.

Participant : La communication avec un Maître-Guide se fait par quel outil ?

Tamara : Par l'intermédiaire d'un canal, un médium. Ou comme les prophètes le vivaient parfois, lors d'une apparition. Souvent, un Maître-Guide va prendre l'apparence de la Vierge Marie, va prendre l'apparence de Jésus-Christ. Il apparaîtra en quelque part, dans un endroit bien déterminé, à un moment précis afin d'atteindre le regroupement de personnes qu'il souhaite contacter.

Dernière petite information avant de vous quitter. Depuis le vingt et un mars 1998, une énergie très particulière est transmise sur la planète Terre. Cette énergie se multiplie par elle-même, dans l'ordre de cent à chacun des vingt et un jours qui passent, pour effectuer un règne de neuf fois vingt et un jours. Ces énergies sont très brassantes et servent autant à l'épuration de vos êtres qu'à l'épuration de la planète comme telle.

Certains seront complètement troublés et feront exploser des bombes nucléaires un peu partout. D'autres auront le processus d'accélération de leur cheminement spirituel. Ne vous inquiétez pas du désordre qui a lieu dans le moment présent, le calme s'effectuera à la fin de cette émission d'énergies.

Pourquoi cette émission était-elle faite et par qui est-elle faite ? Elle est faite par les Maîtres-Guides, et par la conscience de la

Terre elle-même, bien entendu. Elle est faite par de Puissants Niveaux de Conscience à travers la Résonance Pure de Dieu. Et pourquoi est-elle faite ?

Pour tenter d'éviter des dégâts trop majeurs lors de la troisième guerre mondiale, s'il n'est pas possible de l'éviter comme telle. Pour éviter des atteintes majeures à l'aura de la Terre. Pour éviter des catastrophes épouvantables qui videraient la Terre de ses habitants.

Que Dieu vous bénisse,
que la joie vous envahisse.

6

L'aura, les chakras et les méridiens d'énergie

L'aura, les chakras et les méridiens d'énergie

Afin de bien comprendre les informations que Nous vous diffuserons en ce jour, il est essentiel que vous remettiez toutes vos connaissances acquises, au niveau des auras, des chakras et des systèmes de méridiens d'énergie, dans une poche quelque part. Si vous ne possédez pas de poches, déposez-les par terre, vous les reprendrez à la sortie et ferez une compilation avec les nouvelles informations. Il est important de faire le vide en vous et de demeurer réceptifs aux nouvelles connaissances que Nous vous apporterons.

De base, Notre plan de projet sur Terre est de vous ramener, de vous restituer, les Connaissances de la Grande Fraternité Blanche, les Connaissances de l'Ordre de Melchisédech, ainsi que certaines autres, qui, à l'origine furent la base de toutes les religions. Que ce soit des religions catholiques, anglicanes ou ésotériques, toutes les religions ont découlé de ces informations.

Naturellement, les humains ont caché une bonne partie de ces informations. Peu importe la secte ou la religion dans laquelle ils étaient afin de contrôler les autres, afin de bien gérer certaines capacités en étant les seuls à pouvoir les exécuter. Cependant, depuis l'an 1997, toutes les Grandes Vérités renaissent, toutes les Grandes Vérités éclatent. Tous les mensonges sont dévoilés et les cachotteries sont révélées au grand jour.

Si vous vous sentez prêts, Nous débuterons cette rencontre. Il s'agit ici, d'expliquer le fonctionnement du corps humain dans toutes ses étapes d'évolution. Cette rencontre sera intensive, pour ce qui est de la quantité d'informations. Vous retrouverez à la fin de ce texte un tableau explicatif des auras afin de mieux en permettre la compréhension.

Chacun d'entre vous connaît plus ou moins les chakras, ainsi que le corps physique comme tel, et les corps d'énergie entourant l'humain. Regardons premièrement ensemble, comment l'humain entre en son corps ? Nous vous avons déjà expliqué les étapes dans l'au-delà, au cours de la rencontre sur la réincarnation et ses leçons.

Revenons un petit peu en arrière et admettons que le petit voyage dans l'au-delà est terminé. Que Monsieur X a décidé de venir prendre un corps physique, il a bien choisi les gammes émotionnelles qu'il aura à expérimenter, qu'il aura à affranchir. Il a aussi très bien choisi les gammes physiques ainsi que les gammes spirituelles.

Son plan d'incarnation est fin prêt et il est maintenant sur le point de plonger dans une nouvelle forme physique, afin de débuter son voyage sur Terre. Il sélectionne donc des parents en fonction de la génétique pour obtenir un corps qui répondra à cent pour cent aux messages de son esprit, ainsi qu'aux messages des émotions qu'il aura à véhiculer. Exemple, une personne possédant de grands pieds a besoin d'un ancrage au sol important, a besoin d'un ancrage émotionnel particulièrement stable.

En passant, si vous étudiez la physionomie dans tous ses détails, vous découvrirez facilement le caractère d'une personne. Vous découvrirez sa personnalité ainsi que son cheminement spirituel par la simple observation de ses traits physiques, de son maintien et de son habillement.

Monsieur X choisira ses parents dans la fonction génétique dont il a besoin pour produire son corps physique en correspondance avec son émotivité. Il a choisi aussi ses parents pour leurs fonctions émotionnelles, donc pour ce qu'il est venu apprendre émotionnellement dans la vie. Et ce choix sera fait aussi en correspondance avec ce qui concerne la fonction spirituelle, donc l'évolution de sa conscience Christique.

Ces trois essences étant créées, l'Esprit commence à tisser un fil que Nous appellerons le Cordon d'Argent. L'Esprit tisse le fil à l'instant même où l'ovule rencontre le sperme, à la première seconde où la génétique de son Être commence à se développer. Tout au long des trois mois précédant cette conception, l'esprit qui désire s'incarner voyagera dans l'aura de son père et de sa mère afin d'évaluer si ses choix étaient bien en correspondance avec son plan de vie terrestre.

Puis, une fois que la certitude de ce choix est confirmée. Que l'esprit de ce futur être est certain du désir qu'il possède de s'incarner. Que la conception comme telle est faite. L'Esprit de ce futur être sortira du corps astral des parents et viendra se greffer dans le corps éthérique de la mère. Il tournera autour du corps de la matrice, pendant les trois premiers mois de la grossesse.

Normalement, dans une gestation parfaite, l'esprit se situera vis-à-vis du chakra sexuel, c'est-à-dire au niveau de l'utérus de la mère. L'Esprit graduellement, d'heure en heure allongera ce fil, créera ce fil, dépendamment de chacune des neuf étapes vécues par le fœtus. C'est la raison pour laquelle il prend neuf mois à un fœtus pour créer un corps physique.

Chacun des chakras se créera sur le Cordon d'Argent, l'un après l'autre tout au long de cette gestation de neuf mois. Au cours du premier mois aura lieu la formation du chakra de la Base, soit du corps Éthérique. Ce corps subtil permettra au fœtus de développer tout son corps physique en son entier, allant du squelette à la moindre des petites molécules pouvant servir son corps.

Le deuxième mois, le chakra Sexuel se formera donnant ainsi à l'être l'ouverture de son corps Astral. Dès ce moment, la créativité propre de l'être s'ouvre et lui permet de gérer sa gestation selon ses désirs personnels. La création des organes sexuels se fera aussi à ce moment-là. L'esprit aura décidé de son identité sexuelle et pourra la manifester dans la matière.

Le troisième mois, le chakra du Plexus Solaire et le corps Mental entrent en fonction et permettront à l'enfant de s'autodéfendre contre les attaques extérieures. Que cela provienne de la nourriture que la mère ingurgite, ou des émotions transmises par elle, ou encore par l'environnement que la mère fréquente, c'est l'époque de l'action-réaction qui débute. Vous remarquerez que c'est à ce stade de la grossesse que les fausses couches ont le plus souvent lieu. L'enfant peut décider de lui-même, grâce à ce chakra, que l'aventure ne l'intéresse plus ou qu'il a suffisamment expérimenté ce qu'il souhaitait vivre et décide de retourner de là où il vient.

Rendu au quatrième mois, le chakra du Cœur s'active à son tour, ainsi que le corps Causal. C'est à partir de ce moment précis que l'enfant commencera à emmagasiner les émotions qu'il développera tout au long de sa vie. Cette nouvelle fonction lui permet de ressentir des émotions et de les exprimer. Il commencera à vous donner des coups de pied pour vous faire sentir soit son malaise ou sa joie d'être en vous. Il débutera ses culbutes pour scruter ce que le mouvement lui fait ressentir émotionnellement, et ainsi de suite.

Et le parcours continue, voilà le cinquième mois qui commence ouvrant le chakra de la Gorge et unissant le corps Vital. L'enfant installera la tonalité de sa voix, décidera de l'expression qu'il utilisera tout au long de son existence. Si vous aviez un microphone spécial dans la matrice d'une mère à cette époque, vous pourriez percevoir les sons que l'enfant commence à émettre. Il peut aussi bien chanter que pleurer, selon les émotions qu'il vit. Il peut exprimer la colère, la peur autant que la joie.

Le chakra du Troisième Œil et le corps Anima se développent à leur tour au cours de ce sixième mois qui débute. Une magie très particulière habite ce mois puisque, à partir de ce moment, l'enfant recontacte toutes ses facultés qu'il avait développées lui provenant de ses vies passées. Il est entièrement, par l'entremise de ce chakra et de ce corps, réuni à tout ce qu'il a été. Il peut ainsi choisir de réactiver ou non tous ses potentiels du passé. Il a désormais la possibilité de pressentir ce qui arrivera d'ici à la fin de la grossesse. Par la voie de l'intuition ou par la nuit onirique, il le fera savoir à sa mère ou à son père. Si ceux-ci ne sont pas réceptifs, il pourra contacter un autre membre de la famille ou un(e) ami(e) proche.

Si quelque chose de négatif doit se produire, vous aurez des intuitions claires ou des rêves très précis provoqués par l'enfant pour vous en avertir. S'il ne désire pas le médecin que vous avez choisi, vous le saurez aussi. C'est pourquoi il est très important d'être à l'écoute de l'enfant que vous attendez et de ne jamais douter de ses intuitions ou de ses rêves.

L'étape du fonctionnement du cerveau et de la connexion entre tous les neurones arrive avec ce septième mois qui débute. Le chakra Coronarien ainsi que le corps Coronal se mettent en fonction. C'est le mois le plus important pour l'achèvement du corps physique de l'enfant à naître. Tous les systèmes sont maintenant devenus autonomes, complets et parfaits pour que l'être réalise exactement son plan de vie. Vous avez en vous un être autonome à tous les points de vue, il ne dépend de vous que pour sa nourriture, mais il sait doser ce qu'il prend de vous afin de répondre à ses besoins physiques, émotionnels et spirituels.

L'Étincelle Divine, la connexion avec tous les pouvoirs Divins s'établit par la création du chakra Christique et du corps Christique en ce huitième mois de grossesse. À cette époque l'enfant n'a plus rien à créer, il a simplement à faire grandir son corps physique et à le préparer à l'accouchement. Cependant, la venue magique de ce chakra le réunira à toutes ses capacités christiques, à sa voie dans le but de sa réalisation spirituelle.

Et la fin du voyage approche avec ce neuvième mois qui débute. Le chakra Divin ainsi que le corps Divin s'installent, ce qui signifie que l'enfant est désormais un être libre. Dieu pénètre en lui son Souffle de Vie et ainsi lui permet de vivre une existence baignée sous Sa Lumière. Peu importe si l'enfant a choisi de vouer sa vie à la manifestation de Dieu en lui ou non, Dieu sera toujours présent. Un jour ou l'autre sur la route de sa vie, cet être pourra reprendre ce contact.

En ce mois, toutes les facultés divines sont ainsi émises en lui. Il pourra ascensionner s'il le souhaite, guérir, et utiliser toutes les facultés que vous appelez paranormales, qui sont en réalité ce qu'il y a de plus normal pour un être réalisé. Le Cordon d'argent, le fil qui s'est tissé tout au long de la grossesse s'est définitivement fixé. Un ancrage définitif est fait, et ce cordon est rattaché au chakra de la Base.

L'aura se stabilise autour du corps de l'enfant. Et par la volonté Divine, l'enfant déclenchera en lui la production d'une substance hormonale qui influencera le cerveau de sa mère et provoquera l'accouchement comme tel et qui le préparera à sa venue dans le monde physique. Cette étape se vit sur une période de sept jours. Le corps physique de l'enfant se prépare à la naissance et l'enfant prépare le corps physique de la mère dans le même but.

Ce petit être influencera le choix de votre nourriture, influencera le besoin d'action ou de sommeil. Placera tous ses systèmes en harmonie pour réaliser tous ses buts. Activera le fonctionnement de tous ses organes. Déclenchera la production du lait maternel dont il a besoin pour sa survie. Et appellera à lui les Anges et les Guides pour que ce voyage sur Terre soit le plus parfait possible selon bien sûr ce qu'il aura planifié.

Douze heures avant le premier respire de l'enfant, l'Ange de la Naissance, Omael, se précipitera à son chevet. Accompagné des Guides Spirituels de l'enfant, il veillera à ce que tout se passe bien. Il insufflera dans l'enfant, en apposant son index entre le nez et la bouche du petit, une énergie de non-souvenir. Plus la marque sera profonde et moins l'enfant se souviendra de ses vies passées et de ce qui s'est produit dans l'au-delà. Cependant, au cours des sept premières années de vie, l'enfant sera en contact avec ses étapes du passé, ses souvenances, et avec ses Guides Spirituels. Ce contact se perdra ou se conservera selon l'éducation que cet être recevra.

Le voyage intra-utérin est maintenant terminé, dans quelques minutes vous entendrez une petite voix, vous dire « Me voici, maman et papa, je suis au monde ». Vous serez conscient qu'un petit bébé est un être entièrement réalisé, un être Divin et de surcroît, un être conscient.

Pour en revenir aux chakras comme tels, disons qu'ils sont en quelque sorte une banque d'informations, un sceau énergétique, une banque de données. Pourquoi les chakras existent-ils ? En plus des fonctions qu'ils effectuent au cours de la grossesse, ils existent pour pouvoir permettre à l'Esprit d'habiter le corps physique. L'Esprit possède un voltage d'ions trop élevé pour être enfermé dans un si petit corps. C'est un peu comme si vous tentiez de rentrer à l'intérieur de Monsieur X, un bonhomme de six cents livres. Imaginez comment il pourrait se sentir coincé, comment il pourrait étouffer. Le corps physique n'est que la partie dense d'un être. La partie la moins importante en quelque sorte. Les corps subtils et les chakras sont les vrais centres de Vie. Ils sont les réservoirs de Vie. Ils sont les créateurs de la Vie. Ils sont la partie Divine et pure de l'être.

Au fur et à mesure que le fœtus se développe, les chakras se créent et se greffent tout le long de la Corde d'Argent ou du Cordon d'Argent. Cependant, les chakras et le Cordon d'Argent ne sont pas rattachés à la colonne vertébrale comme certaines croyances le disent. Le Cordon d'Argent entre dans le fœtus par le Chakra Divin (neuvième chakra), transperce le Chakra Christique (huitième chakra), pénètre par le Chakra Coronarien (septième chakra) et descend se greffer jusqu'au Chakra de Base (premier chakra). Le Cordon d'Argent est libre à l'intérieur du corps. Ce cordon se solidifiera au cours du neuvième mois de grossesse alors que le chakra Divin se mettra en mouvement.

Qu'est-ce que le mouvement des chakras ? Il s'agit ici d'une rotation, comme la Terre tourne elle-même autour du soleil, les chakras ont un mouvement en rotation. Par ce déplacement, ils créent ou éliminent des formes d'énergies selon le besoin de la personne comme telle. Ils peuvent donc se refermer ou s'ouvrir à volonté.

S'il y a un danger, l'un d'entre eux s'ouvrira pour voir à la sauvegarde de son porteur. Il pourrait aussi se refermer, toujours dans le but de protéger l'être. Une fois tous les chakras incorporés dans le fœtus, à partir du moment où le processus de naissance débute, l'aura se fixe autour de l'enfant, comme Nous vous l'avons dit, au cours du neuvième mois de la grossesse. Le rayonnement aurique de l'enfant non né sera greffé devant la mère, se placera tranquillement devant la mère, car à mesure qu'un chakra se développe, le corps subtil rattaché à ce chakra se développe en même temps, et sa rayonnance peut être perçue au niveau de l'utérus de la mère.

Lorsque l'enfant aura son premier souffle de vie, l'Esprit descendra le long du Cordon d'Argent et viendra s'asseoir dans l'Âme, qui est son corps physique, et en quelque sorte, son abri. Comme Nous vous l'avons déjà dit, l'Âme se situe dans votre poitrine un petit plus haut que le cœur, près du mamelon du sein gauche.

Une fois que l'Esprit est bien embarqué dans sa voiture, ou dans son Âme, les chakras s'activent et l'aura prend forme, s'agrandit, se met en mouvement. Cette phase prend normalement trois mois. C'est la raison pour laquelle les petits bébés dorment presque entièrement les trois premiers mois de leur vie. Cependant, après cette étape d'installation aurique, l'enfant s'éveille et commence déjà à exercer ses pouvoirs et sa personnalité propres à lui.

Chacun des chakras diffusera ses énergies propres à une époque précise. Celui de la base s'allume au moment même où le premier respire autonome de l'enfant se fait. La fonction du chakra de base est de créer le corps physique et d'aider le corps physique à grandir, et l'ossature à se développer.

Précisons une chose en ce qui concerne l'aura, **tous les corps subtils ne sont pas à l'extérieur du corps humain. Tous les corps subtils sont à l'intérieur du corps humain et se reflètent à l'extérieur de celui-ci.** Ils sont greffés le long du Cordon d'Argent, et rayonnent un peu comme un grand ovale, à partir du Chakra Divin, que Nous pourrions tout simplement appeler le Chakra Pur ou l'Essence Pure, et descendent pour se refermer jusque sous les pieds. Ceci crée une sorte de dôme en forme d'œuf. C'est la raison pour laquelle vous avez besoin d'un espace vital, et besoin que celui-ci soit respecté.

Le premier corps le plus collé, le plus près, du Cordon d'Argent est le corps Éthérique. Il diffuse son énergie, son rayonnement à l'extérieur de votre corps physique et pourra atteindre, au moment de la réalisation complète, un champ d'énergie d'environ trois pieds. Tous les corps subtils sont emboîtés l'un contre l'autre à l'intérieur du corps physique et rayonnent à l'extérieur de celui-ci selon leurs positions internes. C'est-à-dire que le premier corps interne est le corps Éthérique et il sera le premier entourant l'enveloppe physique. Le second corps est l'Astral et il sera le deuxième en rayonnance autour du corps physique. Et ainsi de suite pour tous les corps subtils.

Chaque corps subtil possède trois grands niveaux. Exemple, le corps éthérique possède un premier niveau qui est purement physique, un deuxième niveau, qui est émotionnel et un troisième niveau qui est spirituel. Chacune de ces couches est subdivisée en douze étapes, que vous pourriez considérer comme étant des possibilités d'intégration et d'utilisation des énergies.

Vous avez à l'intérieur de chaque corps et de chaque chakra, trois étapes subdivisées en douze niveaux, ce qui donne trente-six niveaux d'apprentissage, ou trente-six étapes d'apprentissage par chakra et par corps subtil.

Chaque chakra est subdivisé en trois sections, soit une pour le corps qui est le plan physique comme tel, une pour l'âme qui est la partie émotionnelle de l'être, et une pour l'esprit qui est l'intégration de la Divinité en soi. Chacune de ces trois étapes est subdivisée en douze niveaux d'intégration selon ce qui se rattache à eux. C'est après avoir intégré ces trente-six facettes de chaque chakra ou de chaque corps qu'il est possible d'ascensionner.

Les subdivisions des chakras sont identiques aux subdivisions des corps subtils. Plus vous développez un chakra en intégrant ce qu'il possède, plus vous développez votre aura jusqu'à ce qu'elle puisse devenir Christique. Comment se passe ce phénomène ? En réalité c'est comme si vous effaciez toutes les subdivisions ou les barrières à l'intérieur des chakras et des corps subtils. Vous y pénétrez de la Lumière à un point tel qu'ils atteignent une unification parfaite.

Selon les apprentissages de vos vies passées, vous possédez plus ou moins de divisions à l'intérieur de vos corps et de vos chakras. C'est la conscience entière et parfaite de tous les niveaux de l'être qui enlève ces divisions.

Le corps physique est en quelque sorte un réceptacle, une forme plus lourde et lui-même ne possède pas d'aura. Ce sont les chakras et les corps subtils qui possèdent une aura. Lorsque les chakras commencent à se développer, c'est qu'ils se mettent à produire des ions qui leur sont transmis par l'Esprit, qui est logé dans l'au-delà et qui rejoindra le corps physique par l'Âme. C'est-à-dire, que toute la Puissance de votre Esprit est logée dans les plans subtils et est rattachée directement à Dieu.

Et il sera activé à l'intérieur du corps physique par son habitation dans l'Âme. Ainsi l'Esprit vit toujours sur deux plans, dans le plan visible, soit dans un corps physique, et dans le plan invisible, soit dans l'Astral de la Terre où il voyage librement en tout temps.

Absolument tout ce que vous dites, ce que vous pensez, se vit sur les deux plans. Sur le plan physique, dans votre corps et sur le plan Astral ou Divin, comme vous voulez bien le nommer. Tous les Êtres sur Terre vivent sur ces deux plans. Donc, l'Esprit de Monsieur X est en communication constante avec l'Esprit de Monsieur Y. Et si Monsieur Y parle et pense contre Monsieur X, même si ce dernier est à cent mille milles dans la matière, les Esprits communiquent ensemble, et savent à cent pour cent ce qui se passe.

Vous auriez, peut-être, avantage à cesser de mentir, à cesser d'être hypocrites, à cesser de médire, car les Esprits le savent. Et vos Êtres Suprêmes le savent. Appelez cet Esprit logé dans le Chakra Divin l'Être Suprême, si vous le voulez, mais tout se sait ! Y a-t-il des questions ?

Participante : Si un enfant est né avant terme, prématurément, est-ce qu'il aura des chakras qui ne seront pas développé, est-ce que cela va lui causer des ennuis dans la vie ? Est-ce qu'il sera diminué ?

Tamara : Non pas diminué, c'est qu'il aura plus de travail à faire sur Terre dans la réalisation corporelle, émotionnelle et spirituelle pour atteindre le but de la Divinisation complète de son Être. Il aura, en quelque sorte, du travail à rattraper, mais dites-vous bien que tel était son chemin de Vie. Et les enfants qui décèdent à la naissance, ou ceux qui meurent à l'intérieur des vingt et un premiers jours suivant la naissance, sont dus au fait que l'Esprit ne vient pas habiter l'Âme. Il ne vient pas activer le fonctionnement des chakras. Encore une fois, c'était le plan de vie que l'être avait choisi. Vous n'y pouvez absolument rien. Chacun est libre des choix qu'il désire accomplir.

Revenons à chacune des étapes une par une. Parlons maintenant des couleurs. Chacune des couleurs est créée par douze vibrations différentes, douze intensités différentes. Ces douze intensités, reliées ensemble. créent une masse qui dans le cas du Chakra de la Base sera le rouge. Autrement dit, chacune des douze subdivisions des chakras ou des corps subtils représente une gamme émotionnelle qui est représentée à son tour par une couleur. Donc, chaque gamme émotionnelle représente une vibration et par le mouvement de cette vibration se crée la couleur.

La couleur est en réalité le reflet créé par le mouvement. Et ce mouvement ionique, qui se fait sous la forme d'une spirale, émet une fréquence sonore. Toutes les énergies sur Terre fonctionnent au niveau spiralique et ont une fréquence sonore. Si vous êtes en train de créer quelque chose, la spirale ira dans le sens des aiguilles d'une montre, et c'est pour cela que les montres ont été créées ainsi, se dirigeant vers le ciel, soit vers le futur. Si vous êtes en train de détruire quelque chose, de mutiler quelque chose, l'énergie s'en ira dans le sens contraire des aiguilles d'une montre, en forme spiralique vers le sol, elle se videra, s'éteindra, s'autodétruira.

L'énergie de création se dirige vers le ciel pour aller recevoir les énergies des Hauts Plans afin de créer vos réalisations. Et la forme négative se vide vers la Terre et naturellement, elle sera transcendée et réutilisée par la Terre et par ses habitants. Ceci n'est qu'une des fonctions de la Terre, en réalité, elle en possède bien d'autres. Si vous pouviez savoir, chers amis, toutes les fonctions que la Terre possède, vous seriez à genoux devant elle à tous les jours à la remercier et à la bénir. Mais Nous reviendrons sur ce sujet une autre fois.

Revenons aux chakras. Le Chakra de Base, exemple, en commençant à vibrer, crée des ondes ioniques à travers l'émission des ondes que l'Esprit lui envoie. Ce mouvement crée le rouge. L'Énergie développée par le rouge crée une onde qui entre à l'intérieur de tous les autres chakras. Donc des huit autres chakras, pour développer, soit dans la matière la création du corps physique, soit dans la deuxième étape les émotions, ou soit l'intégration du cheminement spirituel, dans la troisième étape du chakra.

Le Chakra de Base est rouge, crée le squelette, mais tout en créant le squelette, est rattaché en même temps à la création des huit autres chakras, donc des huit autres niveaux de conscience de l'Être Humain. Autrement dit, chaque chakra et chaque corps possèdent les douze couleurs. Si vous travaillez sur le rouge du chakra de Base, vous travaillerez automatiquement sur le rouge des autres chakras. Et ainsi de suite, ce travail s'effectue en même temps dans l'aura, chaque chakra étant intimement relié à son propre corps subtil.

En d'autres mots, chacun des chakras a un « Moi » à développer. Ces « Moi » possèdent trois étapes, qui sont chacune subdivisée en douze niveaux. Ces trois étapes se nomment, soit le Moi Inférieur pour la partie concernant le corps, le Moi Intérieur pour celle de l'âme, et le Moi Supérieur pour celle de l'esprit. Chacun des « Moi » possède trois étapes subdivisées en douze niveaux.

Si vous voulez ascensionner, il vous faut Diviniser chacune de ces étapes, une par une. La grande majorité des Êtres Humains possède un défaut, ils vont, exemple, dans le Corps Astral, développer la huitième étape du troisième niveau et n'ont pas développé la deuxième étape du premier niveau du Chakra de Base. Ne se sont pas occupés de manger sainement, ne se sont pas souciés de bien dormir, ne se sont pas préoccupés d'effectuer des exercices physiques, des exercices de respiration.

Ils ont vécu dans des endroits malsains, ont mangé du poulet intoxiqué, ont écouté des films d'horreur. Pour ascensionner, il vous faut atteindre la perfection dans vos neuf chakras, dont sept sont visibles à l'œil de l'être humain, et deux lui sont invisibles. En plus de ces neuf principaux chakras, vous possédez cinq chakras mineurs. Un, vis-à-vis de chaque épaule, un de chaque coté de votre bassin et un dernier au bas du dos. De plus, vous possédez quarante chakras sous-mineurs qui sont reliés aux méridiens d'énergie. Chacun de ces items, soit la couleur, le chakra, les organes, les Moi et le corps subtil, est rattaché à un réseau de méridiens. C'est-à-dire, que vous possédez, à l'intérieur de vous, neuf réseaux de méridiens vitaux. Très peu de ces réseaux de méridiens d'énergie sont présentement connus. Celui qui possédera la connaissance du réseau des Méridiens Divins comprendra comment créer ses énergies à l'intérieur de lui par une pensée entièrement pure.

Le premier réseau de méridiens est créé par le chakra de la Base. Plus le chakra tourne, plus il développe d'ions. Plus il développe d'ions, plus il crée dans la matière la conception. Plus il crée la conception, plus l'évolution du corps physique se réalise. Et en même temps, plus il active son premier système de méridiens et les points de ralliement sur ce système. Il en est ainsi pour tous les chakras.

Chacun des systèmes de méridiens possède cent quarante-quatre points d'entrée d'énergies dans le corps physique. C'est un petit peu comme des points qui touchent les lignes énergétiques, comme une toile d'araignée, si vous voulez, où les masses de chair qui sont créées, où les cellules qui sont créées, viendront se coller dessus.

Connaissez-vous l'image d'un être humain dessiné avec plein de petites lignes, de petits carrés partout ? Voyez-vous l'image que Nous tentons de vous projeter ? C'est ainsi que se crée le corps, et par-dessus se colle ce que vous appelez l'Enveloppe Corporelle.

Écoutez bien ceci, Nous vous suggérons une chose, **ne laissez jamais personne fouiller dans vos chakras.** C'est un peu comme si vous laissiez n'importe qui fouiller dans ce qui est le plus intime chez vous. Les chakras sont des sceaux sacrés, ne l'oubliez jamais. Vos chakras tournent à une vitesse ionique nécessaire à l'expérimentation du moment présent. Si vous faites ouvrir vos chakras, supposément ouvrir vos chakras, puisqu'en réalité **les chakras ne peuvent pas se faire ouvrir**, par quelqu'un d'autre que vous-même. Ils ne peuvent s'ouvrir que par l'intégration que vous faites tout au long de votre évolution quotidienne. Mais ils peuvent être bousculés dans l'énergie, ils peuvent absorber des doses d'énergie venant de l'extérieur, dont ils auront à se débarrasser par la suite. Si vous faites ouvrir ou fermer vos chakras et que vous n'avez pas vécu l'intégration émotionnelle, corporelle et spirituelle nécessaire à cette ouverture ou à cette fermeture, vous allez, mes chers amis, vous faire sauter les neurones !

Le Nouvel Âge est un peu malade. Le Nouvel Âge veut atteindre une spiritualité transcendante d'Ascension et de Maître, le plus rapidement possible avec vingt-cinq mille techniques de « oum-a-patoum » de tout ce que vous voulez. Mais l'être humain oublie que l'outil le plus important pour cette évolution est de devenir conscient, **minute par minute**, de ce que vous faites, de ce que vous pensez, de ce que vous respirez, des couleurs dont vous vous vêtissez, de ce que vous mangez, de ce que vous buvez et en réalité de tout ce qui concerne la Vie.

La seule et unique façon pour atteindre l'Ascension, c'est que vous deveniez conscients de chacune des trois grandes étapes de chacun des chakras, et conscients de chacune des douze sous-étapes de ces trois grandes étapes, de chacun des chakras.

Plus vous transcenderez en vous votre Divinité, plus vous vous connaîtrez, plus vous développerez votre énergie physique, plus vous franchirez les étapes. Plus ces étapes seront franchies, plus vos chakras s'agrandiront, se dilateront, plus chacune des couches de votre aura se développera, s'étendra pour qu'à la fin vous ne soyez plus qu'une immense couleur. C'est-à-dire qu'un seul centre d'énergie existera et qu'une seule couche d'aura entourera votre corps, chaque corps subtil se fondra en un seul qui est votre corps Divin.

Comprenez-vous bien ceci ? Les neuf chakras seront toujours là mais interpénétrés l'un dans l'autre. Les neuf couches auriques seront toujours là, mais interpénétrées l'une dans l'autre. Et à ce moment-là, votre aura deviendra d'un doré intense et d'une couche de couleur possédant toutes les teintes, c'est-à-dire, les douze teintes essentielles à la vie. Vous aurez atteint l'intégration parfaite des lois spirituelles, vous serez immortels.

La première étape est d'habiter votre chakra de Base, et de ressentir votre corps et de reconnaître ses tensions et ses besoins. Deuxième étape est d'habiter votre chakra Sexuel, pour développer tous les sens du corps et toutes les fonctions rattachées à ces sens, et ainsi de suite, chakra par chakra.

Vous pouvez, par des régressions, travailler dans le corps Astral à divers niveaux, dans l'une des douze couches de ce corps Astral. Vous pouvez amener certains changements dans votre corps Physique, dans vos pensées, dans votre façon d'être, dans vos émotions. Mais n'utiliser que cette technique et ne pas devenir conscients du restant de vos corps, de vos chakras, et de votre corps Physique, ne vous amènera pas à l'Ascension.

Pour atteindre les couches supérieures de l'aura, pour atteindre les chakras supérieurs, il vous faut utiliser votre pensée et votre concentration, après avoir vécu, par votre expérimentation l'intégration des énergies des sept premiers chakras. Aucune technique réelle n'existe pour pénétrer ces corps ou ces chakras du huitième et du neuvième niveau. Vous ne pouvez pas, par des pierres, par des cristaux, par des méditations, par des gaz rares, par quoi que ce soit, activer les deux derniers chakras et les deux derniers corps Subtils artificiellement. **C'est impossible !**

Entre le septième chakra, entre le septième corps subtil, et les deux chakras supérieurs, et les deux corps subtils supérieurs, existe une membrane de protection, afin de vous permettre de ne pas devenir fous. Afin de vous permettre de ne pas recevoir d'un coup sec des informations que vous ne pourriez pas absorber, car votre expérimentation humaine ne sera pas suffisamment développée pour y avoir accès.

Cependant, dès que vous avez intégré entièrement les énergies des sept premiers chakras, cette membrane se dilatera et vous aurez accès librement aux deux chakras supérieurs, en droite ligne, seulement par votre désir et votre pensée.

Est-ce que certains d'entre vous ont vu le film « L'enfant du Tonnerre » ? Cet être avait développé ses six premiers chakras profondément, par des apprentissages venant des vies passées.

Ce jeune homme n'avait pas développé ce système à cause de la foudre qu'il a reçue, mais par sa puissance vibratoire ionique, il a attiré la foudre sur sa mère.

Ce film est important à voir et à revoir, il vous fera comprendre que si l'expérimentation, l'apprentissage n'a pas été fait, vous vous autodétruirez vous-mêmes. Vous pourriez facilement posséder cette mémoire exceptionnelle, cette fonction d'autodidacte, en développant étape par étape chacun des chakras, chacun de vos corps subtils. Plus vous développez vos chakras, plus se dessinera une sorte de fleur en vous pour chaque chakra.

Plus, les douze étapes s'intégreront ; c'est pourquoi certaines religions ont parlé de fleurs ou d'apparence de fleurs dans les chakras, ou de pétales de fleurs. En réalité, vous avez trois grandes étapes, douze sous-étapes, et douze marches pour monter dans chacune des sous-étapes. Ce qui fait tout un voyage, n'est-ce pas, à affranchir. Cela fait beaucoup d'étapes. Inconsciemment, lorsque vous découvrez une émotion en vous et que vous dites « Oh, j'ai de la colère », veut, veut pas, vous êtes en train de créer une énergie pour agrandir vos chakras, pour agrandir votre aura. Pour atteindre votre potentiel Divin maximum.

Il est important que tous les thérapeutes comprennent bien que si vous utilisiez, exemple, l'acupuncture mais que vous n'utilisez pas la compréhension émotionnelle et n'effectuez pas les changements qui s'y rattachent, soit par une nouvelle alimentation, soit par des suppléments alimentaires, vous obtiendrez, oui, un changement temporaire, mais vous ne grefferez pas cette réussite dans vos chakras et dans votre aura. Vous ne guérirez pas, le mal se transportera ailleurs. Vous n'aurez pas atteint la perfection. Ce qui se produira c'est que le blocage se recréera dans un autre organe, sur un autre méridien d'énergie et tout sera à recommencer.

L'acupuncture ordinaire est basée sur le réseau des méridiens d'énergie par le chakra de Base. L'acupuncture des Mages est basée sur le chakra du Cœur, donc sur le corps s'y rattachant. Différentes formes d'acupunctures existent. L'idéal est de ne point mutiler le corps, soit d'utiliser des aimants, soit d'utiliser des pierres, ou l'acupression avec les doigts. L'apposition des cristaux sur les points d'énergies est excessivement efficace.

Voyons maintenant ensemble chacun des chakras et des corps subtils de façon plus précise. Voici une description brève de la fonction de chacun d'entre eux :

Premier :
• Corps éthérique, Moi Physique, squelette, chakra de Base, et couleur rouge :

Le corps éthérique et le chakra de base donnent la possibilité de créer le corps physique en son entier. C'est lui qui entretient la vie. Il permet le développement du corps physique en son entier, ainsi que toutes ses fonctions. Tous les systèmes du corps physique, les méridiens d'énergie et les autres chakras se créent grâce à ce chakra. La capacité de grandir et de vieillir aussi. C'est grâce à lui que vous demeurez en vie.

Il est l'entrée d'énergies provenant de la Terre, ce qui représente votre ancrage au sol. Il vous ancre sur Terre et vous permet, si vous le souhaitez, de vivre le moment présent, à condition que les autres chakras ne viennent pas influencer par des blocages émotionnels ou des déniements, vous dé-senracinant. Il est le plus dense après le corps physique comme tel. Si vous voyiez un fantôme, c'est en réalité le corps éthérique de la personne désincarnée que vous percevez.

Deuxième :
• Corps Astral, Moi Inférieur, *sens et reproduction, chakra* Sexuel *et couleur orange* :

Il est le siège de toutes nos émotions, de tous nos désirs, de toutes nos passions. Toutes les émotions que vous vivez sont rattachées à vos sens, et tous les sens sont rattachés à ce chakra. C'est ici que se créent la personnalité de base, la personnalité inconsciente, les peurs, le besoin de contrôle, la manipulation, ainsi de suite. Plus en détail, tous les sens, comme l'odorat, l'ouïe, la sensation lors du toucher, les sensations lors de la peur, le goût pour la nourriture, les goûts pour les désirs, sont rattachés à ce chakra.

Le système reproductif, avec tout ce que cela comporte en son entier, fait aussi partie intégrante de ce chakra et de ce corps subtil. Il transforme vos impressions venant de l'extérieur, déterminant ainsi les plaisirs et les douleurs. Il est relié au mental, à votre compréhension des choses de la vie. Il agira pendant la nuit au cours des rêves et après une certaine évolution spirituelle, permettra les voyages astrals.

Troisième :
• Corps Mental, Moi Inférieur, *système de la digestion, chakra du* Plexus Solaire *et couleur jaune* :

En premier lieu, ce chakra réagit selon les informations qu'il reçoit provenant du chakra sexuel. Il sera l'action-réaction. Il mettra en action les réactions nécessaires pour créer un équilibre entre lui et le chakra sexuel. Au cours d'un accident ou d'une situation émotionnelle éprouvante, c'est lui qui prendra le contrôle en injectant dans votre système l'adrénaline nécessaire à votre survie. Il voit aussi à tout le système digestif en son entier, ce qui veut dire autant l'estomac, le foie, les intestins, et à tout ce que ce système contient.

Comme il s'empresse de faire exécuter une réaction non réfléchie, il est le plus important des chakras à apprendre à connaître. C'est-à-dire, que plus vous deviendrez conscients, moins il aura d'emprise sur vous dans son ordre négatif, mais plus il sera efficace dans la survie de votre être. Il représente la personnalité inférieure, ou la personnalité première, si vous voulez, qui représente en quelque sorte les étapes à franchir avant d'atteindre la conscience. Il est question ici d'un début d'éveil, d'une première étape à franchir avant d'ouvrir un cheminement de conscience réel. La personne commence à s'apercevoir que quelque chose ne va pas. Qu'elle est malheureuse. Qu'un changement doit se faire en elle pour atteindre un état meilleur. Elle se rend compte qu'elle a réagi sans le vouloir vraiment, que ses émotions ont pris le dessus sur elle. Et elle commence à s'en sentir mal.

Quatrième :

• Corps Causal, Moi Intérieur, système cardio-vasculaire, chakra du Cœur et couleur verte :

Régit toutes les parties du corps touchant la circulation sanguine, le système cardio-vasculaire. Tous les liquides du corps sont régis par ce chakra et ce corps subtil. Il est en communication étroite avec le chakra sexuel et le plexus solaire. Il vous fait ressentir ce que ces deux derniers ont créé, et les fera se manifester soit par des pleurs, soit par des états de joies, ou différentes expressions de vos émotions.

À ce stade, le moi inférieur représente la conscience, la perception du bien et du mal. L'être humain pourra prendre conscience de ce qui ne va pas et pourra désirer faire un changement. Vous pourrez entendre et ressentir votre pensée et la modifier. Il est en quelque sorte l'ouverture de l'amour pour soi et pour les autres. Il est la Porte d'Entrée à tous cheminements spirituels réels. Il régit la sagesse et l'intégration des émotions et du vécu. C'est en lui que réside la notion du bien et du mal. Plus vous intégrerez ce corps subtil et ce chakra, plus vous vivrez en unisson avec l'Amour dans tous ses sens. Plus vous ferez vos choix par amour et avec amour. Moins vous serez en action-réaction. Plus vous serez posés et justes dans l'ordre des Lois Divines.

Cinquième :
• Corps Vital, Moi Intérieur, système respiratoire, chakra de la Gorge et couleur bleue :

Tout ce qui a rapport avec l'entrée d'énergie provenant de l'extérieur, l'air, les salives, tout ce qui distribue l'air à l'intérieur du corps et qui permet au corps de respirer et d'expirer. Le Moi inférieur est rendu du Moi Intérieur, au niveau de l'expression de ce que le Moi Inférieur a découvert, de ce que les autres étapes ont fait ressortir à la conscience. Il exprime, il peut, dans la matière créée, changer les choses. Il reconnaît en s'exprimant à lui-même, en exprimant aux autres, ce qui est à modifier, ce qui est en train d'évoluer.

Tout ce qui n'est pas exprimé, ne peut guérir. Et c'est à partir de l'utilisation de ce chakra que vous pouvez atteindre les niveaux

Divins les plus élevés. C'est-à-dire, que pour développer toutes les facultés extrasensorielles, pour développer toutes les facultés paranormales, au complet, en grand nombre, à cent pour cent dans leur pureté, vous devrez développer à cent pour cent toutes les étapes intérieures à ce chakra. Donc, à ce corps subtil.

Sixième :
• Corps Anima, Moi Supérieur, sens de la perception chakra du Troisième Œil et couleur indigo :

Voilà la vie qui pénètre en vous. Elle est créée par la Volonté d'exprimer ce qui ne va pas. À partir de la Volonté d'exprimer ce qui ne va pas, vous venez de créer la vie en vous. Vous venez d'arracher la mort, de détruire les cellules atypiques, de détruire les cellules malades. Pour pouvoir guérir les autres, c'est ce chakra que vous devez développer.

Ce chakra touche tous les sens de la perception, pour découvrir la Vérité en toute chose. Nous parlons ici de tout ce qui a rapport au ressenti. Tout ce qui a rapport à la perception intérieure des choses. Le Troisième Oeil est basé sur la Vérité, il recevra les éléments de Vérité que votre Esprit ou que votre Aura, au niveau du Divin, pénètre en vous et reconnaît. En développant ce chakra, vous regarderez une roche et vous pourrez lire en elle toute l'histoire de la création jusqu'au début des temps.

Par lui, vous retrouverez le contact avec votre Essence Divine. Anima veut dire, animation de la vie par la Vérité. En découvrant la Vérité, vous découvrez la perception et vous atteindrez la perfection.

Septième :
• Corps Coronal, Moi supérieur, cerveau, chakra du Sommet et couleur violette :

Ce chakra régit absolument toutes les fonctions du cerveau et à une très grande rayonnance dans le corps au complet. Le lobe droit du cerveau qui vous permet de reprendre contact avec vos vies passées, et avec toutes formes de transes médiumniques, est particulièrement nourri par ce chakra. Dans le moment présent, la grande majorité des êtres humains n'utilise que dix pour cent des capacités de leur cerveau. Le Moi Supérieur représente, en quelque sorte, la Volonté d'**Être.** Être avec un grand E. La vénération de la Vie, la contemplation, le contact avec votre Divinité sont intimement reliés à ce corps subtil.

Plus vous cheminerez, et plus vous serez en contact avec votre Essence Divine. Vous pourrez ainsi guider votre vie sur le chemin précis de votre réalisation, sans avoir à faire un million de détours. C'est aussi par ce chakra que vous pouvez recevoir toutes les énergies Christiques émises pour vous constamment par Dieu. Vous pouvez les ressentir et les intégrer dans vos corps afin d'en élever le taux vibratoire.

Huitième :
• Corps Christique, Moi Christique, 4e et 5e dimension, chakra Christique et couleur or :

En développant ce chakra, vous posséderez le contact avec les autres dimensions, vous pourrez voir les auras, les êtres de Lumière, vos guides, etc. Vous pourrez entendre les Êtres de Lumière vous parler. Vous pourrez voir à des niveaux supérieurs de la Conscience. Vous pourrez voir et entendre les pensées des autres. Voir et entendre et comprendre l'histoire d'un arbre et de toutes choses vivantes. Voir, entendre et comprendre les réseaux d'énergie de la Terre, car la Terre possède, elle aussi, son cordon d'argent qui est relié à Dieu, possède son aura, possède ses neufs chakras, possède ses neufs corps subtils.

Vous pourrez comprendre que ce corps a été dénommé ainsi en l'honneur de Jésus-Christ. Et reconnaître en vous toutes les capacités qu'Il possédait. Vous pourrez transmuter la matière, faire apparaître du vin, voyager dans le temps, vous retrouver à deux endroits en même temps, déplacer des montagnes, ouvrir les eaux.

Neuvième :

• Corps Divin, Moi Christique, 6e et 7e dimension, chakra Divin et toutes les couleurs de l'aura : (ce qui donne une teinte blanchâtre-bleutée)

Il a la plus grande importance, puisque pour que Jésus-Christ ascensionne voici l'étape qu'il a dû franchir, celle d'intégrer ce corps. Ce chakra relie tous les corps ensemble et ainsi unis, ils créent une brillance extraordinaire. Il est l'intégration de toute Vie, de toute Conscience, de toute Vérité. Il est l'état pur de l'Esprit qui habite la matière. Avec lui, vous atteindrez la communion complète avec votre corps physique dans l'au-delà, soit l'Ascension. Vous aurez le pouvoir de créer n'importe quoi, de la plus petite chose à un univers entier. Et voilà, vous aurez atteint la Divinité Parfaite. Vous serez de nouveau reliés directement à Dieu et n'aurez plus besoin d'une enveloppe corporelle aussi lourde. Vous serez Dieu.

En ce qui concerne votre cheminement spirituel, vous devez être conscients que tout se fait en même temps. Lorsqu'un chakra grandit un peu, il fait grandir les autres en même temps. Peu importe quel chakra évolue en premier, il influencera l'évolution des autres chakras. Vous développerez graduellement ces étapes d'évolution par votre désir de changer. De plus, chacun des chakras est relié à une glande et à deux sous-glandes qui interagissent l'une sur l'autre. Exemple, le chakra Sexuel en plus d'être relié directement à la glande thyroïde, est sous directement relié au thymus et à la pituitaire. Votre corps possède neuf glandes principales, chacune des glandes est rattachée à un chakra, ou un chakra possède une glande-maître et agit sur un système de glande inférieure.

Voici un tableau plus détaillé des glandes :

Chakra de base —
glandes gonades, rate et pinéale.

Chakra sexuel —
glandes thyroïde, thymus et pituitaire.

Chakra du plexus solaire —
glandes endocrines du pancréas, foie et surrénales.

Chakra du cœur —
glandes thymus, thyroïde et surrénales.

Chakra de la gorge —
glandes parathyroïde, gonade et pinéale.

Chakra du Troisième Oeil —
glandes pituitaire, pinéale et surrénales.

Chakra Coronal —
glande pinéale et l'hypophyse.

Chakra Christique —

glandes hypothalamus, rate et thymus.

Chakra Divin —

glandes thalamus, thyroïde et gonades.

Cela peut vous décevoir d'avoir l'impression que vous avez autant d'étapes à franchir pour vous rendre à la Divinisation. Les êtres humains ont tendance à croire qu'ils peuvent devenir, demain matin, des Êtres entièrement réalisés. Vous vous rendez compte par vous-mêmes que cela est bien futile. L'intégration des neuf Principes vous amènera à la réalisation complète de votre Être et à l'harmonisation. Il vous faut devenir conscients de toutes les parties de vos inconscients. Il vous faut devenir conscients des cent quarante-quatre niveaux des neuf chakras, si vous voulez devenir un Dieu un jour.

Les informations que vous avez reçues aujourd'hui sont intenses, sont un peu différentes de ce que vous saviez déjà, mais après réflexion, ne vous découragez surtout pas. Dites-vous bien qu'en faisant l'effort de devenir conscients de vos inconscients à chaque minute, bien que vous ne connaissiez pas le fonctionnement exact de tous ces corps et de tous ces chakras, de la Vie, vous grandissez.

Chacun des règnes sur Terre possède des systèmes d'énergie, des corps subtils, des chakras, et les mêmes fonctionnements. Que ce soit le règne minéral, végétal, animal, humain ou astral. Nous ne parlons pas ici par astral des petits Êtres de la Nature, les elfes, mais bien des entités habitant l'astral ou le bas astral. Chacun de ces Êtres possède un cordon d'argent, neuf chakras, neuf corps subtils, et évolue de façon différente vers la Divinisation de son Être, et est relié à l'Esprit.

Sur ce, bonne continuité.

7

Que se passe-t-il donc sur la planète ?

Que se passe-t-il donc sur la planète ?

Que se passe-t-il donc sur la planète ? Quelles sont toutes ces situations ? Quelles sont toutes ces réactions ?

Nous vous avons tranquillement, au cours des dernières rencontres préparés afin de bien comprendre les informations d'aujourd'hui. Nous vous avons expliqué le fonctionnement de la Pensée, de l'Esprit, des blocages, des auras, des énergies. La Puissance que l'être humain possède.

Bien sûr, les informations, que Nous vous apporterons aujourd'hui, peuvent être parfois un peu traumatisantes ou bouleversantes, mais vous devez savoir. Alors ne nourrissez pas toutes ces informations par vos peurs, ne les nourrissez pas par vos inquiétudes. Dites-vous, à tous les soirs, lorsque vous vous couchez, que les plans Divins s'accomplissent et que la libération de l'être humain se fera très bientôt.

Ce qui se passe en ce moment se divise en quatre grands secteurs. La décadence actuelle continuera, entre l'an 1990 et ce jusqu'à l'an 2025, ensuite la Lumière régnera en grande quantité sur Terre. Bien sûr, la Mer de Champlain reviendra, mais lorsque ceci se produira vous ne serez plus de ce monde. Une bonne partie d'entre vous auront déjà ascensionné, d'autres seront à leurs dernières incarnations ou encore d'autres débuteront de nouvelles incarnations sur Terre. Ce retour de la Mer de Champlain s'effectuera aux environs des années 2200 et quelques. Alors, ne préparez pas votre bikini et vos bateaux à moteur trop rapidement, ils auront le temps de se démoder et de rouiller.

Revenons aux quatre plans du départ qui sont les suivants, le premier étant la répercussion de l'implantation des énergies négatives astrales sur Terre. C'est-à-dire, que la Terre, dans son corps astral, a accumulé une quantité telle de pensées négatives que celles-ci se manifestent maintenant dans la matière.

Tous les êtres humains ont vécu tellement de colère, tellement de haine, tellement de peurs, tellement de fantasmes négatifs, tellement d'illusions, que tout ceci a maintenant pris vie. Que se passe-t-il lorsque la Vie habite de tels systèmes négatifs ? Et bien, cela enrichit le pouvoir, mes chers amis, de ceux qui effectuent leur travail, à cent pour cent dans la perfection, d'asservir et de démolir la planète. Tous les gouvernements présentement, dans le monde entier, ont créé un système d'appauvrissement, ont rempli avec des milliards d'économie, faits sur le dos de l'appauvrissement des gens, des coffres qui maintenant débordent.

Cet argent sera utile à un certain groupe d'êtres humains, une douzaine, qui sont les maîtres francs, qui se subdivisent en autant d'équipes, pour rejoindre environ cent quarante-quatre personnes qui possèdent le contrôle financier et politique **complet** de la planète. Ces petites fortunes amassées sont maintenant dans leurs coffres, dans un bâtiment situé à New York.

Cet argent est prévu pour nourrir la prochaine guerre mondiale. Pour créer des habitations et nourrir les hauts placés des gouvernements, et ceux qui sont encore plus puissants qu'eux, des hommes d'affaires bien nantis, pour leur préparer des abris nucléaires sous terre et des cités complètement autonomes.

Pourquoi avoir créé un tel appauvrissement ? Pourquoi le Japon entrera-t-il en faillite, pensez-vous, ainsi que d'autres pays ?

Parce que les êtres humains devenaient, un petit peu trop, autonomes. Devenaient, un petit peu trop, conscients. Devenaient, un petit peu trop, éveillés. Commençaient à ne plus se servir des médicaments et de la vaccination, des nourritures pourries, des aliments pourris. Commençaient à exiger trop de choses, dont en particulier la Vérité.

Tout ceci existe afin de briser la nouvelle autonomie vers laquelle un bon nombre des humains se dirigent, afin de leur enlever leur volonté et leurs pouvoirs. Quelle est donc la meilleure façon d'agir pour obtenir ce contrôle ? Les appauvrir, les affamer ! Un être affamé, qui dort mal, qui se nourrit mal, qui est triste, perd son sens de la logique. C'est ainsi que toutes les sectes sont bâties.

On amène les gens à un épuisement tel, à une sous-alimentation telle, qu'ils ne peuvent plus raisonner par eux-mêmes. C'est ce que les gouvernements ont fait, et font encore.

C'est ce qu'ils tentent de faire. Pourquoi ? Pour continuer à amasser des fortunes ! Pour amener les êtres humains à faire des travaux communautaires gratuits. S'il n'y a plus d'argent dans les coffres des villes pour payer les employés, que pensez-vous qu'il va se passer ? Tous et chacun iront faire leurs trois heures de bénévolat dans la réparation des routes.

S'il n'y a plus de travailleurs forestiers pour planter des arbres, que pensez-vous qu'il se passera ? Tous et chacun iront passer quelques heures pour planter des arbres. S'il n'y a plus de travaux dans les hôpitaux par les salariés de fait, que pensez-vous qu'il se passera ? Bénévolat dans les hôpitaux. Et voilà, ce qui se passe présentement sur Terre, voilà vers quoi on se dirige.

Ce qui se passe aussi, c'est que les mutations génétiques effectuées depuis une quinzaine d'années dans l'alimentation ont rendu les végétaux **excessivement dangereux** à consommer. Le danger est dans l'absorption de ces végétaux, dont le tabac en particulier. À travers la mutation génétique, un produit a été inséré qui ralentit le fonctionnement du raisonnement du cerveau, et ce dans la majorité des aliments comestibles ou des produits médicamenteux. La résonance logique de l'humain qui consomme de tels produits est atteinte.

Plus vous fumez, plus vous mangez de poulet aux hormones, synthétisé, génétisé, et tout ce que vous voulez, plus vous semez des graines qui ont été transformées génétiquement et plus vous modifiez le changement de votre cerveau, et en conséquence de tout votre corps. Moins vous êtes capables de réfléchir, et plus vous tombez malades. Ceci sans compter les répercussions à long terme sur les générations à venir. Malades, voilà un autre impact de ce qui se passe présentement sur Terre. Tous ces médicaments chimiques, tous ces antibiotiques, ces anti-vies, toutes ces cochonneries qui se vendent en pharmacie ont amené les petits virus et les petites bactéries à développer des systèmes d'attaque de plus en plus sophistiqués. Vous avez donc, maintenant, depuis une quinzaine d'années sur Terre, des maladies nouvelles, des situations de problèmes de santé incroyables, créés grâce aux médicaments, qui devaient pourtant vous sauver la vie ! Créés grâce à l'alimentation qui devait, pourtant, vous sauver la vie !

Sans parler, ici, des produits chimiques qui sont déposés dans toutes les sources d'eau, de presque toutes les grandes villes, sur toute la planète, avec la bénédiction des gouvernements, naturellement. Dans ces produits chimiques, vous avez la même synthèse qui est mise dans l'alimentation, dans les végétaux et dans les animaux par mutations génétiques, afin de vous engourdir la cervelle et de vous robotiser, ni plus ni moins.

Les maladies sont incroyables. Des cancers galopants qui, en l'espace de quelques jours, vous tuent net. Des hémorragies à l'intérieur du foie qui vous tuent à l'intérieur de deux heures. La fameuse « bibitte mangeuse de chair » qui ravage, au Canada, quelques centaines de personnes par semaine. En entendez-vous parler dans les journaux ? Bien non !

Pourquoi tout ceci ? Parce que les gouvernements se sont rendus compte que les gens développaient de plus en plus le besoin d'avoir de l'argent. Que les gens développaient de plus en plus le besoin d'être autonomes ! Que les gens développaient de plus en plus le besoin d'être libres, et non enchaînés à un système ! Alors, comment arriver à manipuler complètement un petit enfant, à le détruire, c'est tout simplement en le privant de tout et en l'abaissant continuellement, en lui mentant continuellement, en sapant ses désirs et ses espoirs graduellement, en le négligeant et en l'appauvrissant.

Par la faillite du Japon, bien sûr, la Bourse aura de très graves répercussions. La faillite des autres pays, qui suivra dans les trois prochaines années, fera en sorte, messieurs dames, que les gouvernements gèleront dans vos comptes de banque, tous vos RÉER, toutes vos économies, pour s'en servir eux-mêmes. Et ceci est légal ! Si vous avez de telles sortes de placements, et bien, sortez-les des institutions bancaires. Conservez votre argent chez vous, cachez-le dans les murs ou sous les planchers. Débarrassez-vous de vos cartes de crédit, débarrassez-vous de vos dettes le plus rapidement possible. Débarrassez-vous de vos placements en Bourse aussi.

Ce qui se passe aussi sur Terre, ce sont des essais nucléaires **financés et approuvés par tous les pays du monde,** dont la Russie est le maître d'œuvre, pour lesquels le Canada fournit l'outillage et une partie des savants. Répercussions, blessures dans le chakra du Plexus Solaire de la Terre, blessures dans les corps subtils de la Terre, donc tremblements de terre, et ce n'est rien, ce qui s'est passé dernièrement. Sans compter l'empoisonnement de l'eau et l'ouverture dans la couche d'ozone. En plus de l'agrandissement des deux mers, qui se situent sur chacun des pôles de la planète. Ces deux mers sont présentement immenses et deviendront des océans dans les années 2230 et quelques. Les pôles fondent, les cours d'eau augmentent.

Grâce aux insecticides, de nouvelles bestioles se créent. Grâce aux mutations génétiques et à la perte des cobayes qui se sont enfuis, des mutations importantes dans la race des animaux se font aussi. Grâce à la fabrication de fœtus en congélateur et à la mutation génétique qu'ils subissent, naissance d'enfants ayant des problèmes graves, car l'émotionnalité ne se développera pas, car l'Esprit n'habitera pas ces corps. L'esprit ne fera que patauger autour de ces corps. Si un esprit désire vivre cette expérience et l'avait planifié dans l'au-delà, il pourra habiter cette forme de corps. Sinon, le corps ne sera pas habité par une entité humaine. Qui donc l'habitera ?

Nous pourrions vous en dire pendant des heures, des heures et des heures. Réalisez bien ceci. Ce qui se passe présentement sur la planète, c'est que tout le monde est embarqué dans un « Titanique » qui possède des milliers de milles de long. Si vous ne sautez pas en bas, vous allez périr ! Vous allez vivre toutes ces catastrophes.

Vous devez, **Nous vous en supplions,** ne pas vous laisser influencer par tout ceci, ne vous laissez pas atteindre par tout ceci. Développez des actions logiques, protégez-vous. Protégez votre argent. Cultivez vos jardins dans des serres. Recréez des graines-mères, cent pour cent biologiques. Cultivez votre spiritualité. Méditez. Faites attention à qui vous parlez, à ce que vous mangez, à ce que vous respirez, à ce que vous utilisez comme médicaments. Faites attention à ceux qui sont mandatés pour détruire ceux qui vont reconstruire.

Le Québec est situé sur le chakra du Cœur de la planète Terre et le Québec sera le reconstructeur de la planète. De partout dans le monde viendront des gens pour apprendre, au Québec, comment construire leurs maisons autonomes. Viendront chercher des graines saines, viendront chercher des enseignements. Viendront, auprès de vous Québécois, réapprendre à vivre. D'ici les vingt prochaines années, tous les Grands Maîtres Spirituels Humains viendront sur Terre, vivre au Québec, et ceci est déjà commencé depuis une dizaine d'années.

Trois points particuliers du Québec ont un taux énergétique vibratoire très fort, et créent un triangle au niveau de la reconstruction. Le premier territoire protégé est dans les Laurentides, à partir de la Ville de Prévost jusqu'à la Ville de la Conception et rejoignant le Mont Garceau. Pour le secteur de la Gaspésie, comme tel, à partir de Rivière du Loup jusqu'à Percé rejoignant un point au Nord-Est de Manicouagan. Et pour les Cantons de l'Est, à partir de Sutton jusqu'à Scotstown rejoignant la Ville d'Aston.

Ces trois endroits sont Divinement protégés et ont toutes les ressources nécessaires à l'autonomie complète. À l'intérieur de ces endroits se situent trois pylônes d'énergie particuliers.

Pour les Laurentides, le premier est près de la Ville de St-Jovite, le deuxième près de la Ville de Sainte Agathe-des-Monts et le troisième près du Lac de la Montagne Noire. Pour la Gaspésie, le premier est près de la Ville de Rimouski, le deuxième près de la Ville de Saint-Pierre et le troisième près du Lac Sainte-Anne sur la Côte Nord. Pour les Cantons de l'Est, le premier est près de Kingsey Falls, le deuxième près de Bonsecours, et le troisième Rivière Stoke vers la Ville de Stoke.

Ces pylônes sont situés sur des points de diffusion d'énergies spirituelles très élevées que la Terre possède. Vous avez donc, neuf lieux essentiels à la reconstruction par le rayonnement qu'ils diffusent. Vous avez neuf endroits qui ne seront pas touchés par tout ce qui se produira sur Terre, grâce à la Volonté des êtres humains qui y vivront. Grâce à la Liberté et à l'Autonomie de ces êtres humains.

Il vous faut savoir que les trois triangles principaux sont interreliés entre eux créant ainsi de grands triangles. Entre les triangles originaux les zones sont aussi protégées par la rayonnance de ceux-ci, cependant elles n'ont pas une protection totale. Ceci signifie que certains événements pourraient se produire mais les dégâts ne devraient pas être majeurs. Partout dans le monde, il existe ainsi des zones plus protégées que d'autres. Il serait long de toutes les énumérer ici.

Dites-vous bien que n'importe où que vous soyez, même si vous tentez de fuir le pire ou d'être dans les meilleurs lieux, vous vivrez à la lettre ce que votre plan de vie a tracé au préalable. Voilà quelle était la première partie de ce qui se passe sur Terre.

Deuxième partie maintenant, et celle-ci est un petit peu plus pénible. Vu tout ce qui se passe sur Terre, afin d'aider les reconstructeurs, afin d'aider ceux qui viennent aider les autres, des personnes ont été sélectionnées et mandatées pour abandonner leurs vies physiques et pour travailler dans les plans subtils. Car, le travail dans les plans subtils est beaucoup plus efficace que lorsque l'on est dans la matière comme telle. Dans la matière, on peut atteindre quelques personnes, une centaine et peut-être cinq cents tout au plus dans une vie normale. Dans les plans subtils on peut en atteindre, en une seule journée, quelques centaines de mille et même plus.

Nous vous avons parlé des Groupes d'Âmes, n'est-ce pas ? Vous souvenez-vous que ces Groupes d'Âmes sont un regroupement de cent quarante-quatre personnes, cent quarante-quatre Esprits. Dans tous ces Groupes d'Âmes, qui se situent naturellement par milliers sur Terre, douze personnes ont été sélectionnées pour chaque groupe. Elles ont choisi, avant leur incarnation, de décéder et de se rallier aux Groupes des Maîtres afin de vous aider pendant la période de l'Apocalypse sur Terre.

Vous pourrez reconnaître ces personnages grandioses facilement. Quelque temps avant de décéder, avant de quitter ce plan physique, ils déclareront à tous ceux qui voudront l'entendre, leur besoin de guérir les corps, de guérir les Âmes, et de guérir les Esprits. Ces personnes décéderont aussi de façon un peu tragique. Soit par des accidents, soit par des cancers qui malgré toutes les techniques et les volontés utilisées n'ont pas guéri, soit en voulant sauver d'autres personnes.

Soyez très fiers si vous avez eu l'honneur d'engendrer de tels enfants. Soyez très fiers si vous avez eu le bonheur de côtoyer de telles personnes. Elles sont, en quelque sorte, l'Espoir de la Vie Humaine car, si elles n'étaient pas là, si elles ne travaillaient pas dans les Plans Subtils avec les Maîtres et Dieu, la Terre grâce à la stupidité humaine, s'autodétruirait elle-même, avant la fin de l'année 2000. Imaginez !

Bien sûr, vous aurez à vivre le deuil d'autres personnes auprès de vous car, tous les Groupes d'Âmes se recoupent quelque part.

Vous aurez à vivre la peine de très jeunes enfants qui décèdent. Un beau petit blond à bicyclette qui, pour éviter une moufette, tombe et se casse le cou. Une belle petite fille qui, avec son pendentif, s'étouffe la nuit. Un autre beau jeune homme, qui dans une course folle pour rejoindre son amoureuse enceinte, se tue. Ne pleurez pas trop ces gens. Soyez fiers et admirez-les, car ils travaillent dans les plans subtils. Ils reçoivent dans l'au-delà une formation **très spéciale,** afin d'avoir l'autorisation de percer les auras, d'entrer des énergies spéciales de conscience dans les chakras. De plus, ils pourront réparer le fonctionnement cérébral, les fonctionnements de raisonnement de tout le cerveau, pour aider les reconstructeurs, si nécessaire.

Un tiers des êtres humains sera mort sur Terre avant l'an 2225. Un tiers est déjà en voie de troubler sérieusement, et le dernier tiers, dont la majorité de vous font partie, auront du travail à faire, mes chers amis, sur Terre ce n'est pas possible, pour reconstruire le Paradis Terrestre.

Pensez à éduquer vos enfants vous-mêmes, à l'extérieur des systèmes scolaires car, d'ici une dizaine d'années les écoles ne seront plus que des cages à poules d'enfants génétiquement transformés. De personnalités mutilées. Si vous connaissez l'un de ces Élus, qui est devenu un Mage ou un Ange pour vous aider, bénissez-le, projetez-lui votre amour pour l'aider à accomplir sa tâche.

Troisième partie de ce qui se passe sur la planète présentement. Ce sont, bien entendu, toutes les cachotteries, tous les mensonges, toutes les hypocrisies, et toutes les manipulations qui sont dévoilés et ce autant en politique, que dans tous les domaines que la vie touche. Et ceci met en danger, bien entendu, en danger de perdre la vie, ceux qui dévoilent ces informations.

Vous devez dire la toute Vérité. Vous devez déclarer les choses. Vous devez défoncer les systèmes. Que se passe-t-il pour que la Vérité éclate ainsi ? Des personnes choisies et bien sélectionnées, vivent certaines épreuves. Exemple, un docteur du Québec, vit présentement une épreuve corporelle et oblige la CSST et le Collège des Médecins à accepter les nouvelles médecines alternatives pour guérir son problème. Ce docteur est donc devenu un guerrier, il se bat contre le système. Vous avez aussi un autre Docteur Italien, qui grâce à des compléments de vitamines, soigne et guérit entièrement le sida et le cancer, en un laps de temps très court. Celui-ci est en train d'entrer sa médecine au Canada. Bien sûr, il est rejeté en partie sur sa route, par contre, il est accepté en Ontario et dans d'autres provinces du Canada, et dans d'autres pays du monde. Celui-ci est aussi devenu un guerrier contre les industries pharmacologiques et les corporations médicales.

Un autre monsieur a inventé un système pour produire de l'électricité par résonance magnétique. Celui-ci est parti en guerre contre les filiales de l'Hydro-Québec, et toutes les industries de fabrication d'électricité partout dans le monde entier. Et vous avez comme ceux-là, douze guerriers dans les cent quarante-quatre fonctions matérielles différentes. Donc, médecine, électricité, gynécologie, éducation, sagefemmerie et ainsi de suite, qui ont entrepris sur le sentier de guerre, depuis une dizaine d'années, de brasser les choses et d'obliger aux changements.

Joignez-vous à eux, aidez-les, supportez-les, méditez pour eux, priez pour eux. On assassine des Princesses pour les faire taire, car elles s'apprêtaient à dire des vérités. Tous les domaines possibles sont ébranlés et la vérité est en train de ressortir de toute chose. Telle était la troisième étape de ce qui se passe présentement sur Terre.

Quatrième et dernière étape, plus légère, celle-ci. Grâce à l'Infusion d'Énergies Divines, grâce à l'Infusion d'Énergies des Maîtres-Guides, des Maîtres Spirituels, et des chers Élus, ce que vous créez dans une pensée positive se manifeste « illico », maintenant, et rapidement. Ce qu'il vous faut savoir c'est de ne pas demeurer seuls, c'est de vous unir afin de mieux traverser toutes ces étapes qui viennent.

Il y avait douze apôtres, il y a douze mois dans une année, il y a douze plans de sous-évolution et d'évolution, il y a douze signes du zodiaque, ainsi de suite. Unissez-vous, cessez d'être individuels, cessez d'avoir peur du vol, cessez d'avoir peur carrément. Cessez de vous méfier, cessez de vous jalouser, cessez les luttes de pouvoir et unissez-vous ! Unissez-vous par groupe de douze. Si possible le mercredi soir, jour de Mercure. Unissez-vous pour créer, pour prier, pour visualiser, et à vous douze vous recevrez tous les messages nécessaires à la **réalisation entière et complète de votre autonomie physique, matérielle, émotionnelle et spirituelle.**

Bien sûr, n'allez pas faire sauter ces groupes lorsqu'une structure veut s'installer, car vos prières auront été de la foutaise. Il est important et même sain d'installer une structure. Que celui qui reçoit le groupe crée une pièce qui sera nourrie, minute par minute, à chaque instant de votre vie, tant et aussi longtemps que vous utiliserez cette pièce pour méditer, elle sera nourrie par ces Élus qui viendront y déposer leurs Énergies, par les Maîtres Spirituels et par les Maîtres-Guides.

Que les personnes qui reçoivent, créent la structure, car sans structure vous n'irez pas loin. Imaginez donc, si l'humain avait des oreilles d'éléphant et une queue de girafe. Y aurait l'air fin, hein ! L'Univers est structuré, alors structurez-vous.

Structurez la soirée de prières. La structure fait en sorte d'ouvrir vos chakras à la réception des énergies subtiles afin que vous puissiez pondre des petits œufs en or. Cette quatrième partie est donc la plus importante. En vous unissant à douze, les mercredis soirs, en planifiant vos projets **ensemble**, en priant **ensemble**, en recevant **ensemble** les messages venus par ceux de l'Au-delà, **vous ne serez pas atteints par ce qui se passe sur la Terre et vous découvrirez les bons outils à utiliser au bon moment.**

Les arbres tomberont autour de vous, mais pas sur votre terrain. Les abeilles piqueront mortellement autour de vous, mais pas chez vous, elles vous donneront du miel. Les orages feront prendre des feux et tueront des humains autour de vous, mais pas chez vous, les orages apporteront l'eau à vos jardins.

Les pénuries d'essence ou le coût excessif de l'essence, empêcheront les gens, au printemps prochain, de se promener en voiture. Vos voitures fonctionneront avec une énergie subtile mise dans de l'éthanol et fonctionnant avec deux cristaux, un de moldavite et un de jais, unis à un aimant, et le plus drôle, c'est que vous n'aurez jamais à emplir votre réservoir d'essence. Circuit perpétuel d'énergies. Vous n'aurez plus à craindre la faim, même si autour de vous les gens décéderont, empoisonnés par les damnées cochonneries génétiquement manipulées car, vous avez vos jardins, dans vos maisons ou ayant accès à la maison. Vous pourrez joindre ces serres à une porte communicative avec la maison.

Votre eau sera bénie car, elle viendra de vos puits personnels qui fonctionneront, sans électricité à partir de deux barils reliés par une tubulure, jointe à certains cristaux comme l'améthyste, comme la topaze impériale et comme le diamant bleu qui fonctionneront par gravité naturelle. Vous vivrez sans développer de cancer de peau à cause du soleil, car le soleil sera votre ami. Vous vivrez sans faire arracher le toit de vos maisons par les tornades qui s'en viennent, car le vent sera votre ami. Vous vivrez à la chaleur de vos cœurs dans vos maisons chauffées par des foyers de masse autonomes quand il n'y aura plus d'électricité l'hiver prochain ou dans les années à venir.

Vous vivrez avec la télépathie et l'utilisation de vos ordinateurs grâce à une pile spéciale faite d'une tubulure de verre emplie de gaz xénon, unie à deux pastilles d'or, unie à un aimant puissant à chaque bout, et unie à deux pierres, très spéciales qui ont une polarité remarquable au niveau féminin et masculin, et vous n'aurez plus besoin d'électricité pour votre ordinateur.

Bien sûr, la tempête incroyable de cailloux qui va débuter en septembre prochain, qui attaque la Terre, va nuire à plusieurs satellites et les télécommunications seront bousillées de façon royale, un peu partout sur Terre. De toute façon, chers amis, l'information sur Terre présentement n'est que de 7 % vraie, et n'est que de 30 % diffusée, tout le reste est caché ou n'est que mensonge, manipulation et transformation.

Restez centrés sur votre Divinité et vous ne serez atteints par **rien**. Créez ces groupes de prières, laissez les Élus, laissez les Maîtres-Guides, laissez les Maîtres Spirituels vous éclairer et vous baigner de leurs énergies. Soyez des missionnés, soyez des apôtres, soyez des prophètes, mais ne virez pas fous pour cela. Aidez ceux qui vous **le demandent**, mais ne vous imposez pas s'ils ne veulent rien entendre. Y a-t-il des questions ?

Participant : Voulez-vous donner un exemple, *Tamara*, quand vous suggérez un groupe de prières, comment l'organiser ?

Tamara : À quelle heure arrive-t-on ? De quelle façon nous asseyons-nous ? Qui apporte les breuvages et les collations ? Quel sera l'horaire de la discussion de la soirée ? En quoi mettrons-nous nos énergies ? À quelle heure terminerons-nous ? Qui invitons-nous ? Pourquoi nous unissons-nous ? Et serait-il possible d'y mettre de la joie et du plaisir ? Une structure veut dire : élaborer l'utilisation du temps afin de pouvoir faire du temps avec le temps. Afin d'être comblés et heureux dans ces moments.

Participant : Voici, dans la croissance d'un groupe, ça peut commencer par un petit noyau, je présume, pas nécessairement douze d'un seul coup. Et puis, lorsque les douze sont formés, jusqu'à quel nombre de groupes il peut s'étendre ?

Tamara : Douze personnes maximum serait l'idéal. Et si vous décidez très sincèrement de partir ces groupes, les douze seront là dès la troisième semaine normalement. Si une treizième personne arrive, c'est qu'il y en a une des treize qui vous quittera pour former un nouveau groupe elle-même ailleurs, et ainsi de suite.

Le but est de créer des groupes qui font briller leurs lumières spirituelles à tous les mercredis soirs, partout sur Terre. Imaginez deux cent mille groupes qui font scintiller leurs lumières au ciel le mercredi soir au Québec, et partout dans le monde. Imaginez la puissance d'énergie spirituelle qui va être déversée. Imaginez combien le monde va devenir lumineux, au point tel que les bombes atomiques ou bactériennes ne pourront même pas vous atteindre.

Réalisez la puissance de ce dôme énergétique vibratoire pur qui protégera le Québec. Bien sûr, un coup de dôme fait, les menteurs, les manipulateurs et les exploiteurs s'entr'uniront eux-mêmes pour s'autodétruire ou pour autodétruire leurs systèmes anti-spirituels. Bien sûr, ceux qui auront à s'ouvrir, à devenir conscients, viendront se joindre à vous. Ne pensez pas qu'égocentriquement, vous créerez vos groupes de prières pour vendre plus d'aimants, plus de livres, plus de ci et plus de ça et vous enrichir, vous péter les bretelles et ne pas aider les autres. Créez ces groupes de prières dans le but premier **d'aider la Terre et d'aider ces élus et ces Maîtres**, de l'autre côté, pour vous aider vous-mêmes les humains.

Participante : À partir de l'automne 1999, il va y avoir beaucoup de bouleversements, si l'on n'est pas dans les fameux trois triangles au Québec, dans notre résidence actuelle, est-ce que ce serait préférable, j'imagine de déménager.

Tamara : L'important c'est que le premier du jour de l'An de l'an 2000, vous soyez en voie de vous rendre sur vos terres ou que vous ayez rendu vos maisons autonomes à tous les points de vue. Ne paniquez pas, ne vendez pas vos maisons à la perte. Ne partez pas vers ces secteurs si vous ne vous y sentez pas attirés.

Ce qui s'en vient, c'est très simple. Ce sont des bombes nucléaires, ce sont des météorites qui tombent sur Terre. Ce sont des faillites de pays, ce sont des maladies incroyables, ce sont des manipulations gouvernementales qui emprisonneront ceux qui viennent faire changer. Ce sont des empoisonnements alimentaires. Ce sont des écoles qui passent au feu ou qui ont des émanations de gaz, des tornades ou des ouragans qui tuent des centaines de milliers d'enfants. Ce sont des tremblements de terre, ce sont des inondations, c'est de la sécheresse, c'est de la grêle. Ce sont des pannes d'électricité, c'est tout ceci. Mais vous serez bien confortables dans vos petits nids à vous aimer, à bien manger et à être heureux si vous le désirez naturellement.

Notre commentaire final sera très simple : Remerciez tous ces Élus, tous ces Guides, et tous ces Maîtres-Guides qui se joignent à Nous aujourd'hui, pour vous donner le courage, la force et l'espoir de reconstruire. Bien sûr, la fin du monde n'arrivera pas le premier de l'An 2000, mais la fin d'un ancien monde arrive, et le début d'un nouveau monde commence.

Fêtez donc royalement avec tout votre amour ce premier janvier de l'An 2000, car ce sera le début d'une aventure extraordinaire sur Terre.

Nous vous bénissons, Nous vous remercions, autant ceux de l'invisible que du visible d'avoir été présents, et Nous vous souhaitons une bonne continuation. Faites donc une liste de tout ce que vous désirez réaliser, révisez cette liste trois fois, chaque fois révisez-là en vous demandant si vous avez vraiment ces besoins. Ensuite, unissez-vous pour être douze ensemble avec vos listes et appelez la Magie de la Vie, elle viendra.

Prenez le temps d'être heureux et de sourire. Prenez le temps à chaque minute, de sourire et de vivre entièrement.

8

L'agriculture maraîchère biologique

L'agriculture maraîchère biologique

L'agriculture ! Qu'est-il de plus important que la nourriture ! La nourriture est la base essentielle de la Vie. Que ce soit la nourriture physique, que ce soit la nourriture émotionnelle ou la nourriture spirituelle. Cependant, au cours des dernières années, au cours particulièrement des dix-sept dernières années, la qualité de la nourriture dans le monde entier a excessivement dépéri. Il y a sur les tablettes des épiceries plus de poison que de nourriture viable, potable et nourrissante.

Nous diviserons la rencontre d'aujourd'hui en quatre parties différentes. Première partie concernant des informations intéressantes au niveau de l'alimentation. Deuxième partie. Le fonctionnement énergétique des grains, de la vie végétale. Troisième partie. La structure des jardins ou des terres cultivables. Et quatrième partie. La conscience à l'intérieur de tout ceci.

Commençons par des informations de divers niveaux. Premièrement, dans toutes les semences que vous utilisez, présentement sur terre, à peine trente pour cent d'entre elles sont pures et entièrement saines, autrement dit cent pour cent biologiques. Ce qui signifie que soixante-dix pour cent de ce qui se retrouve dans vos assiettes provient soit d'une mutation génétique ou soit d'une transformation due aux polluants chimiques, ou soit abîmé dangereusement par des engrais permis par le Gouvernement.

Vous n'avez que très peu de sources, très peu de lieux pour acheter ces graines purement biologiques. Soyez très vigilants au moment de l'achat de vos graines, car Santé Canada n'oblige pas d'inscrire sur vos graines tous les produits chimiques utilisés pour les graines, et pour la création des semis. Santé Canada n'oblige pas, non plus, d'inscrire sur les étiquettes, les aliments qui sont transformés génétiquement. N'oblige pas d'inscrire sur les étiquettes, ou plutôt d'étiqueter les cultivateurs qui utilisent de très fortes doses de produits chimiques. Ce qui est essentiel est de rechercher les cultivateurs biologiques et d'acheter chez eux. Au Québec quatre producteurs sont vraiment à cent pour cent purs, certifiés biologiques. Faites certaines recherches, renseignez-vous pour les trouver.

Autre information importante au niveau de l'alimentation. Il y a présentement sur Terre suffisamment d'aliments pour nourrir dix milliards d'êtres humains. Pourtant, vous n'êtes à peine que six milliards et quelques, et un peu plus d'un tiers de la population terrestre crève de faim ! Que se passe-t-il donc ? Mauvaises gestions des graines ? Mauvaises gestions de l'alimentation ? Ou but, créé par des gouvernements, d'appauvrir des populations afin de les utiliser comme cobayes au niveau des expérimentations médicales, expérimentations de vaccinations, expérimentations de toutes sortes de pilules. Manipulations et contrôle des masses humaines ! Vous devriez y réfléchir.

Les Gouvernements créent des milieux de famine, créent des milieux d'appauvrissement excessif au niveau de la nourriture afin d'avoir des cobayes, non rémunérés, pour leurs essais chimiques, leurs essais nucléaires, et leurs essais pharmacologiques. Ou encore appauvrissement dans le but d'enrichir outre mesure une certaine catégorie de personnes. Autrement dit, avec une bonne gestion de tout ce qui est produit sur Terre, tous et chacun mangeraient de façon saine et comblante à tous les jours.

Aucun enfant ne mourrait dans la ville de Montréal, comme il est question dans le moment présent, à chaque semaine, de sous-alimentation. Imaginez dans une province aussi riche que celle du Québec qu'un enfant à tous les sept jours crève de faim, meurt de sous-alimentation. Pourtant, tous les êtres humains sur Terre jettent à la poubelle à tous les jours une quantité de nourriture exceptionnelle.

Les cargos de nourriture expédiés dans les pays pour l'aide internationale alimentaire sont recueillis par les armées. Celles-ci, dans la majorité des cas, revendent ces aliments ou les laissent pourrir sur place, si elles ne peuvent pas manipuler les pauvres avec. C'est seulement lorsque des religieux accueillent ces produits qu'il y a une plus grande chance que la nourriture se rende à qui elle doit se rendre.

Apprenez à gérer vos propres aliments, apprenez à n'utiliser que ce dont vous avez exactement besoin, et à réutiliser les restes sains de ces aliments. Si vous ne mangez pas les feuillages des choux-fleurs, utilisez-les en compost, utilisez-les en les déchiquetant pour nourrir vos sols. Mais n'allez pas les jeter aux vidanges régulières. Malheureusement à peine trente pour cent de la population mondiale connaît le recyclage, connaît le compostage. Réfléchissez sur la quantité d'aliments que vous utilisez, et sur ce que vous avez vraiment besoin pour survivre.

Il y a aussi, toutes les viandes, tous les animaux qui sont gravement malades. Une Loi Spirituelle stipule que vous ne devez point **mutiler**. Ramasser un petit porc, le pendre par les pieds, l'égorger, le déchiqueter, c'est de la **mutilation**. Le porc est l'animal le plus sensible à la peur. Et lorsqu'il meurt, se développe en lui une substance transmise par les glandes. L'énergie de peur excessive qu'il vit lors de sa mort crée, en une fraction de quelques minutes, un poison dans son sang et en chacune des molécules de sa chair.

Vous le cuisez et vous pensez avoir enlevé ceci. Erreur ! La chaleur augmente le potentiel poison des viandes, et ce pour toutes les viandes. Au niveau astral et éthérique de cette viande, au niveau de la membrane recouvrant la viande, les émotions se transmettent et les poisons que l'animal a absorbés s'absorberont dans votre corps en mangeant ces animaux.Faites une expérience, prenez une bonne pièce de bœuf, un bon rôti de palette, placez-le dans un poêlon, et versez sur lui une canette de Coca-Cola. Faites-le même essai avec le porc et avec le poulet. Vous verrez, en l'espace de vingt minutes, une quantité de petits vers blancs dégoûtants ressortir de cette viande, et bon appétit !

Pour qu'un poulet ou qu'une dinde soit cent pour cent biologique, il faudrait que tous les poulets et toutes les dindes sur Terre soit à cent pour cent biologiques. Voici comment le Règne Animal fonctionne. Nous vous avons expliqué, il y a un certain temps, que l'Être Humain possédait son individualité, son Esprit à lui, son Âme à lui. Pourtant, il est rattaché à un groupe d'Âmes, n'est-ce pas ?Et si une personne dans ce groupe d'Âmes évolue, elle crée l'évolution des autres, n'est-ce pas ?

Et bien pour les animaux c'est la même chose. Le même fonctionnement que pour l'homme existe au niveau des Règnes Animal, Végétal ou Minéral. Les animaux sont cependant regroupés par catégories, ainsi que les végétaux et les minéraux aussi. Vous avez dans les animaux, un groupe d'Âmes pour les vaches, bœufs et les petits veaux. Un groupe d'Âmes pour les chevaux. Un groupe d'Âmes pour les girafes. Et ainsi de suite.

Lorsqu'une vache est empoisonnée en la bourrant d'hormones, en l'inséminant sans jouissance, sans son partenaire naturel le taureau, artificiellement pour qu'elle mettre bas deux fois par année, afin de produire plus de lait, toutes les vaches sur Terre sont atteintes. Ne croyez donc plus, chers amis, à la production d'animaux cent pour cent biologiques.

Vous pouvez élever vos propres petits agneaux, vous pouvez élever vos propres poules. Les assassiner, les mutiler, et les manger. Mais vous venez d'assassiner un être qui possède une conscience pure d'autonomie, puisqu'il possède un groupe d'Âmes et puisque sa fonction, à lui-même, était d'évoluer spirituellement comme les hommes. L'Esprit Saint l'habite, lui aussi. Il n'y a pas que les humains de conscients, tous les règnes sont aussi conscients et autonomes dans leurs ressentis et leurs choix. Vous mesuriez, vous-mêmes les humains, il y a peu de temps de cela, cinq pieds maximum. Mouriez beaucoup plus jeunes. Au début des temps, n'aviez que trois doigts. Vous vous transformez vous-mêmes. C'est absolument la même chose pour les autres règnes qui habitent la Terre. Vous pouvez vous libérer la conscience disant que les animaux ont été créés pour être mangés. Qui serait assez stupide pour s'incarner pour finir dans un poêlon ? Quel malheur !

Le seul règne qui a été prévu pour nourrir l'Être Humain est le **Règne Végétal.** Nourrir dans le sens d'aider le corps humain à survivre jusqu'à ce qu'il soit suffisamment évolué pour vivre de prana, d'air pur et d'Amour. Autrement dit, qu'il soit ascensionné. D'ailleurs, plus vous cultiverez des jardins complètement biologiques dans un environnement parfaitement biologique, plus vous créerez en même temps du prana sur Terre.

Plus vous dépolluerez l'air. Plus vous recréerez les gaz rares. Plus vous redonnerez la perfection aux groupes d'âmes végétales. La betterave a la fonction particulière, à cause de la quantité d'or pur qu'elle possède en elle, de recréer les gaz, le Xénon en particulier. Naturellement, d'autres aliments ont cette même fonction. L'avoine, l'asperge, les choux gras et quelques autres.

Le Règne Minéral a été aussi créé pour nourrir l'homme cependant, il a été créé pour le nourrir au niveau vibratoire et lorsque vous arrachez une grande quantité, que vous n'utilisez pas, de quartz à la Terre, vous venez de créer un désaxement de la planète et un dysfonctionnement au niveau de ses chakras. Les grottes de quartz ont été faites, sur Terre, afin de calibrer sa rotation. Le quartz reçoit l'Énergie directement du Soleil et le re-rayonne pour créer le mouvement de rotation de la planète. Lorsque les scientifiques découvriront ceci, ils cesseront de se servir du quartz dans vos petites piles pour tout ce que vous utilisez. Ils le respecteront enfin. Pourquoi, croyez-vous, que la planète a commencé à basculer ? À cause de cette utilisation massive du quartz, comme tel. Lorsque vous choisissez de ne plus utiliser une pierre, ré-enterrez-la, s'il vous plaît. En parlant des pierres, si vous saupoudrez vos jardins de petites pierres d'émeraude, dans des cultures massives, vous aurez des résultats extraordinaires.

Dans une culture au second échelon, c'est-à-dire une culture pour quelques familles, si vous saupoudrez vos jardins de pierres d'ambre, vous aurez des résultats extraordinaires. Et dans une culture simple, pour une à trois familles, si vous saupoudrez votre terre de jaspe jaune, vous aurez aussi des résultats extraordinaires.

Ces trois pierres ont pour fonctions, premièrement de purifier vos semences. Deuxièmement, d'aller chercher dans la terre, tous les minéraux dont l'or, l'argent, le cuivre, le chrome, sans compter le potassium et bien d'autres éléments essentiels pour bien nourrir vos semences. Et comme troisième fonction, d'aspirer dans l'air les gaz rares nécessaires à la viabilité de vos grains. Ces pierres permettent ainsi aux bons insectes de venir dans vos jardins, et aux mauvais insectes d'aller jouer ailleurs.

L'utilisation du gaz Xénon peut être fort intéressante, peu importe la grandeur du jardin que vous faites. Que ce soit par l'utilisation d'un appareil qui fonctionne avec le gaz Xénon, que ce soit dans une pyramide de bois de rose sur laquelle vous méditez en demandant de créer un petit dôme d'énergie de ce gaz. Pyramides que vous déposerez aux quatre points cardinaux de votre jardin, ceci est pour le jardin de grandeur moyenne, soit pour quelques familles. Pour le petit jardin un petit appareil qui fonctionne au gaz Xénon, en plein centre, relié à ces fils de cuivre, unis à chaque coin du jardin à une petite pyramide de pierres blanches. Ou encore utiliser la pyramide de bois de rose, comme pour un jardin moyen, reliée de la même façon par des fils de cuivre.

Maintenant, revenons à nos végétaux. Nous vous avons déjà expliqué que le corps humain fonctionne avec neuf chakras. Sept chakras visibles à l'œil et deux invisibles. Tout comme les chakras, l'alimentation est divisée par groupes de couleurs à cause de son taux vibratoire. Donc de la résonance ionique des aliments.

Tous les aliments végétals, sur Terre, ont une fonction médicinale, ce sont des médicaments purs et sains. Ils ont aussi la fonction de nourrir les chakras. En nourrissant les chakras, ils nourrissent forcément les systèmes glandulaires et les organes rattachés à chacun de ces chakras. Ont ensuite une fonction spirituelle, car en les absorbant vous absorbez une Vie, une Conscience, donc évoluez vous-mêmes spirituellement. Nous vous avons préparé une liste de deux cents aliments, y compris tous les aliments sauvages du Québec, divisés en sept groupes, soit en sept couleurs. Chacune de ces couleurs renferme autant de végétaux, de céréales, que les épices ou des plantes purement médicinales. Il vous faut bien comprendre ceci. Chaque couleur est gérée par une journée. Chaque couleur représente une journée.

Lorsque Dieu a créé l'Univers, Il a dû commencer par la base, logiquement n'est-ce pas ? Il a commencé par le feu. Et le feu est quelle couleur, il est rouge. Et Il a commencé par quelle journée, vous pensez, Il a commencé par le dimanche. Logiquement le dimanche représente la couleur rouge, représente le chakra de la Base. Le lundi l'orange, le mardi le jaune, le mercredi le vert, le jeudi le bleu, le vendredi l'indigo et le samedi le violet.

Si vous voulez être en parfaite santé physique, émotionnelle et spirituelle, augmenter l'énergie de vos chakras, donc de ces couleurs, en mangeant les aliments selon le jour de leur couleur. Vous pouvez aussi vivre vos actions selon les jours rattachés aux chakras. Si vous avez à utiliser l'énergie de créativité, pondez vos créations le lundi, puisque le chakra Sexuel a sa journée le lundi, et ainsi de suite. Vous développerez ainsi une rentabilité de votre temps assez exceptionnelle.

Ceci ne veut pas dire nécessairement que vous êtes condamnés à ne faire les créations que le lundi et ne faire l'amour qu'une fois par semaine. Cependant, si vous évoluez au niveau du respect parfait des Énergies, vous ne ressentirez pas le besoin de faire l'amour plus qu'une fois par semaine. Et vous le ferez, non pas en cachette, après vous être débarrassés des enfants et fermé la télévision, épousseté les dernières poussières et préparé les lunchs pour le lendemain matin. Vous le ferez en un minimum de trois heures. La première heure représentant l'union des Corps, la deuxième l'union des Âmes et la troisième l'union des Esprits. Ainsi vous créerez une vibration très spéciale. Vous pourrez après avoir atteint cet état comprendre les mystères de la vie, régler tous les problèmes qui vous entourent. En effet, cet état vous apporte l'ouverture de la réception des Énergies Christiques en vous. Il n'est pas malsain, de faire l'amour. Au contraire !

Si Nous revenions à nos légumes. Si vous désirez obtenir les résultats maximum de rendement de vos cultures, plantez vos semences, en correspondance avec la lune. Idéalement en lune descendante, vous faites la plantation de tous les légumes racines, et en lune montante, vous semez tous les autres légumes. La recette magique est la suivante. Afin d'avoir des plants sains, qui croissent dans le but de vous aider à remplir les trois fonctions qu'ils ont, corporelle, émotionnelle et spirituelle, vous les plantez le jour de **leur jour, selon leur couleur et en fonction de la lune. Et vous les cueillez le jour de leur couleur, en fonction avec la lune.** Idéalement, en lune montante, vous cueillerez le jour bleu vos asperges.

Selon la couleur et la lune, vous récolterez aussi vos graines, pour créer des semis. Ainsi vous respecterez les Lois de la Création Divine, celles que Dieu a établies. Si possible, vous mangerez vos aliments selon les jours de la couleur aussi. De cette façon là, vous nourrirez chacun de vos chakras, donc les glandes et les organes y étant rattachés. Vous nourrirez tous vos Corps, vous nourrirez tout le système émotionnel, et tout le système spirituel, dans leurs fonctions maximales. Chaque jour représentant, au niveau de l'alimentation, des compléments parfaits pour une santé parfaite.

En parlant de santé, Nous vous avons déjà expliqué, que ce sont vos pensées qui vous rendent malades, n'est-ce pas ? Cependant, si vous avez une alimentation entièrement parfaite, que vous mangez des plants biologiques, le jour de la couleur de ces plants, et des plants que vous avez fait grandir vous-mêmes, votre corps, recevant une telle nourriture, la maladie ne s'infiltrera pas en vous. Votre niveau de conscience deviendra suffisamment puissant pour que vous découvriez l'émotion qui allait vous rendre malade, vous en prendrez immédiatement conscience et elle se libérera par elle-même.

Exemple, la jalousie crée dans votre aura une absorption excessive de la couleur jaune, donc si vous mangez le jour jaune des légumes, des céréales et des épices ayant le taux vibratoire jaune, cette jalousie ne vous rendra pas malade. Au contraire, vous prendrez conscience de cette émotion, vous la ressentirez, vous l'exprimerez, l'intégrerez et vous la purifierez. Manger moins rouge et vous serez moins agressif, donc éviter la viande. Y a-t-il des questions ?

Participant : Il y a-t-il, un élixir végétal ou minéral qui peut aider au point de vue physique et émotionnel ?

Tamara : L'élixir d'Émeraude est le plus puissant à ce niveau-là.

Participant : Y a-t-il un moment de la lune, un moment à partir de la nouvelle lune pour faire cet élixir ?

Tamara : Pour les élixirs, toutes les pierres sont divisées aussi en règnes de couleurs. Toutes les pierres rouges, oranges, jaunes et vertes, sont utilisables en lune montante. Toutes les pierres bleues, violettes, indigos, noires, grises ou brunes, sont utilisables en lune descendante.

Participant : Concernant les animaux de ferme, évidemment on ne les mange pas, mais est-ce que l'on peut les garder sur terre comme animaux de compagnie, est-ce que c'est bon pour eux ?

Tamara : Peu importe l'animal, que ce soit un petit chaton, que ce soit un boa constricteur, que ce soit un mulot, un éléphant ou une vache, ces animaux se servent de la fréquence vibratoire des êtres humains pour évoluer eux-mêmes spirituellement.

Bien sûr, en gardant des petites poules, des petits agneaux, des petites brebis, **des chevaux qui seront essentiels dans votre**

futur, en les protégeant d'une mort stupide pour qu'une de leurs cuisses ne se ramasse pas dans votre estomac, vous venez d'aider l'Âme Groupe au complet de ces animaux à survivre, à évoluer.

Vous venez de faire un beau grand cadeau à la Terre. Mais, ne les emprisonnez pas dans des clôtures, et lorsqu'ils sentiront qu'ils doivent partir pour aller retrouver les leurs, et pour aller rayonner chez les leurs, plus directement leurs nouveaux taux vibratoires, ils le feront. N'enchaînez pas vos chats et vos chiens, laissez-les libres. C'est sans doute difficile en ville de laisser sa vache libre à cause de la bouse naturellement, cependant la bouse peut devenir un engrais très intéressant.

Ils vous serviront si vous ne les mutilez pas, ils vous donneront ce qu'ils sont venus vous donner, et vous leurs donnerez l'évolution en les nourrissant avec des plantes et des graines biologiques, en les aimant et en leur permettant de se baigner dans votre aura. N'allez pas, cependant, prendre des animaux venant de l'extérieur et les imposer au Québec. Que chaque pays conserve ses propres animaux chez lui, cela est essentiel à l'équilibre des règnes.

Ces visiteurs des autres pays ont créé des petites histoires plutôt amusantes. Dans les égouts de la Ville de New York, vivent présentement, un peu plus de deux cent mille alligators de huit pieds de long. Dans les égouts de la Ville de Montréal, vivent présentement un peu plus de soixante mille boas et serpents de toutes sortes, quand ils sortiront, qui pensez-vous qu'ils vont mordre ?

Participant : Bien, je vous écoute *Tamara* parler, et j'ai l'impression que chaque organe du corps qui est malade pourrait être soigné avec différents légumes selon la journée que l'on pourrait le manger, est-ce exact ?

Tamara : Voilà, absolument.

Participant : J'aimerais juste préciser l'élixir d'émeraude que j'ai trouvé très intéressant. J'aimerais savoir si on peut le faire dans l'eau ou si ça prend d'autre méthode ?

Tamara : Un élixir, c'est de l'eau.

Participant : De l'eau d'émeraude, c'est un élixir d'émeraude ?

Tamara : Voilà.

Participant : Quand on mange de la viande et que l'on décide par conscience d'arrêter d'en manger, est-ce qu'il y a une façon de le faire ?

Tamara : L'idéal est de réparer vos corps en les désintoxiquant. Le charbon végétal représente le rouge et le rouge est la couleur la plus puissante de la désintoxication corporelle.

Absorbez du charbon végétal, augmentez la quantité de légumineuses et de lentilles. Savez-vous qu'une cuillère à soupe de légumineuses, ce que les scientifiques n'ont pas encore découvert, est plus nourrissante qu'un rôti de palette de deux livres ingurgité avec, bien entendu, la bouteille de vin et compagnie.

Apprendre à manger des lentilles, apprendre à manger des germinations, apprendre à manger des légumineuses est essentiel à votre vie. Une cure de sevrage, que ce soit au niveau des dépendances chimiques, médicamenteuses, y compris les tabacs, que ce soit au niveau des alcools ou que ce soit au niveau de la viande, doit toujours s'effectuer dans un cycle de trois mois. Si vous voulez respecter les vibrations naturelles normales de votre Être entier, et lui permettre une régénérescence complète.

Des élixirs d'ambre, des élixirs d'émeraude, des élixirs de jaspe ou d'agate rouge, créent une désintoxication complète de votre corps lorsqu'ils sont joints à une alimentation pure, respectant tous les règnes vibratoires, bien entendu. Votre foie produit normalement les protéines nécessaires à votre corps, depuis des générations, vous vous gavez, vous les humains de viande. Si vous saviez ce qui est dans les plans préparés. Vous ne mangez pas que du cadavre animal, vous mangez aussi, dans certaines situations, du cadavre humain, pauvres amis !

Et pas seulement en Chine, au Québec et au Canada, les pâtés de toutes sortes ont parfois jusqu'à trente pour cent de viandes domestiques, chats et chiens, petits lapins et compagnie, pas seulement du porc et du bœuf. Et trois virgule sept pour cent de toutes les préparations de viandes faites en conserves ou autres, dans le monde, sont des restants humains. Bon appétit !

Maintenant, Nous parlerons de la fabrication des jardins, comme telle. Le jardin, s'il est personnel, c'est-à-dire pour au moins une à trois personnes, doit toujours se diviser en trois fonctions. Première fonction, les semences pour vous nourrir. Deuxième fonction, les semences pour nourrir la Terre, soit pour en donner à ceux qui ont faim ou pour le compostage. Troisième fonction, les semences pour créer des semis-mères, soit des semis purs.

Toutes vos graines devraient être déposées au soleil pendant sept jours avant de les planter. Exemple, ce dont vous vous servez pour créer des asperges devrait être mis sur un plateau au soleil, à l'intérieur de votre serre, la journée du bleu, et être planté dans les sept jours suivants en terre. Soit encore une journée bleue.

S'il est question de grande culture, vous pouvez à ce moment-là, utiliser dix tasses de semis. Exemple, vous cultivez des immensités de blé, prenez dix tasses de semis de blé, la journée du blé, et déposez-les au soleil avant de les planter. Et par la Magie de l'Âme-Groupe, de l'union des Énergies dans l'Invisible, vos cent mille poches seront irradiées par la Conscience du Soleil. C'est-à-dire que le Soleil entrera en vos grains la Puissance de la Vie Spirituelle Parfaite. En entrant cette puissance-là dans vos grains, ils auront ainsi toute la puissance nécessaire pour remplir leurs trois fonctions, physique, émotionnelle et spirituelle.

Dépendamment de la grandeur de votre jardin, vous jouerez sur la dimension des trois triangles selon vos besoins. Donc le triangle sur l'alimentation pour la manger. Celui pour la composter ou pour faire vos engrais. Celui pour créer vos semis. Ils auront une dimension différente l'un de l'autre, selon vos besoins.

Comme vous êtes des être spirituels, vous avez à respecter les Lois de la Dîme. Dans chacun de vos trois triangles, vous donnerez un pourcentage de vos aliments pour aider les autres à manger, pour aider les autres à créer leurs compostages, et pour leur donner des semis sains. **Ainsi vous mettrez fin à la faim dans le monde.**

Si vous voulez devenir millionnaires en dedans de cinq ans, achetez-vous une terre de cinq âcres, un groupe ensemble. Cultivez-la en trois, cependant la partie pour faire des semis biologiques purs aura 90 % du territoire, alors que les deux autres parties auront logiquement 5 % chacune. Sur cette terre vous créerez des semis-mères sains, et vous les vendrez. Vous serez millionnaires rapidement.

Dans vos jardins, chacun de ces trois triangles devrait être régi selon les couleurs. Par exemple, vous voulez planter vos grains le jour de la couleur, mais comment les planter ? Le bleu est la couleur qui calme, et qui fait engraisser. Le rouge est la couleur qui existe, et qui fait maigrir. Vous ne plantez pas un légume rouge au coté d'un légume bleu, la chicane va prendre. Vous plantez les rouges, les oranges, les jaunes ensemble d'un côté. Les verts ont une bande centrale, les bleus, les violets et les indigos seront de l'autre côté. Vous devez orienter votre jardin au niveau des points cardinaux. Ceux qui ont le plus besoin de soleil seront vers l'Est, naturellement.

Ces trois rectangles n'ont pas besoin d'être forcément collés l'un sur l'autre. Peuvent être établis en fonction des triangles, pourraient avoir dans le centre une source d'eau pour les nourrir, ceci est l'idéal lorsqu'il s'agit de cultures sur un plan familial ou sur un plan de commune. Lorsqu'il est question d'un plan pour commercialiser ceci serait un petit peu difficile, n'est-ce pas. Y a-t-il des questions, au moment présent ?

Participant : Comment est-ce que l'on fait pour éliminer les animaux qui mangent les plantes ?

Tamara : En plantant vos légumes au jour où ils doivent être plantés, en respectant l'Énergie de la création de l'Univers, ces animaux, chers amis, respecteront vos énergies et ne viendront que manger la dîme, 10 % maximum de ce que vous aurez planté. Donc, si vous ne donnez pas personnellement votre dîme à ceux qui en ont besoin, les animaux viendront se servir !

Si vous créez vos jardins dans l'ordre des journées et des couleurs, une énergie très forte se diffusera de ces lieux et les animaux ou les insectes qui pourraient être nuisibles ne pourront pas passer cette barrière énergétique que la nature elle-même se sera créée. Vous n'aurez pas besoin de protéger vos lieux, ils se protégeront seuls.

Pour la préparation de vos repas, sachez que tous les aliments peuvent être transformés de façons différentes. Ils peuvent être légèrement bouillis, peuvent être blanchis et mis en conserves. L'idéal est d'utiliser des pots de verre, n'utilisez surtout pas de papier d'aluminium dans vos cuissons, vous vous empoisonnerez à petit feu, n'utilisez pas non plus de papier à base de pétrole, vous vous empoisonnerez à petit feu aussi. Et encore moins de produits à base d'amiante, ceci risque de vous occasionner des problèmes graves de santé. Utilisez des pots de verre et placez un scellant avec de la cire biologique avant de déposer les couvercles, car les couvercles sont en métal. Et ces métaux sont transformés avec beaucoup de déchets impropres à la santé. Si vous voulez manger sainement, ne faites pas trop bouillir vos légumes, utilisez plutôt des marguerites, ne faites pas trop cuire dans des fours vos légumes non plus.

En réalité une alimentation entièrement saine devrait se cuire sur un feu de bois, dans une poêle ou un chaudron en fonte. Une méthode en cas d'urgence est de faire un trou de trois pieds dans la terre, faire une bonne attisée, déposer dans vos chaudrons les lentilles avec de l'eau, deux portions d'eau pour une portion de lentilles, fermez le couvercle et enterrez ceci.

Le lendemain matin vous aurez une céréale de sarrasin délicieuse. Soyez conscient que cette façon de cuire respecte les énergies terrestres et permet, à la céréale ou aux légumineuses, de laisser rayonner l'entièreté de leurs possibilités. Vous n'aurez jamais vu un sarrasin aussi délicieux et aussi parfumé. Et dites-vous bien ceci, chers amis**, les seules et uniques personnes qui vont franchir, qui vont survivre à toutes les épreuves qui s'en viennent, ce sont les paysans. Retournez à la Terre, et bénissez vos semis.**

Lorsque vous les plantez, demandez à l'Âme-Groupe de ces semis de vous accompagner. Demandez la permission à la Mère Terre de déposer en elle ces semis pour qu'elle les nourrisse. Demandez au Père le Ciel de les baigner de son Énergie et de sa Lumière. Demandez au Soleil, qui est le cœur d'un Maître Spirituel, d'inonder de son Énergie vos plantations. Et demandez aux petits Êtres de la Nature de venir travailler pour vous. Remerciez-les tous de leurs présences.

Et déposez des pierres dans vos jardins. Nous parlons de cristaux, vous facilitez le travail des petits Êtres de la Nature. Que ce soit des plants de tomates que vous planterez sur votre balcon dans un pot, que ce soit un jardin pour une petite famille, un jardin pour une communauté ou une terre cultivée pour la revente, les Êtres de la Nature viendront toujours vous aider, si vous leur demandez.

Participant : Vous avez parlé de roches blanches aux quatre coins des jardins, est-ce qu'il y a une particularité pour ces roches.

Tamara : Des petites roches blanches de la grosseur du bout du pouce ou un peu plus. Montées en forme de pyramide, rattachées aux fils de cuivre qui eux-mêmes sont installés de la façon suivante : Le premier fil nord-sud, est dans le fond, le fil est-ouest est sur le dessus, sous la terre de votre jardin. Il vous faut prévoir la profondeur nécessaire pour vos légumes-racines.

Ces petites pyramides ont trois fonctions, premièrement augmente le taux vibratoire de votre jardin. Deuxièmement permette d'irradier la puissance des cristaux et du gaz xénon que vous aurez placés dans votre jardin. Troisièmement empêche les insectes nuisibles de venir fourmiller dans votre jardin. Ces fils n'ont pas à être déterrés à chaque année, bien entendu, vous les laissez là.

L'idéal est de travailler à l'intérieur de serres. Des serres qui ont au centre neuf pieds de hauteur et dont les membranes, ou les côtés sont archers. Vous pourriez, à ce moment-là, utiliser, exemple, pour une commune trois serres, elles devraient normalement posséder une douzaine de pieds de largeur et une vingtaine de pieds de profondeur.

Si vous êtes une petite famille, utilisez une serre de dix pieds de largeur et dix pieds de profondeur avec toujours neuf pieds de hauteur. Ces mesures donnent un taux vibratoire particulier dans lequel vos plantations pourront atteindre leur maximum de productivité.

Pour de grandes surfaces où il est impossible d'utiliser les serres, laissez plus d'espace entre vos semis afin que les grêles et les sécheresses de l'été ne détériorent pas trop largement vos champs. À l'intérieur de vos serres, les trois rectangles devraient naturellement se retrouver. À droite, les semences pour manger, ensuite vous pourriez tout simplement faire une allée de roches blanches. Dans le centre tout ce qui est réservé au compostage, à la re-nourriture de la terre, encore une rangée de roches blanches et une dernière rangée de terre pour les futurs semis.

L'utilisation d'un caveau ou la création d'un caveau devient essentielle. Caveau divisé en trois secteurs. Un secteur de sable pour y mettre tous vos légumes racines et les pommes de terre.

Pour les courges et compagnie, réservez une section en planches recouvertes de papiers journaux. Et une autre série de tablettes pour y déposer vos conserves que vous aurez faites. Et bon appétit ! Bonne santé et bonne vie !

Participant : L'appareil au gaz Xénon doit être installé au centre des fils, en dessous ou au-dessus ?

Tamara : Les fils doivent se croiser sur le dessus et être maintenus sur l'aimant. Vous pourriez faire une très légère soudure ou apposer une roche très pesante. Ces appareils au Xénon sont construits à base de gaz xénon et de cuivre, le cuivre étant manquant sur Terre dans une proportion assez effrayante. Donc, le petit appareil pour un petit jardin, le moyen pour un jardin communautaire, et le grand pour les grandes surfaces.

L'utilisation de la pure Lumière Blanche est aussi, sinon plus efficace que cet appareil. Cependant, vous devrez vous asseoir tous les matins, pendant environ trente minutes, devant votre jardin ou dans votre serre, et faire émaner cette lumière par le creux de vos mains. Si vous pouvez vous offrir ce temps de contemplation avec la nature, ceci serait tout à fait extraordinaire. Comme la vie est très rapide sur Terre, vous préférerez peut-être utiliser cet appareil. Le choix de l'une ou l'autre de ces techniques vous appartient.

Participante : Qu'est-ce que vous pensez des poissons ? J'ai vu une barbotte hier dans le lac qui se mourait, qui avait l'air très malade. Est-ce que manger les poissons de nos lacs est abominable ?

Tamara : Présentement, au Québec, il reste à peine 7,8 % de poissons comestibles qui ne sont pas malades, et Nous considérons dans ce pourcentage tous les fruits de mers. La crevette a pour fonction de manger la merde des autres poissons et vous la mangez. Bravo ! Les huîtres ont pour fonction de manger une autre forme de déchet et vous les mangez ! Les poissons ont une fonction pour oxygéner les océans, les lacs et les autres étendues d'eau et vous les mangez !

Vous tuez vos cours d'eau. Tant que l'homme n'a pas eu un début d'évolution spirituelle, il pouvait manger les poissons, car ce sont eux qui avaient la conscience la plus basse. Mais puisque vous êtes devenus conscients, laissez aux poissons la liberté de remplir leurs fonctions et la possibilité d'évoluer dans leurs fonctions.

L'être humain devrait toujours rendre à la Terre ce qu'il lui a pris. Si vous mangez des poissons, réensemencez les lacs. Si vous coupez des arbres, replantez de nouvelles pousses. Afin de garantir qu'un minimum survivra, ressemez ou replantez toujours dans l'ordre de dix fois ce que vous avez pris. Si l'homme avait fait ceci dans les deux cents dernière années, la Terre ne serait pas dans l'état où elle est, et la vie serait encore en abondance.

Voici une autre étape. Vous avez à apprendre les couleurs correspondantes aux maladies. Si une pensée arrive à vous créer un orgelet exemple, l'orgelet, une vibration de couleur qui elle-même représente le plantain. Une feuille de plantain que vous pourrez prendre à la plante en lui demandant la permission de la prendre, et en remerciant la plante de vous l'avoir donnée. Vous pourrez en faire un cataplasme et guérir votre orgelet.

Participante : Je voudrais revenir aux légumes, j'aimerais savoir même en chambre froide, quelle est la meilleure manière de les conserver ?

Tamara : Comme Nous vous l'avons dit, utilisez du sable, si possible du sable blanc. Placez aux quatre coins de votre bac une pierre d'émeraude, en plein centre déposez une pierre d'ambre et tout simplement enterrez vos légumes racines. L'idéal serait d'avoir au moins trois pieds de sable blanc et que ce caveau soit carré, complètement carré.

Sachez que l'idéal en vous nourrissant est de ne pas trop déguiser vos aliments. Lorsque vous faites une sauce Béchamel, toxique grâce au lait de vache, et que vous nappez vos asperges de cette sauce, vous venez d'empoisonner vos asperges et de leur faire perdre une très grande partie de leurs qualités nutritives. Apprenez à retrouver le goût. Depuis la fin de la dernière guerre, grâce à la modernisation de la vie, grâce aux cannages, vous avez perdu le sens du goût, vous êtes devenu raffinés.

Dites-vous bien qu'il y a trois grands poisons mortels sur Terre. Premièrement, le plus mortel de tous est le **sucre blanc.** Deuxièmement, c'est le **mercure**, et troisièmement le **tabac**. Chaque bouchée de ce que vous mangez devrait être mastiquée au **minimum** quatre-vingt-dix fois. En mastiquant ainsi, vous n'aurez plus besoin que du tiers de vos assiettes. Bon appétit !

Autre petite information. Le Gouvernement est en train, dans le moment présent, de se réveiller et de se rendre compte, par hasard, que la nature est médicinale. Il est en train d'interdire la plantation de certains produits dont l'échinacée en particulier. Avoir un plant d'échinacée dans votre salon et vous serez accusé comme un cultivateur illégal de marijuana. Dans vos jardins, mêlez les plantes médicinales, faites-en pousser. Faites des semis et donnez-en rapidement, avant que le Gouvernement ne vous empêche de les utiliser. Présentement, trente et un plants différents, trente et une formes végétales vont devenir illégales par le Gouvernement, parce qu'il veut s'en servir en pharmacologie pour créer des médicaments. Cependant, comme il mutile, ne respectant pas le taux vibratoire des aliments, ces médicaments n'auront pas beaucoup d'efficacité.

Si vous faites des élixirs, si vous faites des salades, demandez premièrement à la plante de vous permettre d'en prendre un bout, deuxièmement remerciez-la de vous l'avoir donné. Après, retournez ces éléments, ces feuilles qui vous restent, en compostage. Si vous moulez des grains, n'allez pas prendre un moulin électrique prenez un moulin manuel. Ainsi vous respecterez le grain et il sera beaucoup plus nourrissant et vivant comme cela. Plantez des choses qui servent, qui vivent au Québec, afin de ne pas désorienter plus la Terre. Les oranges ne sont pas faites pour pousser ici. Et d'autres aliments, comme le chou gras, sont plus riches en vitamine C que les oranges.

Si vous avez un doute sur la couleur de ce que vous voulez semer. Écrivez les sept couleurs séparément, avec un crayon à la mine de plomb, sur des papiers blancs. Ensuite déposez votre main gauche, sur soit le fruit, le légume, le végétal, la céréale que vous voulez faire pousser ou que vous voulez consommer. Placez ensuite votre main droite au niveau du chakra de votre cœur, demandez d'être en contact avec l'Âme-Groupe de cet aliment. Attendez trois minutes pour vous centrer, ensuite passez votre main droite au-dessus des cartons tout doucement, et lorsque le creux de votre main picotera, vous serez au-dessus de la bonne couleur. Si vous ne possédez pas un exemplaire vivant dessinez-le, ou écrivez son nom sur un autre carton, et faites la même opération. **N'allez pas vous abaisser à nourrir votre corps de quelque chose qui n'est pas pur et sain, vous méritez beaucoup mieux que cela.**

Pour celle qui a besoin d'entendre, une dent qui fait mal a besoin de plantain, a aussi besoin d'exprimer sa colère. La colère des dents est toujours reliée à l'argent, vous avez l'impression qu'on vous exploite financièrement, ce sentiment d'exploitation est dû au fait que vous en demandez beaucoup trop aux autres. Exigez moins des autres, observez ce qu'ils vous ont déjà donné, vous réaliserez ainsi que vous n'avez pas, de façon juste encore, à recevoir un cadeau, la douleur partira et votre dent sera guérie.

Peut-être serez-vous intéressés de savoir que la moitié d'un plombage au mercure recouvrant une molaire est suffisant pour détruire carrément 27 % de tous les minéraux et de toutes les sources de vie que vous possédez dans votre corps. La moitié d'un plombage d'une molaire est suffisant pour vous tuer à petit feu. Vous devrez utiliser une énergie physique au niveau de vos glandes, au niveau de vos organes à tous les jours pour vous dé-empoisonner, c'est incroyable. Faites enlever vos plombages et remplacez-les par des amalgames à base de porcelaine. Et vous deviendrez tellement en forme que vous aurez l'impression d'être devenus des êtres neufs.

Une tasse de café vous enlève le calcium que votre corps crée en un mois. Ça prend un mois à votre corps pour créer le calcium, le magnésium et le potassium qu'une seule et unique tasse de café détruit entièrement. Soyez conscients de ce que vous mangez et de ce que vous utilisez pour votre corps.

Tableau des aliments par les couleurs vibratoires

Rouge – Dimanche

- Airelle vigne d'Ida
- Amarante à racine rouge
- Arachide
- Blé
- Chou rouge
- Églantier
- Fève rouge
- Fraise
- Framboise
- Graine de Chia
- Maïanthème du Canada
- Merise
- Oignon rouge
- Paprika
- Pimpina
- Piment rouge
- Poivre
- Pomme rouge
- Prune d'Amérique
- Radis
- Raisin rouge
- Riz brun
- Ronce odorante
- Salicorne d'Europe
- Senellier
- Sureau rouge
- Tomate
- Trèfle rouge

Orange – Lundi

- Cantaloup
- Carotte
- Chou-rave
- Clémentine
- Courge musquée
- Érable rouge
- Estragon
- Graine de sésame
- Millet
- Moutarde
- Orange
- Papaye
- Patate douce
- Petit atoca
- Potiron
- Quatre-temps
- Quenouille
- Salsifis
- Sorbier
- Tournesol

Jaune – Mardi

- Amande
- Ananas
- Banane
- Bardane
- Chou de Siam
- Chou-fleur
- Citron
- Courge à spaghetti
- Couscous
- Groseille
- Haricot jaune
- Lin
- Maïs
- Melon jaune
- Moutarde
- Noix de coco
- Piment jaune
- Pissenlit
- Plaquebière
- Poire
- Pomme jaune
- Pois chiche
- Seigle

Vert – Mercredi

- Asclépiade commune
- Brocoli
- Céleri
- Chou gras
- Chou vert
- Choux de Bruxelles
- Ciboulette
- Concombre
- Échalote
- Épinard
- Épinette
- Farfara
- Haricot vert
- Herbe de Sainte-Barbe
- Kiwi
- Laituc verte
- Lentille verte
- Marjolaine
- Menthe des champs
- Noisette
- Persil
- Piment vert
- Poireau
- Pois vert
- Raisin vert
- Riz brun
- Safran
- Stellaire
- Tussilage
- Zuccini courgette

Bleu – Jeudi

- Asperge
- Asclépiade commune
- Blé bulghur
- Catherinette
- Châtaigne
- Chicorée
- Chou chinois
- Courge de Hubbard
- Courge Royale
- Cresson alénois
- Fève de Lima
- Fève Pinto
- Gadellier gladuleux
- Graine de fenouille
- Gros atoca
- Menthe
- Menthe poivrée
- Mûre
- Orégano
- Pomme de terre
- Prune noire
- Raisin bleu

Indigo – Vendredi

- Aubergine
- Basilic
- Betterave
- Cerise
- Endive
- Fève gourgane
- Fève noire
- Lentille rouge
- Marguerite blanche
- Médiole Virginie
- Melon d'eau
- Menthe à épis
- Okara
- Onagre
- Orpin pourpre
- Panais
- Petite poire
- Prune noire
- Rhubarbe
- Romarin
- Ronce
- Sarrazin
- Scorsonère
- Silène
- Smilacine à grappes
- Streptope rose
- Thé des bois

Violet – Samedi

- Ail
- Algues
- Aneth
- Avoine
- Carvi commun (anis)
- Cassis
- Coriandre
- Fève aduki
- Fève mung
- Fougère autruche
- Gadel
- Galinsoga velu
- Gombo
- Groseille
- Laurier
- Luzerne
- Melon brodé
- Orge
- Pourpier potager
- Raifort
- Riz basmati
- Rosier sauvage
- Salsepareille
- Sauge
- Soya
- Sureau blanc
- Thym

9

L'An 2000...
fin du monde !

L'an 2000 ... fin du monde

(atelier reçu en l'an 1998)

L'an 2000 … la fin du monde ! Est-ce un mythe ? Est-ce une histoire que les églises, que les sectes ont inventée pour faire peur aux gens et mieux les manipuler ? Est-ce une réalité ? Et comment ceci dans la matière peut-il se vivre ?

Chose certaine, tous et chacun ressentent bien une urgence, ressentent bien qu'il se passe quelque chose sur Terre. Ressentent bien qu'il y a quelque chose qui ne va pas. Bien sûr, quand une chose commence, ça doit se terminer, un jour ou l'autre. Quand une fleur bourgeonne et qu'elle a atteint sa maturité maximum, ses pétales s'effritent. Elle meurt d'une certaine façon, cependant elle a créé ses graines pour renaître. En réalité, il n'y a ni fin ni commencement.

Mais que se passe-t-il en ce qui concerne la Terre ? L'histoire a commencé au printemps de l'an 1948. En fait, depuis le 14 mai 1948, très précisément, le matin aux environs de neuf heures, vous êtes entrés dans l'apocalypse. Cette date n'est malheureusement pas beaucoup connue, pourtant elle est très précise dans la Bible. Non pas les Bibles transformées par différentes religions ou mouvements de pensées, mais bien le Texte laissé par les Apôtres, par les Anges et les Archanges.

Que s'est-il passé en cette date du 14 mai 1948 ? Le peuple élu d'Israël est revenu chez lui, a commencé à revenir chez lui. Les Écritures Saintes indiquaient très clairement que le jour où le peuple élu rentrerait chez lui de son exil, les sept sceaux de l'Apocalypse seront levés. Ce qui veut dire que les événements purificateurs de la Terre débuteraient. Depuis cette date précise, le peuple élu, le peuple d'Israël, revient de semaine en semaine, de jour en jour, vers sa Terre d'origine.

Plus particulièrement depuis le début des années 1980, un plus grand nombre de personnes retournent chez elles. Dieu a choisi ce peuple, non pas parce qu'il était plus intelligent qu'un autre, non pas parce qu'il était plus beau qu'un autre. Non pas parce qu'il avait forcément plus évolué qu'un autre, mais bien parce qu'en ce site, en ce lopin de terre, une énergie très particulière existe. Une énergie créée il y a fort longtemps par le Cœur de Dieu, d'une certaine façon. Dieu a privilégié une émission d'énergie, une colonne d'énergie d'un très haut niveau spirituel en ce lieu saint.

Si vous avez la chance de voyager en Israël, si vous avez la chance d'ouvrir votre cœur, vous pouvez même vous y rendre de façon astrale, vous serez oints d'une énergie très particulière. Il y a fort longtemps, cette colonne a été installée. À la naissance de la Terre ce lieu était déjà sacré. Cette terre sainte a permis à des enseignements tels ceux de la Grande Fraternité Blanche, tels ceux de l'ordre de Melchisédech et de plusieurs autres philosophies, d'être transmis. Ce fut aussi l'endroit privilégié pour de nombreuses formes d'initiations jadis.

Un jour, il y a environ deux mille ans de cela, cinq planètes se sont alignées dans le ciel, cinq planètes qui indiquaient qu'un phénomène très particulier se produisait sur Terre. Qui indiquaient que l'Esprit Saint entrait sur Terre, dans une onde excessivement forte pour créer dans la matrice de Marie, par la puissance de la Volonté de Joseph, le corps de Jésus, Son fils.

Les notions que Nous vous partageons aujourd'hui se veulent à tendances religieuses, cependant Nous ne sommes rattachés à aucune église d'aucune sorte que ce soit, mais ces personnages ont été importants sur Terre. Ils sont venus apporter un message très particulier à la race humaine.

L'Esprit Saint a créé, en ce jour, une infusion d'Énergie, a oint Jésus d'une Connaissance complète, a infusé en Lui, les douze Lois de la Création et le Pouvoir d'utiliser toutes ces connaissances. Cet Homme avait tout un travail à faire. Premièrement, Il est entré dans le corps de Marie par la Volonté que Joseph avait d'inséminer, par la Voie Astrale, sa Puissance masculine dans l'onde féminine de Marie. Il n'y a pas eu de coït comme tel, il n'y a pas eu d'acte sexuel non plus, mais bien une Création Pure à un niveau de conscience excessivement élevé.

Pourquoi avoir fait de cette façon un enfant, pourquoi s'être privé du plaisir de la chair ? Pour permettre à cet Homme de n'être pas relié à l'émotivité ainsi qu'aux programmations émotionnelles que la chair génétiquement transporte. Comprenez-vous bien ceci ?

Sa génétique était entière et complète dans l'Essence Divine. Son Essence était entière et complète dans le Pouvoir de Dieu. Ce que Nous tentons de vous expliquer est que lorsque l'engendrement d'un enfant se fait par un coït normal, à ce moment-là, la genèse émotionnelle des parents lui est transmise. Afin d'éviter que cette genèse émotionnelle ne vienne perturber la réalisation de cet Homme, disons-le, très particulier, Il fut créé dans un Monde Supérieur de la Conscience. Il avait une mission très spéciale à accomplir, Il devait ramener les Peuples de Dieu, tous les enfants de la Terre, à la Conscience Christique.

Cet état représente la Conscience du Respect de l'Amour, du Respect de la Terre, du Respect des Lois Divines. Il est venu donner l'exemple, ouvrir la Voie. L'exemple d'acceptation. Il n'a pas congédié un apôtre parce que celui-ci a pris une cuite avec Marie-Madeleine, un jeudi soir. Il n'a pas congédié Marie-

Madeleine parce qu'elle séduisait les autres. Il n'a pas jugé son Père, ni sa Mère. Il n'a pas qualifié les pauvres de moins que rien. Il n'a pas qualifié les enfants de dérangeants et de fatigants. Il n'a pas qualifié les pauvres d'esprit d'idiots, au contraire.

Il a apporté un Message pur et parfait, mais malheureusement les églises de toutes sortes se sont emparées de ces connaissances et ont créé des dogmes et des mythes tout à fait ridicules. Des fêtes des morts, des fêtes de ci, et des fêtes de ça. La fête en réalité arrive à tous les jours, car vous devriez fêter à tous les soirs d'avoir été en vie une journée de plus. D'avoir eu la chance d'aimer et d'être aimé, une journée de plus. Et de vous être donné la possibilité de vous aimer encore plus, une journée de plus.

Cet Homme venait donner un exemple, mais très peu de gens l'ont suivi. Dans le Grand Livre de Dieu, Dieu avait écrit, « Je leur donnerai Mon Fils, mais si les êtres humains ne réalisent pas qu'ils doivent s'ouvrir à l'Amour et quitter la noirceur, Je leur donnerai la Bête, pour qu'ils apprennent ce qu'ils ont à apprendre ». Dieu respecte la Volonté humaine. Vous voulez avancer dans la Lumière, Il vous aidera. Vous voulez dénier votre Volonté, votre Spiritualité, la pureté de votre Esprit, Il vous accordera la possibilité de vous rendre dans la noirceur. Afin que ceci se fasse, Il a donné la chance à son Ange Noir d'exercer un pouvoir de mille ans sur Terre.

Ces mille ans ont commencé, il y a huit cents ans. Dans le moment présent, le pouvoir de l'Ange Noir est à son summum sur Terre puisque la fin de son règne approche. Car dans deux cents ans d'ici, cet Ange Noir sera consumé par la Lumière de Dieu et n'aura plus de pouvoir sur Terre. Ceci était une petite partie de l'histoire.

Si Nous revenions aux sept sceaux. Des sceaux sont en quelque sorte l'ouverture d'une porte sur une série d'événements, une sorte de tunnel. Le premier sceau était le retour du peuple élu en Israël. Le deuxième sceau est l'écrasement des systèmes créés sur la manipulation, sur la destruction de la Volonté Divine, sur l'abus et sur tous les petits défauts de dépendance et compagnie, que les sociétés ont créés, que l'homme a créés par les pouvoirs des sociétés.

Que se passera-t-il à l'intérieur de cette époque ? Tous les systèmes sociaux créés sur ces bases vont s'effondrer. Tous les systèmes gouvernementaux, tous les systèmes monétaires, tous les systèmes de contrôle de la pensée, tous les systèmes de dépendance, vont s'effondrer. Si vous ouvrez vos yeux vous allez vous rendre compte que c'est la situation présentement sur terre.

Plus rien de ce qui brisait, à l'intérieur de l'Homme, sa capacité d'unir son Esprit Divin à sa Volonté Divine pour créer dans la Voie de son Cœur une vie parfaite et une planète d'Amour, une Terre d'Émeraude, n'est présentement toléré par Dieu. Par décrets Divins, il est détruit.

Si vous pensez vous enrichir en manipulant des pauvres gens, prenez garde à vous. Si vous pensez obtenir l'amour d'un conjoint en le manipulant, prenez garde à vous. Si vous pensez enrichir votre ego en manipulant les autres, prenez garde à vous. Et si vous pensez être encore capable de dépasser vos limites spirituelles, physiques, émotionnelles, et matérielles pour obtenir un soi-disant bonheur, prenez bien garde à vous.

Les énergies sont depuis vingt ans, et de façon beaucoup plus accentuée depuis cinq ans, émises afin de créer un grand nettoyage. En réalité, ce qui s'est passé date de plusieurs siècles. L'Esprit Divin disait à la Volonté, je veux réaliser telle sorte d'expériences. La Volonté disait, nous pouvons ensemble l'exécuter à condition que ceci ne fasse souffrir aucun plan, les plans étant minéral, végétal, animal ou humain. Dans cette condition la Volonté faisait circuler l'Énergie au niveau du Cœur et la manifestation matérielle se réalisait.

Que ce soit une manifestation aussi simple que de créer une fleur, que de créer un cours d'eau, que de se déplacer d'un endroit à l'autre, que de développer un don quelconque, tout était possible à l'homme. Un jour l'Humain a commencé à faire taire sa Volonté. Son Esprit voulait apprendre, exemple l'expérience de l'hédonisme. Savez-vous ce que c'est que l'hédonisme ? L'hédonisme c'est orienter sa vie exclusivement dans l'accumulation de plaisirs sexuels. De satisfaire ses besoins exclusivement par la sexualité. Donc autant ses besoins de violence, de dépendance, d'affectivité, de châtiment, et compagnie.

La Volonté a fait sentir à l'Homme que ceci amènerait des séries de situations fort désagréables et que ceci n'était pas dans un but de respect et d'évolution de la Divinité. Et elle a interdit au Cœur de manifester cette expérience. L'Homme dans son étroitesse a dit « Dieu m'a fait libre, Il a dit que je pouvais faire ce que je voulais et bien toi ma Volonté, ferme-toi là, tasse-toi parce que je le vis pareil ».

À cet instant précis, en se détachant de sa Volonté, l'Homme a dénié en lui sa capacité d'être Divin. Il a perdu son pouvoir d'Ascensionner. A perdu son pouvoir de manifester dans la matière tout ce qu'il désirait pour subvenir à ses besoins. Il s'est enchaîné à la Roue Karmique de la Pensée, de l'Inconscient, et **au besoin d'avoir à tout faire pour mériter très peu.**

Lorsque Dieu a vu à quel point l'Homme était rendu bas, Il lui a envoyé le Christ. Le Christ a tenté de faire son travail, d'accomplir sa mission. Mais l'ego-trip de l'homme l'a crucifié, l'a mis en statue. L'a fait saigner, l'a vendu en images, a déchiré un linceul et vend encore des petites pièces. Imaginez-vous qu'au nombre de petites pièces vendues depuis deux mille ans, ils ont dû créer une manufacture pour faire des linceuls. Ça Nous surprendrait beaucoup que Jésus les ait tous portés avant de mourir.

Mais, à la fin des années présentes, Dieu a eu encore pitié de l'Homme. Il a décidé de l'aider de nouveau, car le troisième sceau a été levé et une autre série d'événements est commencée. Comment Dieu va-t-Il aider l'Homme ? Au printemps prochain, les cinq même planètes s'uniront dans le Ciel pour avertir l'Homme d'une situation très particulière. **Tous les êtres humains sur Terre qui auront vraiment débuté un cheminement spirituel vivront ce moment très spécial.** Un cheminement spirituel réel ne se vit pas en allant à des cours de « oum-a-patoum », n'importe quand. Ne se fait pas en étudiant ou en utilisant vingt-cinq mille techniques ésotériques. Le cheminement spirituel réel est de devenir conscients de l'imperfection que vous possédez, est de devenir conscients du mal que vous vous faites et que vous faites aux autres. Est de devenir conscients de vos limites.

Au moment précis où ces cinq planètes seront alignées, tous ceux qui auront, en leurs âmes et consciences, ouvert leurs cœurs à un changement réel pour retrouver leur Divinité, émettront une fréquence, au niveau de leurs auras, différente des autres. Une fréquence un peu violacée, et au moment précis où ces planètes s'uniront, l'Esprit Saint créera une onction, oindra tous ceux et celles qui auront cette petite lumière qui scintillera.

L'Esprit Saint pénétrera en vous, infusera une dose d'énergie très particulière pour que, tous ceux qui possèdent cette Volonté de recréer un Univers d'Amour, reçoivent en eux directement tous les Messages et la Conscience nécessaires pour aider à la réparation de l'Univers que vous habitez.

Ce n'est plus seulement Marie et Joseph qui auront été oints. Ointé veut dire qu'une forme d'Essence astrale un peu huileuse et ayant un certain poids, pour la définir, pénétrera chaque molécule, chaque cellule, chaque partie de votre corps. Si vous faites un ego-trip de ce ointement, si vous dites « J'ai reçu l'onction de l'Esprit-Saint, et ce que je dis c'est la vérité et vous devez m'écouter », attendez-vous bien que votre petite lumière aille vider ses batteries très rapidement et vous irez rejoindre l'autre gang.

Mais qui est l'autre gang ? Les autres sont ceux qui, avec la Bête, tentent de continuer de détruire le Royaume de Dieu sur Terre. Tentent de continuer d'asservir, et ils seront déniés de la Terre. C'est-à-dire que lors de l'Émission de l'Esprit Saint, ils ne seront pas touchés pour servir la Lumière. Ils recevront la dose d'énergie négative qu'ils portent en eux pour s'autodétruire. Ils feront le ménage eux-mêmes. La pensée négative qu'ils auront pour asservir les gens sera multipliée par mille à la force de la Lumière et ils entraîneront avec eux des centaines de milliers de personnes. Regardez ce qui se passe avec les groupes de motards, partout sur la planète.

Quel était le signe du troisième sceau ? Le premier sceau étant le peuple d'Israël revenant sur sa Terre, le deuxième sceau étant tous les cataclysmes naturels, tous les cataclysmes financiers, cataclysmes institutionnels et matériels. Le troisième signe, le troisième sceau a été levé lorsque les États-Unis ont créé la monnaie flottante, lorsqu'ils ont créé un système financier flottant. Il y a une douzaine d'années environ, les États-Unis ont crée ce système flottant dans le seul et unique but de prendre le contrôle monétaire mondial. Que pensez-vous qu'il est en train de se passer dans le moment présent avec l'argent, partout sur Terre ?

Les États-Unis créent le déséquilibre des monnaies dans tous les pays. Réduisent les monnaies autant chinoises, que russes ou toutes autres. Asservissent les monnaies pour prendre leur place. Pour prendre le contrôle mondial de l'argent. Dans tous les pays présentement on échange l'argent pour de l'argent américain. Et que pensez-vous qu'il va se produire ? Ce qui est en train de se produire, c'est un krach financier mondial. La Russie avant de faire faillite va déclarer la troisième guerre mondiale aux États-Unis. La Russie refuse ce nouveau système monétaire mondial et la Russie va gagner la guerre !

Réfléchissez un peu. La Russie a bien un drapeau rouge, n'est-ce pas ? A une faucille qui va faucher la liberté de l'être humain sur Terre. Le rouge de son drapeau est le sang, que la Russie va répandre. Bien sûr, ce n'est pas la fin du monde dans le moment présent et cette troisième guerre mondiale, si elle a lieu, ne détruira pas entièrement la planète.

Dieu aime Ses enfants et Il ne laissera pas détruire un seul de Ses enfants, la Terre étant autant que vous son enfant. Pourquoi ne laisserait-Il pas détruire la Terre ? Parce que la Terre est un Esprit, comme vous l'êtes, tous et chacun, un Esprit qui a pris une forme un peu plus ronde qu'un autre. Est un Esprit purement Divin, qui a décidé de se créer une forme matérielle afin de permettre à d'autres règnes d'expérimenter l'Amour. Et c'est exactement ce que, tous et chacun, vous êtes venus faire sur elle, apprendre l'Amour.

Dans votre corps vivent des centaines de milliers de petits microbes, vous possédez en vous toutes les maladies du monde. Vous possédez en vous toutes les capacités du monde, vous êtes une Terre à votre façon. La lune, le soleil et toutes les autres planètes sont aussi des Esprits. Si vous le réalisez bien, vous détruisez un être vivant, vous détruisez un être conscient.

La Terre n'est pas un Esprit stupide et borné. La Terre est un Esprit conscient et ne veut plus de cette destruction continuelle sur elle. C'est pourquoi, elle s'est unie à l'Esprit Saint pour faire le grand ménage. Si vous, cela vous prend cinq heures pour nettoyer votre maison, la Terre cela lui prend bien mille ans, elle est grande n'est-ce pas ! Elle a depuis huit cents ans, commencé son œuvre d'épuration.

L'An 2000 débutera par une troisième guerre mondiale silencieuse, avec les petites bombes bactériennes que ces chers êtres humains ont inventées. La tension sera palpable tout au long de la première décennie de ce siècle. Imaginez si c'est logique, **inventer des armes pour conserver la paix**. C'est très intelligent ? Inventer des choses qui tuent dans le but de conserver la vie !

Malheureusement pour ceux qui les ont créées, les choses qui tuent, ont beaucoup moins de pouvoir. Les antibiotiques, les anti-vies agissent de moins en moins. Vous devez prendre des déodorants de plus en plus puissants, vous devez prendre des analgésiques de plus en plus puissants. Tout ce qui détruisait la Vie a de moins en moins de pouvoir, car la Vie est intelligente et devient de plus en plus puissante.

Ceux qui auront reçu l'onction de l'Esprit Saint survivront à cette troisième guerre mondiale. Avec eux, survivront les hommes de la noirceur. Et un soviétique, après cette guerre, se déclarera l'Empereur de la Terre. Tentera de créer une seule et unique politique mondiale. Il tentera de créer une seule et unique monnaie internationale, et tentera de créer une seule et unique religion athée mondiale.

Ce Soviétique est l'incarnation physique de la Bête. Plusieurs personnes ont pensé que Lucifer se re-manifesterait dans le prochain pape, erreur ! Lucifer se manifestera dans ce politicien soviétique. Comment vous en sortir maintenant ? Laissez les pommes, pourries ensemble, continuer à pourrir, et retirez les pommes saines. Continuez votre travail sur vous-mêmes, car vous serez bénis, vous serez aidés.

Faites en sorte de ne pas être dépendants des systèmes économiques. Arrangez-vous pour ne pas être dépendants des systèmes sociaux. Devenez indépendants des systèmes religieux. Autrement dit, vous avez quelques années sur Terre pour vous rendre dans vos bourgades, pour briser vos egos, pour cesser de voler les autres en prenant trop de choses ou d'énergie. Pour devenir autonomes, pour créer vos serres, avoir des fruits et des légumes qui ne seront pas radioactifs.

Cette guerre sera silencieuse, hypocrite et aura lieu sporadiquement. Vous ne verrez pas un pays officiellement déclarer la troisième guerre mondiale à un autre pays. Vous verrez les pays les plus importants de la planète faire en sorte que la tension monte, se mêler à des petites guerres ridicules, refuser les ententes internationales que les autres pays veulent, ainsi de suite. Toutes les raisons seront bonnes pour créer des conflits.

Des combats de rue, vous en verrez partout, partout. Bien sûr, les États-Unis sont très près du Québec. Il y aura des répercussions. Vous ne pourrez plus boire l'eau courante, car la pollution provenant des Gouvernements et des industries para-gouvernementales infectera les eaux. Il vous faudra des puits, il vous faudra purifier cette eau et elle devra provenir d'au moins une quarantaine de pieds de creux.

Suite à cette guerre, vous aurez vingt ans d'épreuves. Vous aurez vingt ans pour créer une puissance spirituelle telle, que ce soviétique devra quitter le pouvoir. Et à ce moment-là, Jésus Christ sera rendu à l'âge mature suffisant, sera rendu dans une apparence mature suffisante pour devenir l'Empereur de la Terre. Tel que promis, le Fils reviendra.

Prenez bien garde à ce soviétique, car vous savez beaucoup d'êtres très sombres ont passé pour des personnes très lumineuses venant aider, tel Luc Jouret et tant d'autres. Vous avez eu déjà des gens pour vous montrer quel était le pouvoir des êtres sombres, ils sont capables de se déguiser en de très belles brebis. Prenez très garde à ce premier gouvernement international, prenez très garde de ne pas vous impliquer socialement dans les systèmes, car à la minute où vous utiliserez un système social, vous deviendrez un esclave de ce soviétique.

Vous savez, au cours de la Guerre Mondiale où Hitler était le leader, Hitler a très peu fait de choses, ce sont les quatre mille zouaves imbéciles, désirant le pouvoir, et dans toutes leurs méchancetés, qui ont tué tous ces êtres humains dans les fours crématoires. Ce n'est pas Hitler qui a demandé cela, c'est son armée.

Le soviétique aura son armée. Et après vingt ans de destruction, ceux qui, comme vous, sont en cheminement spirituel, se lèveront debout. Tous ensemble, ils auront créé des bourgades autonomes. Tous ensemble, ils auront créé des cheminements, des Voies de Lumière. Tous ensemble, ils accueilleront le Christ.

Et tous ensemble, ils finiront le ménage de la planète. Et ensuite pour les cent quatre-vingts ans qui resteront, tous ensemble ils recréeront les Jardins de Dieu sur Terre, ils recréeront un endroit Divin extraordinaire. Vous découvrirez la paix. Cela prendra deux cents ans, certains de vous ne seront plus là mais d'autres seront revenus sur Terre.

D'autres auront ascensionné et feront partie d'une équipe de Football anti-Lucifer. Vos enfants devront comprendre de ne plus utiliser les besoins présents, de développer d'autres qualités. En passant, ce Soviétique est très intelligent, il a créé un virus informatique qui présentement, depuis quelques mois, entre dans les ordinateurs, tout simplement quand vous allez vous y promener, sous la forme d'un cheval de Troie. Saviez-vous que les sept sceaux sont représentés par un cheval, imaginez donc !

Ce petit virus va même ouvrir vos lecteurs lasers, utiliser votre imprimante, et récupérer vos dossiers, et ainsi de suite. Cette petite entité est aussi présente dans presque tous les jeux sur ordinateur. Ne laissez pas vos enfants jouer sur de tels jeux sans les avoir vérifiés au préalable et avertissez-les que s'ils voient un cheval de Troie noir ou rouge, de fermer ce jeu immédiatement et de le retirer de l'ordinateur, s'ils arrivent à fermer leur ordinateur, bien entendu.

Si Nous revenons à l'histoire future, disons que le quatrième sceau est la guerre nucléaire bactérienne, le cinquième sceau est l'apparition du Christ, le sixième sceau est la reconstruction de la Terre, et le septième sceau est la naissance d'une nouvelle planète.

Le Soleil est un Esprit, est une entité vivante et il est la matrice des planètes de votre système. Bientôt, les scientifiques le prouveront, certains ont déjà commencé à étudier cette probabilité. Et deux mille ans après la revenue du Christ, une nouvelle planète sera émise par le soleil. Une nouvelle planète qui est en train de terminer sa gestation, naîtra. Une planète dorée, une planète d'un vert émeraude extraordinaire et d'un violet intense. Et tous les êtres humains sur Terre, qui voudront ou qui auront ascensionné, iront continuer leur évolution sur cette planète.

Comme pour toute bonne matrice, il y a des contractions tout au long de la grossesse, n'est-ce pas ? Il y a des petits coups de pieds, il y a des petits mouvements de fesses, n'est-ce pas, mesdames ? Le soleil vit exactement les mêmes situations et à chaque fois que se passe-t-il ? Le petit coup de pied crée une onde, et l'onde désaxe un petit peu notre Terre pour la reculer afin de laisser de la place à la future planète naissante. Et c'est pour cela que la Terre se refroidira dans les années qui viennent.

L'ouverture de la couche d'ozone aide pour la fonction de refroidir la Terre sans qu'elle ne gèle trop vite. Cette ouverture est surtout en fonction de permettre à l'Esprit Saint d'oindre tous ceux qui sont sur Terre, et qui le méritent bien entendu. Avez-vous des questions au moment présent ?

Participant : Concernant la nouvelle planète, elle va s'insérer avant la planète Mercure et tous les autres vont reculer ?

Tamara : Elle s'insérera avant la planète Mercure. Et tous les autres reculeront très légèrement, juste assez pour lui laisser un peu de place. Si vous prenez présentement sur une carte du ciel la distance entre Mercure et la Terre, divisez-là environ en 2.7 et vous aurez exactement l'espace de la nouvelle planète.

Participante : Est-ce qu'il y a de l'espoir pour les enfants qui viennent de naître !

Tamara : Les enfants qui viennent de naître sont soit nés expressément pour recevoir l'onction de l'Esprit Saint et pour reconstruire la Terre. Ou ils sont nés expressément pour servir Lucifer. Ils rempliront exactement la fonction qu'ils auront à faire.

Participante : Si pour survivre, on ne doit pas faire partie du marché monétaire ou être dépendant des services, ça veut dire qu'il va falloir être autonome par soi-même et se relier aux personnes qui vont être dans le même cheminement, et cultiver les terres. Mais ça veut dire que l'on ne sera pas capable de continuer les ouvrages que l'on fait présentement, non plus.

Tamara : Non plus, car les seuls vrais ouvrages deviendront l'entraide. Entraide pour cultiver un jardin, entraide pour apprendre aux autres à le cultiver. Entraide pour devenir autonome émotionnellement, entraide pour aider les autres à le devenir. Et le plus grand des rôles sera d'aider les gens naïfs à rester près de l'Esprit Saint.

Cela remplira beaucoup de temps, car les valeurs humaines ont été perdues. Jadis quand un père labourait son champ de patates avec son fils, il prenait le temps de lui raconter la vie. Et il prenait le temps de le découvrir, il prenait le temps de le connaître et de le reconnaître, vous allez revenir à ceci. Les émissions émises par la bombe nucléaire vont voiler intensément le soleil, non pas de façon permanente, mais les journées seront beaucoup plus courtes. La clarté sera moins intense. Vous aurez besoin de plus en plus de sommeil.

À travers l'exécution du sceau présent, des orages magnétiques très forts ont été créés dans le but de détruire les télécommunications intentionnellement et de détourner les satellites, car chose surprenante, la Russie a inventé une façon d'envoyer des rayons lasers mortels à partir de ces satellites sur Terre.

Ces orages magnétiques malheureusement perturbent le sommeil de beaucoup d'entre vous, vous aurez besoin de plus de sommeil. Mais ne craignez pas, ne craignez rien, car si l'Esprit Saint entre en vous, vous ressentirez une énergie débordante. Vous ressentirez une joie et un désir excessivement profonds de reconstruire la Terre, d'attendre le Sauveur et de Le servir, lorsqu'Il arrivera.

Participant : Ça va débuter à quel moment ? Et ça va durer combien de temps ? Parce que les guerres ont duré un certain temps, est-ce que ça va être aussi long que la dernière ?

Tamara : La guerre comme telle débutera en février de l'an 2000. C'est-à-dire qu'à partir du mois de février de l'an 2000, des essais nucléaires, des essais de bombes bactériennes auront lieu, secrètement, de la part de la Russie pour faire peur aux États-Unis. Le prix du pétrole va monter en flèche et des tensions incroyables vont apparaître entre les pays du monde pour des raisons parfois obscures. L'élément déclencheur pourrait se déguiser sous la forme d'un petit pays qui fera face aux États-Unis. Avant l'an 2004, la guerre aura officiellement éclaté, et elle durera vingt ans.

Les explosions, les bombardements et les lancements de bombes bactériennes dureront à peine six mois, mais elles vont créer tellement de dégâts, ce sera incroyable. La guerre durera vingt ans dans le sens que, pendant vingt ans, ce soviétique tuera, assassinera, tous ceux qui ne voudront pas faire partie de ce gouvernement international. Détruira les systèmes sociaux, détruira les hôpitaux, les écoles, et ainsi de suite.

Pendant vingt ans de temps, il continuera partout sur la planète à saccager. Mais, il ne pourra pas atteindre les bourgades, car l'Esprit Saint fera en sorte que ce missionnaire noir qui viendra cogner à votre porte mourra frappé par la foudre à l'instant même que le bout de l'ongle de son gros orteil essayera de franchir votre mur. Ou il ouvrira son cœur et se joindra à vous pour préparer la venue du Sauveur.

Participante : Quand on dit le troisième sceau, c'est au printemps prochain. Dieu, l'énergie qui est transmise. Est-il possible de demander avant la venue de ces grands cataclysmes d'appeler tous les Anges, les Archanges, pour que d'autres planètes viennent sauver la nôtre ?

Tamara : Les autres planètes n'ont pas le mandat pour venir sauver la Terre. La Terre s'est tellement autodétruite, la Terre s'est elle-même amenée dans ce marasme. Quand Nous parlons de Terre, Nous parlons de ses habitants, bien entendu, ils doivent se sauver par eux-mêmes. Par contre, les Anges, les Archanges, les Maîtres-Guides, les Guides, peuvent beaucoup vous aider si vous leur en faites la demande, et c'est pourquoi depuis quelques années, le retour à la Foi des Anges est si puissant. Ils vous aideront grandement en attendant l'onction Divine et vous aideront grandement après l'avoir reçue. Votre question était sage.

Participant : Est-ce que ces événements-là peuvent être minimisés ou évités complètement s'il y avait suffisamment de personnes qui élevaient leurs consciences ou ces événements-là sont-ils nécessaires à des prises de conscience pour que tout change ?

Tamara : Nous allons vous poser une question en retour de votre question. Est-ce que l'être humain sait que la cocaïne est purement dangereuse et active les phénomènes du bas astral ?

Participant : Oui.

Tamara : Et est-ce que les êtres humains ont nettoyé la planète de l'utilisation de ce produit aussi dangereux ?

Participant : Non.

Tamara : Imaginez comment maintenant ils pourraient être capables de tout faire avant quatre ans. Ces événements vont avoir lieu. Ces événements font partie des sceaux initiatiques des êtres humains. Car malheureusement l'être humain est tellement stupide qu'il attend d'avoir reçu un coup de pelle en arrière de la tête avant de bouger. Ces événements sont nécessaires, car l'être humain traîne, traîne, et traîne de la patte.

Si vous-mêmes dans vos maisons, vous n'arrivez pas à faire en ce jour ce qui doit être fait, et que trois ans après ce n'est toujours pas fait, comment pouvez-vous croire que vous arriverez à arrêter tout ceci ! Comment pensez-vous que l'être humain soit assez fort et assez courageux pour empêcher ce soviétique de prendre le contrôle de la planète ? Ce soviétique a depuis 1948, depuis le 14 mai 1948, créé son armée partout sur Terre, et elle est grande ! Elle est excessivement grande, car il a des soldats partout.

Les gouvernements de plusieurs pays sur Terre se voient au prise avec des problèmes financiers graves et plutôt que de déclarer faillite, comme les États-Unis d'Amérique l'ont déjà fait, ils préfèrent provoquer une guerre afin que l'économie reprenne.

Pour de nombreux gouvernements, les vies humaines n'ont pas de valeur. Il n'y a que la face de leur pays qui compte.

Tout ce qui peut se produire, c'est que les effets de cette guerre vous soient minimisés grâce à l'onction Divine et à votre Volonté de servir la Vie. À ce moment-là, vous serez très peu atteints, vous serez dans vos bourgades, mangerez à votre faim, vous ferez l'amour, danserez, chanterez, ferez des enfants, servirez les autres, serez très heureux. Mais, si un jour vous refusez l'aide à quelqu'un qui en a besoin parce qu'il est trop malade, dans le moment présent, pour cultiver sa carotte, attendez-vous que vlan ! Vous allez les rejoindre ceux du bas astral, ceux du gang du Soviétique.

Dieu ne laissera pas ceux qui viennent aider le Sauveur sur Terre, ne laissera pas ces êtres resombrer dans la noirceur et ceci par **décret.** Après que vous vous serez ouverts, après que vous aurez intégré vos cheminements, si jamais votre ego refait surface, votre déniement vous tuera dans la seconde même. Ne cédez pas à la panique, ne cédez pas à la peur, n'allez pas créer des sectes à l'épouvante qui se nourrissent de la peur. Lorsque vous recevrez l'onction Divine, vous recevrez en vous le courage, la joie, la puissance, la force, l'intégrité, et le respect des douze Principes Créateurs de la Vie.

Ne vous souciez pas de comment les choses vont se faire, et ne vous inquiétez pas. Cet état de bonheur dont l'Esprit Saint vous inondera, vous ne pouvez pas en imaginer la grandiosité. Ne vous inquiétez pas pour le futur, mais grouillez-vous les fesses Bon Dieu. Passez à l'action, étudiez les douze Lois Spirituelles, mettez en application tout ceci. Apprenez à n'avoir plus besoin ni de votre Mercèdes, ni de votre Rolls-Royce, de votre after-shave à cinquante dollars la bouteille.

Apprenez l'agriculture, apprenez à vous nourrir des aliments sauvages, et cultivez dans vos serres. Vous apprendrez par exemple que le chou gras est très riche en fer et en vitamine C, vous en prendrez un et le cultiverez dans vos serres. Protégez vos plants de ces microbes répandus sur Terre grâce aux chers États-Unis et à ces autres pays qui ont fini de breveter leurs inventions. Grâce à la chère Russie et la merveilleuse Chine qui a inventé une revanche d'Hiroshima. On a déformé les leurs, attendez-vous bien qu'il y ait quelques déformations chez ceux qui ne seront pas oints par l'Esprit Saint.

Tout ceci influencera la végétation, mais elle est influencée pour devenir plus forte et se transmuter dans une meilleure flore. Les races qui disparaissent présentement sur Terre sont tout simplement en train de voyager pour reprendre vie sur la prochaine planète. Sur celle qui naîtra bientôt.

Notre commentaire final est de vivre dans la joie, de vivre dans la conscience, d'apprendre le détachement, de laisser les autres libres, et de vous engager très sincèrement dans votre cœur à servir le Sauveur, le Christ Tout Puissant, en vous.

Il pourrait bien tomber une bombe directement au coin de votre rue, si vous êtes oints de l'Esprit Saint, vous ne vous en apercevrez même pas. Vous vous tournerez de bord, et vous irez aider ceux qui auront été blessés, corps ou âme.

N'oubliez pas que la joie et le rire sont les premiers de tous les outils Divins.

Ouvrez vos yeux sur les leçons que vous recevez, tous et chacun, dans le moment présent car, vous entrez en période d'évaluation afin que l'Esprit Saint puisse vous reconnaître. Vous vivrez des épreuves, sachez les reconnaître, sachez voir quelle est l'épreuve que vous vivez, sachez bien raisonner et ne pas juger inutilement les autres.

Soyez conscients à chaque instant de votre existence.

10

L'Ascension… réalisable ou non

L'Ascension ... réalisable ou non

Vous savez qu'avant que quelque plan que ce soit ne se réalise, il y a toujours une forme de gestation. Avant qu'un enfant naisse, il y a une grossesse. Avant qu'un restaurant n'ouvre, il y a une préparation à faire.

Nous vous avons parlé, à la dernière rencontre, d'un ointement particulier qui aura lieu, chez les humains et pour les humains, dans les mois qui viennent. Ce ointement a donc, lui-même, une période de gestation. Une période plus ou moins difficile selon la résistance que vous aurez. Il y a en effet déjà, depuis quatre-vingt-treize jours, des équilibres énergétiques qui se font dans les auras de tous ceux qui sont dans un cheminement réel de conscience.

Que se produit-il à ce moment-là ? Les énergies cosmiques Christiques sont émises en très grande quantité sur Terre, et pénètrent dans vos auras. Si vous avez de la résistance, vous vous sentirez fatigués. Pour d'autres personnes la résistance est en sorte une façon de tenter de fuir et ils ne ressentiront rien. En conséquence au cours de cet épuisement, le corps s'affaiblit de façon à ce que le mental réduise ses fonctions. Ceci dans le but de laisser éclater d'anciens nœuds émotionnels logés dans vos auras.

Chez certaines personnes ce seront des situations vécues avec leur fils d'il y a quelque temps ou quelques années qui remonteront à la conscience et qui éclateront. Chez d'autres, ce seront des ressentiments envers leurs mères. Chez d'autres, des ressentiments vis-à-vis de leurs propres erreurs. Ces émissions d'énergies ont pour but de faire éclater les nœuds les plus lourds que vous aviez autour de vous. Les douleurs les plus pénétrantes, les déniements les plus profonds, afin de vous préparer à ce ointement. Nous allons vous parler maintenant de l'Ascension, si vous le permettez. L'Ascension est-elle possible pour tous ? Est-elle possible pour chacun ? Est-elle impossible à la majorité des gens ou est-elle réservée à des Grands Maîtres, comme Jésus ?

L'Ascension est en réalité le but ultime de l'incarnation humaine. Dans la Bible, lorsqu'on annonce que tous et chacun seront ressuscités au jour dernier, pour le jugement dernier, que veut-on dire ? Tout simplement, que tous et chacun, qui habiteront encore le plan terrestre, auront ascensionné. Qu'ils vivront dans un corps de lumière, identique au corps qu'ils avaient dans leur dernière incarnation. Cependant, si vous n'aimez pas votre nez dans votre vie actuelle, sachez que vous aurez le même si vous ascensionnez, avec cette même enveloppe. Vous avez à apprendre à aimer votre nez et tout votre corps tel qu'il est, puisqu'il sera toujours le vôtre.

Cependant, la rayonnance de votre corps est telle, lorsque vous êtes ascensionnés, que la beauté Divine émane de chacun des pores de votre peau. Que vous n'aimiez pas les formes de votre corps dans le moment présent vous limite, étant donné qu'en n'acceptant pas une partie de vous-même, vous ne pouvez pas transcender les énergies.

Comment se préparer pour atteindre l'Ascension ? Tout au long de cette rencontre, Nous nous servirons de l'exemple de Jésus, puisqu'Il est l'exemple le plus connu. Cependant, bien d'autres Maîtres ont ascensionné et plusieurs autres le feront encore et encore. Jésus a commencé ses enseignements à l'âge de trois ans et les a poursuivis jusqu'à l'âge de seize ans. Ensuite Il a développé la maîtrise de ses connaissances. Au cours de son jeune âge, Il a tout simplement accumulé les informations que vous possédez tous dans le moment présent.

Ces années Lui ont servi à comprendre les énergies, Lui ont servi à développer la lecture des auras, Lui ont servi à comprendre le processus de la pensée. Autant le processus de la pensée négative que de la pensée positive. Elles Lui ont servi à apprendre les méthodes de méditations, les méthodes de projections astrales.

Vous apprendrez un peu plus tard que cette technique s'appelle la Transition Moléculaire. Par droit Divin, toutes les formes émises de Dieu, peuvent appliquer cette forme de régénérescence. De tous les temps les enfants de Dieu ont conversé le droit à la Perfection Divine. En fait, les lectures que vous faites depuis quelques années, les ateliers auxquels vous assistez, vous ont nourris de la même façon qu'Il a été nourri Lui-même. La différence est celle-ci. À partir de l'âge de seize ou de dix sept ans, Jésus a commencé à intégrer dans son quotidien chacune des connaissances qu'Il possédait.

Comment a-t-il fait ceci ? Tout simplement par une volonté extrême. Tout simplement, en unissant sa Volonté Divine, qui est différente de la volonté humaine à la force de Sa pensée. Appelons la volonté humaine « courage » afin de différencier ces deux thèmes. Il a utilisé son courage pour activer le processus de sa Volonté Divine. Comme Nous vous en avons déjà un peu parlé, la Volonté Divine est en quelque sorte la Conscience Pure. La Volonté Divine sait très bien ce qui est parfait pour vous et ce qui ne l'est pas. L'Esprit commande à la Volonté Divine, et au travers l'Énergie du Cœur et de l'Amour, vous pouvez manifester dans la matière tout ce qui est commandé.

Exemple, Jésus avait appris les processus pour guérir, les techniques de transition moléculaire. De nos jours, vous pourriez les comparer au Reiki ou aux autres techniques de polarité ou de toucher thérapeutique, vous pourriez aussi les comparer à la diffusion d'énergies magnétiques. Vous pourriez aussi les comparer aux techniques d'équilibration de l'aura, ainsi de suite. Toutes les techniques modernes, que vous appelez modernes, que vous avez apprises dans votre vie présente, sont en fait données sur Terre, depuis un peu plus de six cent mille ans, elles sont bien moins jeunes que vous le pensiez.

Ne pensez pas que vous apprenez quelque chose de nouveau, vous ne faites que réapprendre ce qui a déjà été diffusé. Ainsi, Jésus avait appris ces techniques énergétiques et par son courage, Il a incité sa Volonté à intégrer en Lui cette puissance d'énergie, au point tel qu'Il pouvait redonner la vie à un mourant. Bien sûr, tout ce qu'Il a fait, Il l'a fait en respectant les lois du Libre Arbitre. Si le mourant souhaite vraiment continuer son évolution et avait décidé, avant de s'incarner, de passer par une telle étape auprès d'un Homme très spécial, pour retrouver sa vie et la vivre dans l'œuvre de la Foi, il s'est placé sur le chemin de Jésus.

Jésus a ordonné par la Puissance de son Esprit à sa Volonté que l'énergie de guérison Divine pénètre chacune de Ses cellules. Cette énergie était autant transmise par l'écoute qu'Il faisait de la personne, par le regard qu'Il avait sur elle, par les paroles qu'Il émettait, que par l'énergie qu'Il transfusait par Ses mains. Il activait par Son désir la Volonté Divine à accepter cet état, et par la puissance de Son Amour, celle provenant du cœur, pouvait transmettre une énergie telle qu'une personne paralysée retrouvait l'usage de ses jambes.

Bien sûr, il est question ici du Libre Arbitre. Et le Libre Arbitre est l'étape essentielle à intégrer avant de débuter votre cheminement réel vers l'Ascension. Que veut dire le Libre Arbitre ? Le Libre Arbitre veut dire que vous avez, par votre cheminement quotidien, par vos expériences quotidiennes à vivre des situations sur lesquelles vous aurez une réflexion à faire, et suite à ceci, vous aurez un choix à faire.

Donc, lorsque vous dites qu'une personne est désagréable, qu'une personne n'est pas bonne parce que des gens vous ont dit qu'elle n'était pas bonne, parce que des gens vous ont dit qu'elle était désagréable. Parce que les journaux vous ont dit qu'elle n'était pas bonne. Vous vous privez de votre Libre Arbitre. Vous vous empêchez d'augmenter votre niveau vibratoire de façon à Diviniser chacune de vos cellules.

Il est très important de ne pas avoir de jugement. Absolument aucun, sans avoir utilisé votre Libre Arbitre pour en faire le choix. Et lorsque vous choisissez avec l'aide de votre Libre Arbitre, vous n'êtes pas en état de jugement, vous êtes en état de choix d'une chose. La notion est excessivement différente et est très importante à intégrer.

Suivons le processus du libre arbitre. Premièrement, exemple, vous voulez suivre un cours de Tarot avec un enseignant de Montréal. Vous en parlez avec quelques copines et elles vous disent, « Bien non, ça coûte bien trop cher ». « Bien non, il n'est pas aussi bon que cela ». « Bien non, il utilise le Tarot de Marseille ». Et vous vous dites, bon mon choix ne devait pas être bon, je n'y vais pas.

Vous venez de créer un jugement qui vous enchaîne à une roue karmique. Par conséquent, vous vous ferez juger vous-même. Quelqu'un jugera votre qualité d'enseignement, jugera les coûts de vos services, l'état et la façon dont vous enseignez. Ce que vous avez à faire dans votre démarche. C'est, premièrement, de ne **jamais demander conseil à personne**. Ceci est très important, car en demandant conseil, vous amenez la personne à poser un jugement. Par conséquent à s'enchaîner dans la Roue Karmique, et vous perdez votre liberté d'action en l'écoutant, soit votre Libre Arbitre.

Vous devez apprendre à faire vos choix et votre cheminement par vous-même. À cesser d'être un petit enfant qui se fie aux autres et à utiliser votre maturité de conscience. À faire confiance à votre Conscience et à l'équilibre Divin de votre raisonnement. Ceci étant la deuxième étape. En troisième étape, vous devez contacter cette personne auprès de qui vous voulez prendre une formation.

Vous connecter sur votre ressenti, avant soit de lui parler en personne, soit de lui téléphoner. Vous mettre dans un état pur de réceptivité. Vous détendre, demander d'être à l'écoute des messages, demander d'être Divinement guidé, éclairé et protégé dans cette démarche. Ceci étant la troisième étape, nous passons à la quatrième étape.

Vous contactez la personne, et malheur, c'est un message téléphonique. En entendant le timbre sonore de la voix de la personne, vous ressentirez à l'intérieur de vous si vous avez à vous rendre auprès d'elle ou non. Au premier contact physique, vous ressentirez à l'intérieur de vous si vous êtes à la bonne place ou non. Et si ces cours vous intéressent, si vous vous sentez bien auprès de cet enseignant, mais que vous critiquez le coût, questionnez-vous un peu sur vos peurs ou sur votre limitation vis-à-vis de l'abondance.

Par ces étapes, vous utiliserez entièrement votre Libre Arbitre. Créerez un choix conscient, à savoir si vous partagez ces cours avec cette personne ou si vous ne les partagez pas. Et ce choix sera fait dans un état de conscience pur. Et quand des amis vous diront « Et puis, est-ce que tu es allé prendre ce cours ? » Vous leur répondrez « J'ai choisi à travers mon ressenti de ne pas y aller ». Un point final à la ligne. Ou vous direz « J'ai choisi d'y aller et j'y suis heureux ». Un point final à la ligne. Et vous ne commenterez pas votre choix pour laisser aux autres leur Libre Arbitre.

À l'intérieur de cette réponse, vous êtes sans doute en train de vous rendre compte que très peu de paroles sont nécessaires à l'évolution humaine. Qu'en réalité, le tiers de vos paroles vous limite dans votre propre Libre Arbitre, limite ceux à qui vous parlez d'utiliser leur Libre Arbitre et vous enchaîne dans la Roue Karmique.

Le tiers de vos paroles, à tous les jours, est profondément inutile et nuisible. Écoutez-vous bien parler. Écoutez-vous bien penser. Parce que vos pensées vous limitent aussi dans l'utilisation du Libre Arbitre. Et c'est seulement le jour où vous utiliserez votre Libre Arbitre à cent pour cent que vous pourrez élever chacune des cellules de votre corps suffisamment pour ascensionner.

Que veut dire comme telle, l'expérience de l'Ascensionnement. Nous devons inventer de nouveaux mots, dans le moment présent. L'expérience de l'ascensionnement se fait comme suit. Au moment où vous avez libéré votre courage pour contacter votre Volonté Divine. Au moment où votre Esprit n'ordonne ou ne commande à votre Volonté Divine que ce qui est vraiment bon pour vous et pour les autres. Au moment où votre Cœur projette un amour tellement fort, tellement vrai qu'une pomme peut apparaître sur votre table, par votre seul désir qu'elle y soit.

À ce moment-là, votre corps crée un rayonnement ionique plus rapide.

C'est-à-dire que chacune de vos cellules vibre à un tour ionique plus rapide, et vous disparaissez à la vue des gens. À ce moment-là, vous avez l'autorisation de vous rendre dans un plan astral plus élevé. Il y a dans ce monde une île très particulière, il y a des villes, il y a des pays. Pays ou île dans lesquels vous irez parfaire vos connaissances. Vous irez expérimenter le pouvoir de votre Volonté Divine. Vous irez expérimenter le pouvoir de votre Esprit à travers la diffusion de l'Amour pur.

Un être ascensionné n'a plus besoin de ressentir les états émotionnels qu'un être non-ascensionné **doit** ressentir pour utiliser son Libre Arbitre et évoluer. Tant et aussi longtemps que vous aurez des conflits émotionnels. Tant et aussi longtemps que vous chercherez à responsabiliser les autres ou les événements de vos conflits émotionnels, vous n'utiliserez pas votre Libre Arbitre et vous ne pourrez pas augmenter vos taux ioniques, autrement dit votre pouvoir d'ascensionner.

Une fois ascensionné, peut-on revenir sur Terre, manger un spaghetti d'après vous ? Absolument. Une fois ascensionnés, vous pouvez décider de venir, exemple, donner un séminaire d'ateliers pendant une semaine. L'information circulera comme par miracle partout, et tous ceux qui doivent venir à votre rencontre le feront. Donc, au travers votre Volonté Suprême, l'Esprit décidera de quelle façon il créera cette expérience d'ateliers. Et au travers la Puissance de l'Amour que vous dégagez, les documents, les informations qui ont besoin d'être sur Terre se manifesteront directement devant les gens qui ont besoin de les avoir pour venir à ce séminaire.

Et comme vous aurez un taux ionique très élevé, vous pourrez boire une bouteille de rhum complète sans vous saouler. Vu que le rhum fera partie de vous, autant que la pizza peperoni-anchois fera partie de vous. En effet vous aurez transmuté la matière et posséderez en vous tout ce que l'Univers possède. Si vos étudiants ont besoin de vous voir manger pour se rassurer que vous êtes bien un humain ordinaire, vous mangerez. Cependant, à la minute même ou un petit morceau, une petite bouchée de pizza se placera dans votre main ou dans votre bouche, elle sera transformée dans un état de lumière pure. Autrement dit vous n'absorberez que de la lumière pure.

Participant : Il y aurait une question *Tamara*, si vous le permettez. Je comprends que l'on peut revenir pour donner un séminaire, et tout et tout. Mais si on décide d'ascensionner, on part le matin pour revenir le soir ?

Tamara : Vous partez à l'heure que vous voulez et vous revenez au moment où vous le voulez, selon les plans que vous vous serez fait pour venir en aide aux êtres humains.

Participant : Est-ce que c'est dans la vie présente avec les mêmes activités ?

Tamara : Si c'est cela votre cheminement, pourquoi pas. Jésus n'a pas changé de vie. Jésus a cependant passé par une épreuve ultime. C'est-à-dire qu'Il est passé par la mort de son corps physique pour ascensionner. Ceci n'est pas nécessaire afin de réaliser l'Ascension. Cependant, Il voulait par sa Volonté traverser l'Ultime Épreuve de la Puissance de l'Esprit et réanimer Son propre corps mortel.

Et Il l'a réanimé seul, absolument seul, en se servant de l'amour des êtres qui étaient autour de son corps comme tremplin pour s'enraciner auprès de ce corps. Il n'est point nécessaire d'aller vivre cet état d'ascensionnement par l'ultime épreuve. Douze niveaux d'épreuves sont devant vous ou d'étapes dans l'ascensionnement comme tel. Vous pouvez choisir n'importe lequel des douze niveaux. Vous ne serez pas un moins bon Maître Ascensionné pour tel. Cependant, si vous choisissez le premier niveau, lorsque vous arriverez sur l'île Sacrée, vous apprendrez et vous intégrerez les onze autres niveaux, tout simplement.

Ne voyez pas l'Ascension comme une chose épouvantablement rigide où vous avez à jeûner pendant des mois de temps. À vous faire crucifier sur une croix, à vous faire ouvrir les entrailles, à boire du vinaigre, etc. Ne voyez pas l'Ascension comme cela. Voyez plutôt l'Ascension comme une étape quotidienne. Premièrement, **cessez de dénier que vous avez le pouvoir d'ascensionner. Cessez de dénier que vous êtes un Christ.** Cessez de dénier. Cessez de ne pas croire que vous êtes Christiques. Et cessez de vous culpabiliser si vous faites des erreurs. Les gens ont tendance à accepter un peu qu'ils sont Christiques, et s'en veulent lorsqu'ils font des erreurs.

Commencez par réaliser que vous êtes Christique, que vous êtes Dieu. Que vous êtes ascensionnable, que vous êtes réalisable, que vous êtes Amour. Commencez par accepter ceci. La meilleure façon de le faire est de prendre un crayon et un papier. De vous installer devant un lampion face à l'Est, après avoir débranché le téléphone, couché tout le monde et bien vous assurer que vous êtes seul et en tranquillité. Puis écrivez sur votre papier, « Je suis un être ascensionné », « Je suis un être Divin », « Je suis un être réalisé », « Je suis l'Amour Pur », « Je suis la Conscience Pure », « Je suis l'Esprit Pur », et « Je suis la Volonté Pure ».

Au fur et à mesure que vous écrirez ces phrases, votre Volonté Divine permettra à vos inconscients de vous faire connaître vos limitations pour vous rendre à ces points. Peut-être que vous aurez des pensées comme « Bien voyons, c'est du charlatanisme ». « Bien voyons, ça ne se peut pas, c'est sûr que je vais mourir ». « Bien voyons, c'est un ego-trip que je fais ». « Bien voyons, c'est de la foutaise pour gaspiller mon argent dans les affaires du Nouvel Âge ». Écrivez toutes ces pensées, écrivez-les jusqu'au point où vous éclatiez en sanglots.

Car vous éclaterez en sanglots quand vous réaliserez la capacité réelle de votre être. Quand vous réaliserez que ce petit corps physique que vous possédez n'est qu'un tas de molécules qui ont un taux ionique très bas ! Quand vous réaliserez à quel point vous vous faites suer pour rien ! Quand vous réaliserez à quel point vous avez de la difficulté à vous aimer ! Répétez cet exercice sept jours plus tard, et répétez-le encore sept jours plus tard, et encore, et encore, jusqu'au jour où vous arriverez à écrire, tout simplement sur votre papier, « Je Suis ». Et ce jour-là, le vrai travail de l'Ascension sera grandement entamé. Et ce jour-là, vous serez prêt à rejoindre votre vraie demeure, qui est celle du Père.

Bien sûr, ceci peut se faire en quelques milliers d'années si vous avez la tête dure. Bien sûr, ceci peut se faire en quelques centaines d'années si vous n'arrivez pas à percer vos doutes. Si vous n'arrivez pas à utiliser votre Libre Arbitre, puisque c'est grâce au Libre Arbitre que vous vous débarrasserez des émotions qui vous enchaînent.

Exemple, vous partez en régression. « J'ai un petit nœud, j'ai une émotion de peur du vide à régler, je vais aller m'offrir une régression ». « Bon. Le thérapeute me plaît, j'ai utilisé le Libre Arbitre pour le choisir, j'y vais. Maintenant, j'entreprends la démarche, mais si je nettoie toute ma peur du vide, qu'est-ce qu'il va me rester à faire, ça risque d'être plate ». « De ce fait, dans mon Libre Arbitre, je décide de n'en laisser aller qu'une partie. Avec les quarante autres pour cent, je m'en sers pour manipuler ma femme, qui m'empêche de tomber dans le vide. Contre qui je me serre quand je suis trop près de la barrière du balcon, et ainsi de suite ».

Et vous n'en travaillez qu'une parcelle, et lorsque vous serez prêt à travailler la balance, vous aurez encore à utiliser votre Libre Arbitre pour en faire le choix. C'est le Libre Arbitre qui effectue la commande, qui pèse sur le bouton « action ». C'est le Libre Arbitre qui active le processus, qui amène cette commande, soit ce fluide énergétique à votre Volonté Divine, pour qu'elle choisisse ou qu'elle effectue la sélection dans la commande. Et une fois que cette commande est triée, sélectionnée, étudiée et acceptée par la Volonté Divine, elle passe à l'Esprit l'acceptation qui lui, refile à l'Amour l'ordre de l'exécuter.

Un bon exercice pour vous. Étudiez-vous pour une journée complète, traînez un petit crayon et un petit papier, et étudiez à chaque fois où vous n'utilisez pas votre Libre Arbitre. Vous serez très étonnés le soir de voir peut-être jusqu'à quarante pages de remplies dans ce livret en une seule journée.

« Bien non, je ne suis pas pour boire l'eau de Montréal, elle est empoisonnée ». Avez-vous été vivre au niveau de votre ressenti en prenant une gorgée de cette eau et voir si en dedans de vous elle est bonne pour vous ou non ? Car, si vous êtes un être spiritué, spirituel et Divin, vous avez la capacité de transcender les produits chimiques calmants qu'ils mettent dans l'eau de Montréal. Autant que les dangereux fluors et compagnie sans compter le mercure, bien entendu. Mais n'allez pas pour autant vous dire « Hé ! Moi je suis un futur Maître Ascensionné ». « J'ai la puissance par mon Libre Arbitre de savoir ce qui est bon pour moi ». « Et j'ai la puissance de transcender le mercure ». « De la sorte par mon ego-trip, je prends un bon grand verre de vitriol ». Et voilà, vous êtes mort trente secondes plus tard.

Soyez très attentifs à savoir si vous faites un trip d'ego de voisin gonflable ou si plutôt, vous êtes vraiment en connexion avec votre Source Divine. Bien sûr, plus vous serez prêts de l'Ascension et plus vous purifierez, vous Diviniserez, tout ce que vous toucherez, regarderez ou entendrez. Pour plusieurs, le processus de l'Ascension peut ressembler à quelque chose près à un calvaire, à un chemin de croix. Pourtant, vous n'avez pas besoin de vivre toutes ces épreuves, si vous devenez conscients de vos inconscients. Si vous vous observez, si vous réfléchissez, si vous utilisez votre Libre Arbitre, vous n'aurez pas besoin d'un chemin de Damas, d'un chemin de croix.

Bien sûr, vous pouvez prendre les grandes méthodes, c'est-à-dire, ramasser vos cents, attendre que les transporteurs ne soient pas en grève, partir pour la France, aller marcher sur les Chemins de Compostelle, nu-pieds, jeûner pendant ces trente jours et attendre qu'un être vienne à vous. Vous pouvez aussi faire la même chose, aller au Mont Shasna aux États-Unis et attendre qu'un être spirituel vienne à vous. Vous pouvez aussi partir pour l'Allemagne, pour l'Italie, pour le Québec, dans la région de Ste-Agathe, pour une montagne dans laquelle vit un Maître, vous pouvez chercher le Maître et attendre qu'il vous initie à l'Ascension.

Mais si vous remettez votre pouvoir à l'autre, il y a de fortes chances que vous ne rencontriez jamais ce Maître. Qu'il soit assis devant vous en train de fumer une cigarette et boire un bon Coca-Cola, et que vous ne le reconnaissiez pas, du fait que votre jugement dira « Il ne peut pas être un Maître vu qu'il fume et qu'il boit du Cola, et qu'en plus il empeste le Patchouli ».

Vous n'avez absolument pas besoin d'un Maître. Vous êtes votre propre Maître cependant, vous pouvez avoir choisi avant de vous incarner de vivre une telle expérience mystique auprès d'un Maître et dans ce cas-là, vous vous rendrez auprès d'un Maître. Donc, vous n'avez pas besoin d'un Maître pour ascensionner. Ce Maître sera sans doute après votre Ascension un plus petit Maître que vous-même, puisque l'élève dépasse toujours le Maître. Ce Maître sera là tout simplement pour vous observer, pour voir comment vous utiliser votre Libre Arbitre, et pour vous dire un mot ou deux, quand vous en aurez besoin. Y a-t-il des questions au moment présent ?

Participant : Moi, j'aurais une question si vous permettez ? Tout ce dont vous parlez, les chemins de Compostelle et tout cela, je comprends que c'est par le plan de vie que l'on peut avoir décidé d'avoir fait ce cheminement-là, mais si je comprends bien, c'est à travers les émotions qui sont en dedans de nous qu'il faut transcender, non pas par une marche sur, …

Tamara : … le chemin de Compostelle. Exactement. Exactement, le Libre Arbitre est le mot-clé, et le Libre Arbitre comment pouvez-vous l'utiliser envers vous-même ? Exemple, vous êtes en train de conduire votre véhicule automobile, il est minuit et vingt, vous êtes sur une route de campagne, et voilà, vous faites une crevaison. Une émotion de peur monte en vous, une émotion d'inquiétude, une profonde insécurité, vous pouvez même vous mettre à avoir chaud, à avoir des palpitations cardiaques, à faire de la claustrophobie et compagnie. Comment utiliser votre Libre Arbitre dans ce moment-là ?

Tout simplement en utilisant votre courage pour dire à cette gamme émotionnelle, un instant. Un instant, reculez-vous. Et prendre quelques minutes pour vous recentrer, pour ressentir que vous êtes un être Divin, que vous êtes un être lumineux et que ce qui doit vous arriver pour le mieux de votre évolution vous arrivera. Et votre Libre Arbitre dira à ces émotions, « Je vous ai déjà expérimentées, je vous connais, je vous remercie de votre présence, vous êtes toujours là au bon moment, mais je n'ai pas besoin de vous dans le moment présent ».

Et voilà comment le Libre Arbitre vous sert à vous-même, face à vous-même. Et il arrivera, par hasard, une dépanneuse qui passait par-là, un jeune homme qui allait s'acheter un sac de chips au coin de la rue, et qui vous a vu, et qui vient vous aider. Le Libre Arbitre peut être utilisé pour vous-même, par vous-même au niveau des émotions. Peut être utilisé au niveau de vos choix. Peut être aussi bien utilisé au niveau de votre pensée. Vous pouvez utiliser votre Libre Arbitre en ayant le courage de réaliser que votre pensée n'était pas harmonieuse. Et dire « Maintenant, je change ma pensée ». « Je réalise que j'ai été jalouse ». « Je réalise qu'à moi on ne souhaite pas suffisamment joyeux anniversaire ». « Je réalise que je suis en colère contre lui, à cause qu'il semble être heureux, et que je ne suis pas heureuse ». Donc j'accepte de prendre conscience de ces réalisations, de les utiliser pour évoluer, et j'accepte de changer ma pensée. « Vas-y, tu peux lui dire encore une autre fois joyeux anniversaire, c'est très bien, je suis heureuse pour lui ».

Sans le Libre Arbitre, vous n'irez nulle part. Grâce au Libre Arbitre vous pourrez détruire les déniements qui sont à l'intérieur de vous. Les retrouver, en devenir conscients. Vous les humains, vous avez des centaines de déniements cachés au plus profond de vos êtres. Même certaines personnes dans la salle en ont pas loin d'un millier.

Reconnaître vos déniements et avoir le Libre Arbitre de les transcender est la deuxième étape la plus importante. La troisième étape est de manifester dans votre quotidien, à chaque heure, à chaque minute, au travers de ce que vous entendez, au travers de ce que vous regardez, au travers de ce que vous dites, au travers de ce que vous touchez, au travers de ce que vous ressentez à l'intérieur de vous, au travers de vos actions, vos mouvements, d'expérimenter la quantité d'Amour, la quantité d'Éveil, la quantité de Pouvoir d'acceptation, de pouvoir de transmutation, de la Puissance de votre Volonté Divine, de la Puissance de votre Esprit Divin, dans l'Amour, à chaque seconde de votre vie. Y a-t-il des questions au moment présent ?

Participante : Oui, je me demande comment on fait si on va prendre une transition, et pour les gens autour de soi, est-ce que pour eux autres on est mort ou morte ?

Tamara : Ascensionner se fait en une fraction de seconde. Si vous choisissez d'ascensionner et de revenir, vivre une vie bien ordinaire pour une mission quelconque, vous ascensionnerez le temps d'une fraction de seconde, reviendrez ascensionné, et irez vous coucher auprès de votre conjoint. Cependant, si vous décidez d'ascensionner pour aller continuer à parfaire votre état Divin, vous ne reviendrez pas. Vous irez dans l'Île, et vous n'apparaîtrez sur Terre qu'au moment où la Terre aura besoin de vous. Vous pourrez expliquer à votre famille cette transition si vous sentez qu'elle est apte à vous comprendre. Normalement, si vous êtes rendue à un tel point dans votre évolution, c'est que votre entourage immédiat est aussi très développé spirituellement. Alors, les êtres chers qui vous entourent sauront comprendre le phénomène que vous vivrez.

Si vous êtes en train de vous demander si votre conjoint est inquiet de vous, s'il pleure pour vous, s'il est mal pris pour s'occuper de sa nourriture sans vous, vous êtes à cent mille mille de l'Ascension, car vous êtes en train de vous occuper des besoins de l'autre et n'habitez pas votre propre vie. À chaque instant où un être humain s'occupe de remplir les besoins d'un autre, il meurt un peu. Il devient plus lourd, et il s'éloigne de plus en plus de la maîtrise du Maître Ascensionné.

Cependant, prenez garde, il y a une très grande différence entre devenir un égoïste centré qui ne s'occupe que de ses petits besoins personnels, et entre prendre soin de ses enfants adéquatement et être un être évolué qui s'occupe de lui et qui répand sa Lumière autour de lui. Nous allons vous montrer une petite différence. Un être qui se croit évolué à qui un copain lui dit « J'ai vraiment une grosse peine d'amour, vois-tu, je suis très mal pris, j'ai besoin de boire et de sortir, veux-tu sortir avec moi ? ». Le copain répond « D'accord ». Jusque-là, ça va. Et il entreprend une conversation avec son ami : « Bien, voyons Jean-Charles, ne pleure pas comme cela, elle ne valait pas la peine, voyons arrête de te saouler, tu vas être malade demain matin ». Voici l'exemple d'un des plus bas niveaux de conscience qui existe. Ceci est un des plus bas état d'évolution spirituelle.

Reprenons la même situation, mais pour la raccourcir, vous êtes déjà rendu au bar. Vous le regardez s'empiffrer dans la bière, vous l'écoutez, et à l'intérieur de vous, vous dites « Je demande à l'Univers de permettre à cet homme de retrouver en lui sa capacité Divine pour résoudre son conflit ».

Et lorsqu'il vous dit « Je suis malheureux ». Vous lui répondez « Comment peux-tu le définir, explique-moi ce que tu ressens ? ». Et lorsqu'il vous l'explique, vous lui dites « Est-ce que vraiment tu ressens ceci ». « Qu'est-ce que tu voudrais faire ? ». « Comment voudrais-tu agir ? ». « Que veux-tu que je fasse pour toi ? ».

Ceci est l'étoffe d'un être qui est très près de son Ascension. Il a laissé l'autre utiliser son Libre Arbitre à 100%, il n'a pas fait endommager le sien, il a utilisé le sien en ne conseillant pas, en ne jugeant pas et en utilisant l'Amour et la Conscience. Voyez-vous la différence ? Si vous dites à votre fils, « Ne fais pas ceci, ce n'est pas bon pour toi ». Vous êtes très loin de l'Ascension. Si vous dites à votre fils « Pourquoi est-ce que tu vis cette expérience ? ». « Comment te sens-tu à l'intérieur de cette expérience ? ». « Qu'est-ce que tu voudrais faire pour transformer cette chose ? ». « Te sens-tu vraiment heureux ? ». « Sens-tu que tu as la capacité de la franchir ? ». Vous venez de lui donner le pouvoir d'exercer son Libre Arbitre, vous venez de faire respecter le vôtre, vous venez d'augmenter le taux vibratoire de vos ions et des siens par la même occasion.

Dans certain cas, pour une femme c'est parfois mieux d'aller vivre un avortement que de laisser venir sur Terre une entité qui vivra dans le déniement, qui vivra dans le négatif, et qui n'a pas souhaité vraiment de s'incarner. Cet enfant à naître peut par sa propre volonté demander à sa mère l'avortement. Vous n'avez pas à juger si l'avortement est bon ou non. Comprenez-vous ?

Si vous voulez vraiment aider quelqu'un, reconnaissez en lui sa Puissance Divine, et dites simplement « Je reconnais en lui sa Puissance Divine et je demande qu'une aide lui soit apportée par ses Guides, par ses Anges, par la Lumière Divine ». Et voilà, c'est tout. Vous aurez fait ce que vous aviez à faire, un point final. Et accompagnez cette personne en étant bien centré, et profitez-en pour reconnaître les émotions que la situation vous fait vivre.

Pourquoi ne voulez-vous pas que votre fils prenne de la drogue, parce que c'est honteux socialement. Parce que vous avez peur qu'il meure. Parce que vous avez peur qu'il devienne violent.

Parce que vous avez peur qu'il gâche sa vie. C'est SA VIE, il a le droit de faire ce qu'il veut avec, ce n'est pas la vôtre. Mais vous, si vous travaillez vos émotions face à cette utilisation des drogues, peut-être que lui, dans son Libre Arbitre, il ne prenait ces drogues que pour vous faire réagir. Et au moment où vous aurez travaillé vos émotions, il ne pourra plus vous atteindre. Conséquemment, il va arrêter de consommer de la drogue, par lui-même.

Le plus difficile dans le cheminement de l'Ascension c'est de **perdre le contrôle.** C'est de cesser de contrôler tout, tout le temps. C'est de ne plus vous inquiéter parce que votre conjoint est en retard. C'est de ne plus avoir un manque de confiance en lui, en son potentiel Divin. C'est de ne plus imaginer qu'il est parti avec sa maîtresse, plutôt que de croire qu'il a vraiment eu une crevaison. C'est de ne plus vous brûler énergétiquement, émotionnellement en vous tordant les entrailles par toutes sortes de raisonnements en l'attendant, et de préparer vingt-cinq mille scénarios lorsqu'il va arriver.

Le plus difficile dans le chemin de l'Ascension est de devenir conscients de vos inconscients. D'utiliser votre Libre Arbitre. Ceci peut se faire en quelques semaines, ceci peut se faire en quelques minutes, ceci peut se faire en quelques années. Mais tôt ou tard, vous ascensionnerez, c'est le but Ultime de la vie. Croyez-vous que Dieu vous a créés pour vous limiter à vos petites existences de labeur et de contraintes ?

Croyez-vous que Dieu vous a créés pour être ainsi esclaves d'un corps. Dieu vous a créés en sa toute ressemblance. En tant que Maître Ascensionné, vous pouvez choisir dans votre Libre Arbitre la mission que vous désirez accomplir. Vous pouvez choisir de venir descendre sur Terre pendant une opération à cœur ouvert dans une salle de chirurgie pour guider la main du chirurgien, parce que l'homme qui était sous son couteau avait choisi avant de s'incarner de vivre une situation qui lui permettrait un éveil de conscience radical. Et vous viendrez, tout simplement, accomplir ceci en le ointant de votre énergie et lorsqu'il se réveillera, il sera transformé. Les doses d'énergie d'amour que vous pourrez transmettre transcenderont les humains.

Participant : Quel serait le pourcentage, le plus grand actuellement des êtres ascensionnés ?

Tamara : Pourquoi désirez-vous connaître cette information ?

Participant : Je l'ignore.

Tamara : Pour vous rassurer et dire « Je ne peux pas, je ne fais pas partie de la moyenne ? ». Pour avoir une preuve et dire « Oui, s'il y en a 17% c'est possible, mais ce n'est pas fort ». Pour vous nourrir d'informations et dire après « Wow, je sais moi qu'il y a 17% d'êtres ascensionnés ». Pourquoi voulez-vous avoir cette information, cher monsieur ?

Participant : Peut-être que cela me donnerait une idée de l'évolution des gens de la Terre actuellement.

Tamara : Deuxième niveau de questionnement. Pourquoi désirez-vous cette information, cher monsieur ?

Participant : Je ne sais pas trop.

Tamara : Commencez par « Je veux …me …
Participant : Je veux me rassurer …

Tamara : Troisième niveau de questionnement. Pourquoi désirez-vous cette information, monsieur.

Participant : Je veux me rassurer que je suis sur la bonne voie dans le livre que j'écris.

Tamara : Si vous désirez vous rassurer c'est que vous ne croyez pas en vous. Vous devriez vous poser la question à savoir pourquoi vous doutez de vos connaissances, et non vous rassurer sur le pourcentage d'êtres ascensionnés. Et voilà, vous n'avez plus besoin de Notre réponse. Vous venez d'éliminer une peur. Vous venez de découvrir votre vraie question ; pourquoi ai-je peur de ne pas être sur la bonne voie ? De quoi ai-je peur ? Réfléchissez. Vous venez d'augmenter le taux ionique de vos cellules. Vous venez de faire un pas de plus vers l'Ascension.

L'Ascension, être ascensionné est en quelque sorte l'état ultime du bonheur. Vous ne pouvez même pas imaginer le centième de cet état de bonheur. Vous ne pouvez même pas imaginer le millième de cet état de bonheur. L'état de plénitude de se savoir Un avec le Tout. D'arriver à une réussite, d'arriver à une conception, à une intégration du plan Divin entièrement réalisé au travers d'une forme humaine. De découvrir l'Ultime état de conscience, de devenir l'Univers, d'être Divin.

Nous vous avons donné au cours des neufs dernières rencontres, beaucoup d'outils. Vous avez des tonnes de livres sur vos tablettes. Prenez le temps d'étudier et de comprendre, c'est en utilisant votre intelligence que vous apprendrez à intégrer **l'écoute de vos intérieurs. Et plus vous vous écouterez, et plus vous vous observerez, et plus vous deviendrez Divins.**

Une naissance peut être un cadeau,
une mort peut être un cadeau,
une Ascension peut être un cadeau,
tout peut être un cadeau,
dépendamment de la façon que vous le vivrez.

II

Outils du Nouvel Âge

Outils du Nouvel Âge

La rencontre d'aujourd'hui se veut un peu plus légère que les dernières, un peu plus terre à terre, se veut plus accentuée vers l'autonomie. L'autonomie au niveau de tous les outils que vous pourriez aller chercher. En fait, Nous accueillerons de nombreuses questions aujourd'hui, afin de bien vous éclairer. Donc, si vous êtes prêts, Nous débuterons la rencontre au moment présent.

Nous vous expliquerons, en premier lieu, comment fonctionnent les outils du Nouvel Âge. De prime abord, ce qui est important de savoir c'est que vous ne devez pas mêler plusieurs outils en même temps. Exemple, si vous utilisez les huiles essentielles, la méditation, l'acupuncture, le régime alimentaire, certains appareils magnétiques, vous risquez de vous nuire plus qu'autre chose. Vous risquez d'entraver le pouvoir de ces outils.

Normalement, un bon cheminement doit toujours se faire en trois étapes, avec trois catégories d'outils. Exemple, si vous utilisez les huiles essentielles, veillez premièrement à ce qu'elles soient biologiquement certifiées. Seulement 10 % des huiles essentielles vendues sur le marché dans le moment présent sont 100 % biologiques. Lorsque vous utilisez une huile essentielle qui n'a pas une source biologique, vous entrez donc dans votre corps les pesticides, les mutations génétiques et les déchets des cultivateurs.

Comme l'huile essentielle en pénétrant le corps pénètre les chakras, pénètre les méridiens d'énergie et a une action autant dans les corps subtils que dans les corps physiques, une huile essentielle non pure peut donc vous être fortement dommageable. Donc, si vous utilisez une huile essentielle, un bon régime alimentaire et la méditation, ceci fonctionne très bien de pair. Il vous faut savoir quel outil vous pouvez utiliser avec quel autre outil afin de ne pas entraver l'énergie émise par vos outils. Si vous utilisez, exemple l'acupuncture.

L'acupuncture du futur est celle qui fonctionne avec les aimants. Celle que vous pouvez apprendre, celle que vous pouvez utiliser quotidiennement chez vous. Utilisez l'acupuncture avec la réflexologie c'est défaire, autant l'un que l'autre, l'efficacité de ces outils. L'acupuncture s'utilise donc très bien avec des bains de pieds et un bon régime alimentaire. Il vous faut ressentir à l'intérieur de vous si vos choix sont bons, réfléchir, ressentir l'énergie qui circule en vous durant vos traitements.

Nous allons maintenant vous aider à préparer un coffre d'outils pour le futur. Des outils essentiels à votre survie, des outils importants pour être de façon autonome capables de vous auto-guérir et d'aider les autres à prendre soin d'eux. Une formation en réflexologie peut être excessivement intéressante, car une fois que vous connaissez les points d'énergie, vous pouvez les traiter avec une huile essentielle.

Exemple, vous avez un bon rhume, vous pourriez donc prendre une huile essentielle biologique de pin et allez masser sous la plante des pieds les points réflexes des poumons. Ainsi, vous libérerez cette grippe ou cette influenza, beaucoup plus rapidement, prendrez conscience de la confusion mentale qui vous a apporté cet état, et pourrez donc devenir plus libres émotionnellement.

Un cours de réflexologie est donc un outil de base important. Un cours ou une connaissance profonde des huiles essentielles est aussi très important, car tout le monde pourra bien fabriquer ses propres huiles essentielles ou ses propres élixirs. L'élixir équivaut naturellement à l'huile essentielle mais dans le plan subtil. Qu'est ce que cela veut dire ?

L'huile essentielle traite directement au niveau du corps physique, au niveau des chakras et ensuite au niveau des méridiens d'énergie et de l'aura. Les élixirs traitent premièrement l'aura, ensuite les méridiens, ensuite les chakras pour se rendre finalement au corps physique. Donc, la voie est inversée. N'allez pas cependant utiliser les huiles essentielles et les élixirs en même temps. Fabriquer vos élixirs peut être simple, soit en utilisant un appareil Xicrom comme tel, soit en utilisant l'énergie du soleil. C'est-à-dire, tout simplement prendre un verre d'eau, déposer une petite plaque de verre sans plomb sur le dessus, cette eau doit naturellement être de l'eau de source, car l'eau distillée est un médicament que vous devez utiliser uniquement dans le cas de purges importantes. Utiliser l'eau distillée à tous les jours vous vide de vos minéraux, vous vide de vos sels essentiels, vous vide de votre énergie, car l'eau distillée est morte.

Donc par son droit de vivre, elle tente de se re nourrir pour reprendre vie, elle ira donc chercher en vous les sels, les minéraux, les vitamines essentiels pour reproduire sa vie. Et vous aurez, à la longue, des carences au niveau des glandes dont la glande thyroïde en premier lieu. Il vous faut donc utiliser l'eau distillée excessivement rarement et dans un cas de purge, c'est-à-dire au moment d'un jeûne, exemple, ne dépassant pas sept journées maximum d'utilisation.

Revenons, donc à nos élixirs, vous placez un verre d'environ huit onces, dans une fenêtre située à l'Est, d'eau de source pure. Déposez une plaque de verre sur le dessus. Sur cette plaque déposez l'aliment, déposez l'herbage, déposez le végétal ou le minéral duquel vous voulez faire un élixir. Sur cet objet déposez un autre verre, tête en bas. Et laissez reposer au soleil au moins vingt-quatre heures. Ceci vous donnera un élixir pur, bien sûr surveillez que les plantes que vous utilisez, les fruits ou les légumes que vous utilisez soient 100% biologiques.

Donc, dans votre boîte à outils vous avez présentement la connaissance de la réflexologie, la connaissance des huiles essentielles et celle des élixirs. Une autre connaissance est très importante et c'est celle du Reiki. Malheureusement, beaucoup de maîtres Reiki veulent s'enrichir et devenir millionnaires en enseignant ou en initiant les gens. Un bon maître Reiki offrira les initiations d'après les capacités financières réelles du client.

Cependant, prenez garde. Certains gens prétendent à la pauvreté mais sont loin d'être pauvres, ont les capacités financières de payer mais cherchent à abuser, car pour eux le Nouvel Âge ne vaut pas quelque chose financièrement. Donc, un bon maître Reiki devrait s'adapter à la capacité financière du client qui vient le consulter. Le Reiki est un outil essentiel pour le futur, car de toutes les formes d'énergie, il est l'un des plus élevés.

Bien sûr, le Reiki peut être utilisé en tout temps et dans tous les lieux. Vous entrez dans une pièce, vous vous centrez sur l'énergie Reiki et répandez une énergie élevée de conscientisation afin que ce qui doit se réaliser dans la pièce soit baigné par cette énergie de lumière, de paix et de conscience. Vous pouvez utiliser l'énergie Reiki à toutes les sauces. Vous avez maintenant, dans votre coffre à outils, tout ce qu'il vous faut pour être entièrement autonomes ou presque au niveau du futur.

Continuons cette recherche de l'autonomie au point de vue physique, spirituel et émotionnel. Avoir dans votre maison, aux quatre coins de votre maison, un pot en verre dans lequel vous déposerez une tasse de sel de mer pur dans trois tasses d'eau de source pure. À toutes les trois semaines vous videz ce pot en prenant bien soin de mettre des gants pour ne pas toucher directement au sel qui sera sorti du pot et qui se sera répandu sur la paroi externe du pot. Si possible enterrez ce sel, si vous avez une fosse septique n'allez pas y jeter ce sel car il contaminera votre fosse. Si vous ne pouvez pas enterrer le sel déposez-le dans un contenant de plastique et mettez-le dans le bac à ordures extérieur.

Ce pot de sel ramassera tous les miasmes, les formes pensées négatives, les déchets énergétiques, les ions positifs répandus par vos appareils électriques. Il purifiera votre environnement et vous permettra d'avoir moins de résidus qui viendraient en temps normal se coller à votre aura.

Si vous-même ou un membre de votre famille êtes malade, placez un pot de sel sous le lit pendant la maladie et la convalescence. Ainsi vous éviterez que la contagion se répande et vous faciliterez la guérison du corps. Le sel ainsi déposé dans de l'eau possède la capacité de décharger l'aura de ces déchets. Pour une santé parfaite, vous pourriez même toujours avoir un pot de sel auprès de vous surtout lorsque vous travaillez avec un ordinateur, ou dans un milieu très électrisé.

Autre outil intéressant, tous vos appareils électroniques, que ce soit une télévision, que ce soit un magnétophone, que ce soit un magnétoscope, que ce soit un four à micro-ondes, que ce soit n'importe quel outil déchargeant une capacité électrique, dont les ordinateurs, devraient toujours se situer sur le mur Ouest de votre demeure. De cette façon les ondes qu'ils émanent seront ré-aspirées par le champ vibratoire.

C'est-à-dire que l'énergie entrant par les murs situés à l'Est entraînera en elle les ondes radioactives de ces appareils pour les faire ressortir immédiatement dans le mur Ouest de vos demeures. Ceci vous évitera de vous déminéraliser au niveau particulièrement de la vitamine D. De vous déminéraliser au niveau du calcium et du magnésium. N'en doutez pas, tous ces appareils vous sont grandement nuisibles.

Autre truc, dans les outils du Nouvel Âge : votre lit. L'idéal est de fonctionner avec les quatre points cardinaux et les solstices et les équinoxes, en prenant le printemps comme étant le point de départ. Au printemps vous devriez normalement dormir la tête à l'est, car c'est la période où les Maîtres, les Anges, les Archanges, les Entités Spirituelles de plus haut niveau, entrent leurs énergies en plus grande quantité sur la Terre, ils aident la nature à reprendre naissance. Ils entreprennent un nouveau cycle. De dormir la tête à l'Est à ce moment-là, vous permettra de vous infuser d'une renaissance, d'une nouvelle forme d'énergie. Ensuite, à chaque changement de saison, continuez la rotation de votre lit dans le sens des aiguilles d'une montre. Vous verrez dans votre être un grand changement. Vous verrez en vous une force énergétique plus grande s'installer pour vous aider à vivre les saisons qui s'en viennent.

Installez sous votre lit une croix (+) en fil de cuivre est aussi un outil très intéressant. Tout simplement en partant le premier fil de la tête du lit vers les pieds et ensuite de la droite vers la gauche. Ces fils de cuivre feront en sorte d'éliminer les miasmes, les formes pensées, toutes celles dont vous n'avez pas besoin pour avoir un éveil spirituel, les énergies plus lourdes. Et les champs magnétiques, les orages magnétiques qui continueront encore pendant deux ans sur Terre, vous atteindront beaucoup moins, peu importe l'angle dans lequel vous placerez votre lit, laissez ces fils bien fixés sous votre lit. Là où ces fils se touchent, là où ces fils se croisent en plein centre, déposez, encore là un pot de verre avec la petite recette magique de sel de mer et à tous les sept jours videz ce sel. Pendant la nuit ces fils et ce sel aideront vos corps subtils à se nettoyer, feront une sorte de douche spirituelle et vous aideront grandement à vous ré-énergiser.

En cas de maladie, déposez un plat, bien sûr de verre transparent, avec une tasse d'eau de source et une huile essentielle. Sept gouttes suffiront à répandre leur quintessence dans votre aura pour soulager vos maux. L'huile essentielle remontera à l'intérieur de votre être au cours de toute la nuit et les fils aideront l'huile à nettoyer votre corps physique et vos corps subtils des miasmes et des microbes. Si vous avez de l'arthrite, de l'arthrose, des difficultés musculaires ou des douleurs aux pieds, prenez une huile essentielle d'orégano et placez-là sous votre lit, vous verrez un grand soulagement de vos maux.

Participante : Je n'ai pas suivi les cours de Reiki, mais j'ai suivi un autre cours que l'on m'a dit que c'était la même chose, l'énergie Universelle ?

Tamara : L'énergie Universelle n'est pas transmise venant des mêmes Maîtres, de la même source. Bien sûr, ceci pourrait équivaloir à un balancement aurique, pourrait tout simplement équivaloir à un transfert d'énergie. Cependant, au cours de ces cours, malheureusement, vous n'apprenez pas toutes les techniques essentielles pour ne pas donner vos propres énergies physiques. Ces cours sont excellents bien sûr, cette forme d'énergie est excellente aussi, cependant le Reiki et certaines techniques de transfusion de Lumière Christique sont vraiment les seuls outils au travers desquels vous n'utiliserez pas vos énergies personnelles pour les transmettre aux gens, où vous ne ramasserez pas les énergies venant des autres.

Participant : Cela concerne le Reiki, *Tamara*, est-ce que les livres dans lesquels sont révélés tous les symboles, c'est une bonne chose ? Et est-ce que pour utiliser le Reiki il est nécessaire qu'une personne soit initiée par un Maître ou si une personne peut à travers ces symboles-là s'initier elle-même ?

Tamara : Premièrement, il était très important de révéler tous ces secrets à tout le monde, car vous êtes présentement dans une période de l'histoire humaine du retour de la Vérité. Vous êtes à la fin de l'utilisation des mensonges, à la fin de l'utilisation mensongère des Vérités Cosmiques, même l'Église Catholique présentement est obligée de dévoiler les livres sur les Anges qu'elle possède. Il y a longtemps, un prêtre de l'Ordre de Melchisédech a écrit ces ouvrages sur les anges, il avait été missionné pour les écrire. Il serait sage d'étudier ces livres, il serait sage aussi d'être bien guidé dans l'utilisation de ces livres. Pour ce qui est de votre seconde question, est-ce une question personnelle pour vous-même ou est-ce une question ouverte pour tout le monde ?

Participant : Ouverte pour tout le monde. Les gens qui liraient ces livres-là, seraient tentés d'utiliser ces symboles-là sans avoir nécessairement reçu d'initiation par un maître.

Tamara : Vous n'avez pas besoin d'une initiation d'un maître pour utiliser ces codes spirituels. Initiation de premier et de second niveau sont bien suffisantes. Le maître est en quelque sorte initié pour s'engager à retransmettre sa maîtrise. Donc, si vous n'avez pas l'intention de reformer des maîtres, vous n'avez pas besoin de cet engagement solennel. L'énergie Reiki n'est pas plus puissante au troisième niveau car, elle n'a que deux niveaux réels d'infusion. La troisième initiation ne vous donne pas une infusion supplémentaire d'énergie, elle vous consacre tout simplement comme maître, elle vous engage à retransmettre l'initiation aux autres. Si vous voulez utiliser l'énergie Reiki pour vous-même, pour aider les autres, pour aider la planète ou pour guérir la planète, vous n'avez besoin que du niveau un et du niveau deux. L'idéal est d'être initié au moins aux deux premiers niveaux.

Maintenant, afin de respecter vraiment la puissance de l'énergie Reiki, un tiers de cette énergie doit être utilisé gratuitement ou gracieusement. Ce qui veut dire dans votre quotidien de tous les jours en baignant la planète, en baignant les lieux, en baignant les événements de cette énergie. Un autre tiers pourrait être monnayé et un dernier tiers pourrait vous être offert à vous-même, c'est-à-dire, que de vous donner des traitements d'énergie Reiki à tous les jours vous aiderait grandement.

Vous servir de la chromathéraphie est aussi un autre outil excessivement intéressant au niveau de l'autonomie, ce sont des cartons de couleur, des papiers de couleur. Il serait idéal d'utiliser des papiers recyclés. Il vous faut avoir un carton correspondant à la couleur de chacun de vos chakras. Nous partons du rouge, de l'orangé, du jaune, vert, bleu, indigo, violet. Vous prenez donc ce carton, vous le placez devant vous sur un mur à l'Est. Vous vous assoyez confortablement, les deux pieds bien ancrés sur le sol, les deux mains sur vos cuisses, et pendant une vingtaine de minutes, vous fixez ce carton. Tout en fixant cette couleur, vous ressentez l'énergie de la couleur pénétrer en vous, vous ressentez les changements vibratoires et moléculaires que vous recevez.

Après ces vingt minutes, resserrez ce carton dans son étui et passez à autre chose. Durant sept journées consécutives travaillez avec la même couleur. Quand vous arriverez à la dernière couleur, vous aurez manifesté un taux vibratoire beaucoup plus élevé. Vous vous sentirez de jour en jour beaucoup plus en forme. Vous permettrez à l'énergie de vos chakras de grandir, de vibrer d'une façon plus harmonieuse, d'être bien centrée, et donc de bien nourrir votre corps physique ainsi que vos corps spirituels. Ceci est le moins cher et le plus simple des outils que vous pouvez utiliser et vous pouvez être sûrs de sa très grande efficacité. L'idéal, bien sûr, est de faire cet exercice à jeun le matin, car le soir avant de vous coucher, il risque de vous stimuler beaucoup trop.

L'utilisation de l'énergie des Anges est un très bon outil autant pour le présent que dans le futur. Connaître le nom de votre Ange, connaître la pierre ou le cristal qu'Il utilise, Lui demander de l'aide, Le prier, demandez son accompagnement à tous les jours est une chose très utile, car vous ne serez ainsi jamais seuls sur votre chemin. Bien sûr, Dieu vous accompagne à tous les jours, le Christ aussi, mais votre Ange est missionné pour vous-même, et si vous ne lui demandez pas de l'aide, Il vous observe, Il vous regarde, Il suit tous vos détours, et Il attend votre demande. Y a-t-il d'autres questions ?

Participante : Présentement je suis des soirées de Caya Yoga, avec les sons, et les soirées de prières aussi, vous avez dit de ne pas trop mélanger, est-ce que cela en fait trop ?

Tamara : En fait, toutes les techniques de méditations, toutes les techniques qui vous amènent à une décorporation ne devraient jamais s'utiliser ensemble, dans le même laps de temps. C'est-à-dire, que si vous méditez, faites un choix de méditer seulement pendant une période exemple, de vingt et un jours, avec un certain outil et vingt et un jour avec un autre forme d'outil.

Et si vous voulez utiliser des techniques au niveau des sons, utilisez-les pendant vingt et un jours elles aussi. En réalité, les techniques par le son sont aussi des formes de méditation.

Écoutez votre ressenti, puisqu'il vous dira quand vous aurez suffisamment utilisé une technique. Il est normal que votre corps se sature d'une technique, alors vous pourrez en utiliser une autre.

Pour ce qui est de la naturopathie, tout ce qui s'appelle absorption de produits naturels, il serait sage de ne jamais utiliser plus de trois produits à la fois. C'est-à-dire, trois sortes de vitamines à la fois, exemple : distancez d'une demi-heure entre chacune pour en faciliter l'absorption. Si vous prenez des vitamines, changez votre alimentation, c'est-à-dire que si vous prenez des vitamines et que vous allez prendre beaucoup de Coca Cola, d'alcool, de café, de viande ou de produits colorés artificiellement, vous détruisez l'efficacité de vos vitamines. Si vous prenez des vitamines, ne prenez pas d'élixirs ou d'huiles essentielles. Il vous faut être très attentifs.

La méditation peut facilement se joindre à la réflexologie ou au Reiki ou au bain de pieds qui est aussi un autre outil extraordinaire. Un bain de pieds dans un filet d'eau chaude vingt minutes à tous les soirs et vous ne connaîtrez ni l'arthrite, ni l'arthrose, ni bien des désagréments des organes internes.

Donc, il vous faut être sages, ne pas mélanger les énergies pareilles avec les énergies différentes. Nous vous avons déjà donné un truc pour connaître la couleur vibratoire des légumes, vous pourriez reprendre le même au sujet des techniques que vous utilisez. De trop étudier de techniques prouve tout simplement que vous avez peur et que vous voulez changer beaucoup trop vite.

Afin de vous assurer avec la plus grande certitude que vos choix sont bons pour vous, vous pourriez utiliser la kinésiologie. Avec la kinésiologie vous pourriez vous promener dans une épicerie et voir si un fruit est bon pour vous en le testant, en éprouvant en vous son sentiment par la kinésiologie. La kinésiologie appliquée est très intéressante. Pourriez savoir s'il est bon pour vous de prendre un avion, d'aller à tel ou tel endroit, de rencontrer telle ou telle personne. Bien sûr, tout ceci sont des outils temporaires, car plus vous évoluerez, plus vous vous spiritualiserez, plus vous deviendrez conscients et moins vous aurez besoin de tous ces outils. Pour le moment présent, ils seront de bons compagnons de vie. Y a-t-il d'autres questions ?

Participant : Est-ce que l'utilisation d'un appareil Xierom en même temps qu'une séance de magnétopuncture va de pair ?

Tamara : Vous avez deux champs magnétiques qui se contredisent. Donc, vous utilisez l'un ou l'autre. L'appareil Xierom peut être excellent, bien sûr au niveau de l'agriculture mais surtout en application avec les énergies subtiles, c'est-à-dire pour la méditation, pour le transfert d'énergie, pour le Reiki, pour la régression, et pour toutes les techniques qui se vivent dans les plans subtils. Un de ces appareils est spécifique à l'acupuncture, c'est en quelque sorte un appareil d'acupression. Mais lorsque vous utilisez une énergie dans un plan magnétique physique vous divisez la capacité de ces deux énergies en deux. C'est-à-dire que vos aimants auront moins de puissance et que l'énergie de l'appareil en aura moins aussi. Il y aura une sorte de combat entre les deux sources d'énergie. Non pas qu'ils aient moins d'énergie, mais ils en diffuseront moins.

Participant : Vous avez parlé de la tête de lit tantôt à l'Est, vers l'Est au printemps, donc ça veut dire qu'à l'été elle serait au sud ? Et aux changements de saison, il y a un changement d'énergie qui se fait. Pour adapter notre corps aux changements de saison, est-ce que vous avez une recette pour nous ?

Tamara : Certainement, en suivant un régime alimentaire selon les couleurs du jour, en plaçant votre lit selon les pôles magnétiques. En méditant le jour des solstices ou des équinoxes au lever du soleil pour absorber en vous les énergies de la nouvelle saison. Normalement, à chaque changement de saison, il est bon pendant trois jours de ne manger soit que des fruits, soit que des légumes, afin d'aider son corps à se nettoyer, à maintenir une bonne forme d'énergie au cours de la saison qui vient et à bien intégrer ces énergies.

Maintenant, savez-vous que vous pouvez faire des élixirs de saison. Vous pouvez donc avoir un élixir de printemps, un d'été, un d'automne et un d'hiver. Vous placez tout simplement votre verre d'eau recouvert d'un couvercle en verre dans une fenêtre à l'Est au moment même ou l'équinoxe ou le solstice se produit. C'est-à-dire une demi heure avant et jusqu'à une demi-heure après. Donc pendant une heure de temps total, le verre sera énergisé par l'entrée de la saison qui commence. Ensuite vous buvez ce verre en saluant la nouvelle saison. Votre changement vibratoire énergétique sera à ce moment-là fait. Votre corps, vos corps subtils, vos méridiens d'énergie et vos chakras recevront cette transfusion d'énergie et pourront s'adapter à la nouvelle saison.

Participant : Si on en faisait un grand pichet et qu'on en donnait à tout le monde ?

Tamara : Très bonne idée, en n'oubliant pas naturellement de respecter le Libre Arbitre. En réalité le coffre à outils du Nouvel Âge ne comporte pas beaucoup de techniques. Kinésiologie appliquée, énergie Reiki, les infusions d'énergies Christiques, la réflexologie, les fabrications d'élixirs ou d'huiles essentielles, l'utilisation de l'énergie tellurique, la méditation, et la marche en plein air. Sept bons outils suffisent à vous rendre entièrement autonomes et à pouvoir affronter quelque situation que ce soit.

Participant : *Tamara* quand vous parlez de kinésiologie pour savoir si un aliment est bon, quand on le met sur notre plexus solaire et si on pose la question, on penche par en avant il est bon, et si on penche par en arrière il n'est pas bon ?

Tamara : Ceci est une façon, cependant en plein supermarché de vous mettre une citrouille sur le plexus, ça fait un peu bizarre ! Vous pouvez simplement vous placer devant le légume ou le fruit, prendre l'index et le majeur de la main droite, et les croiser un par-dessus l'autre, l'index étant dessous le majeur. Regarder le fruit ou le légume, vous pénétrez de son énergie, et demandez-vous s'il est bon pour vous. Puis tout simplement tentez de plier vos deux doigts ainsi croisés. S'ils résistent à être pliés ceci est bon pour vous, s'ils ne résistent pas ceci n'est pas bon pour vous.

Vous pouvez même savoir si une relation sera bonne pour vous en la testant en kinésiologie. Sera-t-elle agréable pour moi, oui ou non ? Et vous aurez la réponse immédiate. La kinésiologie est en fait une façon de vous éviter des détours inutiles, d'économiser plusieurs dollars, de sauver beaucoup d'énergie et une quantité de perte de temps incroyable. Vous pouvez même demander en kinésiologie s'il est bon pour votre client de recevoir une énergie Reiki, si vous devez commencer par la tête ou par les pieds. Vous pouvez suivre l'Ordre de la Vie avec cette technique.

Autre technique excessivement intéressante est celle de la régression, et non pas de la palingénésie comme telle, mais bien de la régression, sans techniques respiratoires qui vous conduisent dans les plans du monde astral. Ceci cependant n'est pas une technique que vous pourrez utiliser seuls, elle n'entrera pas dans votre coffre d'outils. Mais elle peut faire partie d'un bon cheminement, comme aussi bien de travailler avec les couleurs, comme aussi bien de travailler avec les énergies différentes. En kinésiologie appliquée vous pourriez savoir si les régressions sont bonnes oui ou non pour vous. Si le shiatsu est bon oui ou non pour vous. Si la danse « baladi » est bonne oui ou non pour vous. Ainsi de suite. Tous les outils sur Terre sont valables et sont bons pour la personne qui sait s'en servir avec respect, car tous les outils sont là afin de combler les besoins divers de toutes les catégories d'êtres humains sur Terre. Cependant, rendus à un certain niveau de capacité d'autonomie, vous n'avez plus besoin que de votre seul et unique coffre à outils. Et le reste du temps vous étudierez et vous vous auto-analyserez.

Si vous travaillez avec vos cartons de couleur, une chose peut être intéressante aussi. Exemple, si vous travaillez avec le rouge, traînez un petit morceau de coton rouge dans une de vos poches et manipulez-le souvent pendant cette période de sept jours, ceci augmentera encore plus le pouvoir de cette énergie en vous.

Participante : Pour les couleurs on prend le rouge pendant sept jours, et après ça on prend l'orange, on les fait tous dans des jours consécutifs ou on fait un arrêt ?

Tamara : Vous n'avez pas d'arrêt. Donc vous aurez sept fois sept jours.

Participant : Est-ce qu'il y a un ordre à respecter ?

Tamara : L'ordre des chakras. En commençant par celui de la base, naturellement. Et ne refaites que ces sept périodes de sept jours, qu'un maximum de deux fois par année. L'idéal est de commencer le premier jour de l'hiver et de le refaire au premier jour de l'été.

Participant : Parmi les huiles essentielles à utiliser, est-ce que cela en prend plusieurs ?

Tamara : L'idéal c'est d'en avoir un maximum de douze. Mais sur cent quarante quatre huiles essentielles, douze peuvent vous être nécessaires. Et vous saurez les choisir en utilisant la kinésiologie, pour par la suite les utiliser en vous massant les points de réflexologie. Autrement dit, pour être en parfaite santé vous n'avez pas besoin de vous dévêtir devant qui que ce soit. L'huile essentielle utilisée sur les points de réflexologie des pieds et des mains est la plus respectueuse et la plus élevée des techniques. D'ailleurs, dans le futur les techniques au niveau de l'acupuncture sans aiguilles, ne se feront qu'au niveau des pieds, des mains et des oreilles. Car le corps se spiritualise de plus en plus, car le corps élève ses vibrations de plus en plus. Car le corps a bel et bien deux pieds pour le maintenir en terre, n'est-ce pas. Et deux mains pour l'unir au ciel, et c'est par là que les énergies sont toujours entrées dans le corps physique. Et c'est par là que vous pouvez accentuer la santé, cependant, encore pour quatre ou cinq ans, les corps ont besoin d'être traités directement sur les méridiens, car les gens sont décorporés, sont trop loin de leur centre d'énergie.

Participant : Il y a une technique qu'on appelle restructuration moléculaire, est-ce qu'elle est bonne pour tous les gens ?

Tamara : Non pas pour tous les gens. Cette technique comme toutes les autres, bien sûr, dépend de la foi que vous avez en elle, ne pas y croire la rendra non efficace. Cependant il est intéressant de noter que des gens qui ont eu un passé en utilisant des substances chimiques en grande quantité ou un passé de dépendance alcoolique ou un passé excessivement chargé de formes pensées négatives, auront des résultats beaucoup plus élevés avec cette technique qu'avec une autre.

Participante : Je voudrais revenir sur les bols sous les lits, lorsqu'on est malade, on laisse le bol d'eau et sel, et on rajoute un autre bol d'eau avec sept gouttes d'huile essentielle, comme vous l'avez mentionné ?

Tamara : Vous avez donc deux bols, jeune dame, un bol d'eau et de sel, et un d'eau et d'huile essentielle. Celui d'huile essentielle vous le viderez au matin, bien entendu. Donc le bol contenant du sel sera plus près des pieds, et l'eau et l'huile essentielle seront entre le plexus solaire et la tête, les deux bols seront alignés directement sous le fil de cuivre.

Un autre outil très intéressant est d'avoir un lampion allumé en tout temps sur un mur à l'Est dans votre demeure. Ceci vous garantira la présence constante de vos anges, de vos guides et vous aidera beaucoup au nettoyage des énergies plus lourdes dans vos maisons. Un autre très bon outil aussi est de nettoyer vos maisons en les ensaugeant à chaque changement de saison. Idéalement, le lampion devrait être fait de verre transparent. Car, s'il est bleu, il pénètre l'énergie bleue dans la maison, et un bleu trop longtemps exposé dans une maison démoralise les gens. S'il est rouge, il pénètre une énergie de stimulation forte dans la maison, et le rouge trop longtemps exposé chez certaines personnes les rend colériques.

Les encens, faits à base d'huile essentielle pure, sont aussi grandement intéressants, car ils sont médicamentés. Cependant, les encens fait de légers parfums chimiques devraient être fortement proscrits, car ils pourraient polluer vos demeures. Un diffuseur d'huile essentielle est donc plus intéressant qu'un bâton d'encens chimique. Autre question ?

Participante : Pour la kiniésiologie, est-ce qu'il y a un enseignement en particulier qu'il faut aller chercher, est-ce qu'il y a plusieurs lignes de pensées dans cette discipline ?

Tamara : Vous savez c'est un peu comme le Reiki, il n'y avait, au tout début, qu'une seule et unique ligne de pensées. Un maître ascensionné est venu sur Terre enseigner à un bon étudiant. Puis ce dernier a débuté les enseignements sur terre. Aujourd'hui le Reiki a huit ou neuf écoles de pensées différentes.

Donc, c'est la même chose pour la kinésiologie appliquée, bien sûr vous pourriez lire et vous auto-renseigner vous-même, vous pourriez même aller dans le moment présent, dans une librairie à Montréal et y découvrir sept ou huit bons livres sur ce sujet, et cela vous aura coûté une vingtaine de dollars au maximum. Et en étudiant, regardez comment vous vous sentez par rapport à tel ou tel enseignement et vous aurez la vérité, chère dame.

Participante : J'ai pris un enseignement de Reiki au niveau 1 avec un maître Reiki et je suis allée au niveau 2 avec un autre maître, et je ne me sens pas à l'aise avec le deuxième, est-ce qu'il est bon que je retourne voir mon premier maître Reiki pour le deuxième niveau.

Tamara : Pourquoi ne vous sentez-vous pas à l'aise ?

Participante : J'ai l'impression que l'enseignement a été moins complet.

Tamara : Aviez-vous un sentiment d'injustice rapport à votre premier maître ? Aviez-vous l'impression de le trahir ? Aviez-vous l'impression de ne pas avoir été fidèle à ce premier maître ?

Participante : Au moment ou j'ai suivi le deuxième niveau, oui.

Tamara : Et voilà. C'est pourquoi vous avez l'impression que l'énergie n'a pas été aussi bonne. C'est votre sentiment de culpabilité qui a truqué votre lucidité. Car l'énergie a été en fait très bonne, travaillez donc sur ce sentiment et vous pourrez récupérer en vous la puissance de cette seconde initiation.

Participante : Avec les cours d'énergie Universelle que j'avais suivis, on faisait tourner ses chakras à chaque jour, le matin et le soir. Et on visualisait aussi les couleurs de chakras, est-ce que c'est trop une fois par jour, quand on se branchait sur l'énergie Universelle pendant cinq minutes pour aller chercher l'énergie aussi pour chaque chakra ?

Tamara : Premièrement vous connecter à l'énergie Universelle veut dire vous brancher à tout ce qui traîne dans l'Univers. Vous branchez à l'Énergie **Christique Cosmique** ou à **l'Énergie Divine Cosmique** vous amène directement dans la Source Divine et non pas à tout ce qui traîne dans l'Univers. Deuxièmement, vos chakras tournent à la vitesse dont ils ont besoin à la minute présente. Vos chakras sont plus ou moins ouverts selon ce qu'ils ont besoin à la minute présente. Chercher à ouvrir vos chakras, à les faire ouvrir, à les tourner ou à les faire tourner par vous-même ou par d'autres personnes, peut être très dangereux. Car, vous n'avez pas vécu les étapes ou les expériences, vous n'avez pas intégré ce que les expériences de votre vie vous amenaient à intégrer, de façon à modifier la rayonnance, la vitesse, la forme ou le tour-minute de vos chakras.

Vous pouvez vous créer des états de santé émotionnelle ou physique désagréables, ou devenir complètement mêlée en fouillant dans vos chakras ou en y faisant fouiller quelqu'un d'autre. De visualiser les cartons de couleur nourrit vos chakras afin qu'ils fonctionnent d'eux-mêmes en absorbant la quantité de couleurs maximum qu'ils peuvent absorber sans vous causer de préjudices. Les couleurs nourrissent aussi vos corps subtils, donc amènent au niveau des méridiens une activité plus saine et plus puissante. Par conséquent, amènent dans votre corps une meilleure vitalité, une ouverture de conscience plus grande, une écoute plus grande, une observation et une intégration de vos expériences plus grandes. En résumé, elles renforcissent votre aura et vous aident à vous protéger de tout ce qui traîne dans l'Univers.

Participant : En magnétopuncture il y a un traitement pour un virus qui semble être efficace pour l'influenza, cependant pour l'herpès il semble ne pas fonctionner, y a-t-il une explication pour cela ?

Tamara : Oui. Vous vous sentez coupable au niveau de l'herpès. La culpabilité empêche la magnétopuncture de fonctionner, comme elle empêche toutes les autres techniques de fonctionner. Commencez par travailler sur votre sentiment de culpabilité, sur votre haine ou sur votre colère d'avoir attrapé cette petite maladie. Évaluez la haine ou la colère aussi que vous avez face à la personne qui vous l'a transmise, et ensuite ces traitements fonctionneront selon votre capacité de guérir, ce qui veut dire selon vos karmas. Les maladies émotionnelles se guérissent facilement, par contre les maladies karmiques peuvent être soulagées mais non guéries.

Plus votre incapacité d'accepter une situation est grande, moins le traitement agira. Une personne qui ne travaille pas le pourquoi de l'émotion qui l'a rendue malade ne pourra jamais se guérir par aucune technique que ce soit. La négativité, le jugement, le ressenti négatif créent dans votre corps des acides qui atteignent tout votre système. Un jour ou l'autre un surplus d'acidité finira par vous créer des maladies. Les pensées positives créent un champ d'énergie alcaline et vous nourrissent, par contre les pensées négatives créent un champ d'énergie acide et détruisent vos systèmes organiques.

Participant : Donc c'est valable pour tous les autres virus ? Incluant le sida ?

Tamara : Absolument. Et l'endométriose est, exemple, un symptôme dû à une maladie vénérienne, dû au chlamydia en particulier. Le chlamydia est un rejet de sa féminité, est une incapacité de subir la violence venant de l'autre au niveau de sa féminité, et ainsi de suite. Et ce autant chez la femme que chez l'homme.

Participant : Concernant les sons, les sons produits par les instruments de musique, je pense tout particulièrement au bol chantant Tibétain, aux cloches Tibétaines, est-ce que ce sont vraiment de bons outils de conscience ?

Tamara : Le son du chant d'un oiseau est beaucoup plus puissant. Le chant du son d'un ruisseau est beaucoup plus puissant. Le chant du son du vent est beaucoup plus puissant. De très nombreuses techniques sont existantes sur terre et sont utilisées dans certains pays, selon la foi et les croyances des peuples qui les utilisent.

Les bols fonctionnent très bien en leur pays. Les cristaux fonctionnent très bien dans d'autres pays, la Vierge fonctionne très bien un peu partout dans le monde, ainsi de suite. Ces outils peuvent être intéressants, car tous les outils sont bons pour cheminer. Il vous suffit de vous sentir vraiment confortables avec l'outil que vous utilisez, d'y croire et de ressentir si vous en avez vraiment besoin. Savez-vous pourquoi les gens cherchent à utiliser tant d'outils ? Parce qu'ils refusent d'être près d'eux et de s'écouter eux-mêmes, parce qu'ils donnent leur pouvoir aux autres, parce qu'ils veulent absolument que les choses soient magiques et immédiates. Et parce qu'ils n'ont pas le courage de s'observer eux-mêmes.

Pour terminer notre rencontre, revenons à votre coffre à outils. Il ne sera pas si lourd que cela, et vous serez libres et autonomes d'être dans votre puissance au niveau de votre réalisation maximum. Bien sûr, vivre en harmonie avec la planète, prendre quelques minutes pour observer la beauté du paysage, et non pas la beauté du béton et des tours à appartements, est l'un des plus beaux outils. Et l'outil le plus puissant de tous est de dire MERCI le soir quand vous vous couchez, remerciez la vie, remerciez lorsque vous voyez un beau paysage, remerciez lorsque vous avez la santé, remerciez lorsque vous voyez la beauté en l'autre. Remerciez et vous serez toujours en contact directement avec Dieu et Ses créations.

En attendant d'apprendre la réflexologie si vous apprenez les huiles essentielles, la technique de remplacement est la technique du nombril. Tout simplement mettez trois gouttes d'huile essentielle, selon le médicament que vous avez besoin, sur votre nombril et frottez-le dans le sens de l'aiguille d'une montre. Cela sera aussi efficace en attendant de pouvoir utiliser la réflexologie comme telle.

Quel que soit le médicament naturel que vous utilisez, une huile essentielle, une vitamine, un élixir, une pierre ou un cristal, en premier lieu prenez-le entre vos mains (main droite sur le dessus) et placez-le au niveau du chakra de votre cœur.

Prenez quelques instants pour en sentir la puissance, pour remercier ce produit de vous aider dans votre cheminement de santé. Ensuite avalez-le ou servez-vous de votre huile essentielle ou de votre cristal et vous en verrez l'efficacité centupler.

Vous pouvez aussi bénir tout ce que vous touchez en disant simplement « que la Lumière du Christ habite cet objet ». Vous verrez de petits miracles se manifester devant vous.

L'énergie Christique n'appartient pas
seulement au Christ.
Elle est en chacun de vous
et ne demande qu'à être à votre service.

12

Dieu, qu'est-ce que c'est ?

Dieu, qu'est-ce que c'est !

Cette rencontre se veut très particulière. Afin de mieux vivre les moments présents nous vous suggérons de bien écouter nos instructions. Si vous le voulez bien, Nous débuterons maintenant.

Premièrement, veuillez placer vos fauteuils de façon à ce qu'il y ait au moins six pouces (15 cm) d'intervalle entre chaque personne. Nous vous demandons de ne rien conserver dans vos mains et de vous déchausser. Vous allez maintenant placer vos pieds bien centrés sur le sol, à plat et en ligne droite avec vos jambes. Ne croisez pas vos jambes. Déposez vos mains sur vos cuisses, la paume bien à plat sans rigidité. Placez votre corps afin qu'il soit bien droit et que vos poumons soient bien dégagés.

Tout au long de cette rencontre vous devrez garder les yeux fermés. Si vous ouvrez vos yeux, vous vous déconnecterez instantanément de la source, votre voyage sera terminé. Nous allons, avec vous, faire un voyage très particulier. Nous vous dirons l'instant où vous devrez fermer vos yeux. À n'importe quel moment de la rencontre, si une personne vit un malaise, elle n'a qu'à ouvrir ses yeux pour quitter ce voyage.

Avant de partir ensemble, Nous avons une question à vous poser. Est-ce que l'un d'entre vous connait la pierre qui s'appelle l'Étoile de l'Ouest ? L'Étoile de l'Ouest est le plus beau diamant de la Terre. Est un diamant d'une très grande pureté. Est le plus gros des diamants de la Terre, et n'a jamais été scindé. Pourriez-vous arriver à visualiser ce diamant ?

À l'intérieur de lui se situent des milliers de petits triangles, des milliers de facettes de toutes les couleurs de l'arc-en-ciel. Si vous vous sentez prêts, nous partons en voyage :

Vous allez maintenant, fermer vos yeux. Et pour quelques minutes respirer calmement. Vous inspirez en comptant jusqu'à sept, vous retenez en comptant jusqu'à sept, et vous expirez en comptant à nouveau jusqu'à sept. Répétez ce cycle de respiration sept fois.

Voilà qu'une ouverture se crée tout doucement sous la plante de vos pieds, dans le chakra d'enracinement. Par les chakras de la plante de vos pieds, vous laissez sortir deux grandes racines dorées, une par pied, qui se joignent au cœur de la Terre, pour se contacter à l'Énergie Tellurique Christique de la Terre. Ressentez bien cette union. Laissez doucement remonter par vos racines cette énergie Tellurique Christique, jusqu'au centre de votre Plexus Solaire. Ressentez la chaleur, la douceur, la présence particulière de cette énergie en vous. Stabilisez cette énergie dans le centre de votre Plexus Solaire après avoir bien ressenti sa présence et sa force.

À son tour, le chakra de la Couronne s'ouvre, et vous projetez une racine dorée en forme de rayon qui monte dans le cosmos et qui se joint à l'Énergie Cosmique Christique. Ressentez bien ce contact. Visualisez-vous unis à l'Univers. Prenez le temps de goûter à l'immensité de l'espace, de l'essence Divine. Laissez maintenant redescendre en vous cette énergie Cosmique Christique jusqu'au centre de votre plexus solaire. Ressentez à nouveau la présence de cette énergie, sa douceur, son intensité, sa perfection. Stabilisez l'énergie Cosmique Christique au centre de votre Plexus Solaire. Lorsque vous ressentirez qu'elle est bien enracinée en votre plexus, visualisez l'union de ces deux énergies s'unissant ensemble, ne faisant plus qu'une seule source, une seule énergie.

Ces deux énergies ainsi unies se diffusent à présent tout autour de vous. Du centre de votre Plexus Solaire, elles irradient, comme le soleil, de mille rayons de lumière dorée. Elles se répandent partout à l'intérieur de votre corps et tout autour de votre corps. Cette énergie forme maintenant un grand ovale qui vous enveloppe et qui s'élargit jusqu'à l'infini. Vous êtes la Terre, vous êtes le Ciel. Vous êtes un vaisseau de Lumière.

Au-dessus de la salle, au plafond de la pièce, s'installe un diamant d'une grande beauté et d'une grande pureté. Regardez ce diamant. Ressentez sa présence. Visualisez-le, sa forme, sa couleur, son poids, sa prestance. Tout doucement, il commence à s'abaisser et tout doucement, vous montez en lui. Vous ressentez ce phénomène d'immensité. Vous ressentez un état de paix, un état de bonheur, un état de confort et d'extase.

Prenez le temps de goûter le calme, la sérénité, la douceur de ce saint lieu. Dans son mouvement de descente, le diamant vous englobe de plus en plus en lui. Doucement, il se referme sous vos pieds. Vous êtes tous à l'instant présent à l'intérieur de ce diamant. Vous pouvez vous y promener librement. Entendre une musique céleste. Ressentir une fraîcheur sur votre corps, sur votre visage. Ressentir la mollesse sous vos pieds, comme si vous étiez un petit peu sur un plancher d'ouate.

Le diamant, maintenant s'agrandit. Il commence doucement à se soulever. À monter dans le ciel et dans l'Univers. Une onde de lumière bleue très pure et très douce entoure maintenant complètement le diamant, comme un ciel d'une grande beauté.

Vous allez, à l'intérieur de ce diamant, trouver un endroit confortable où vous asseoir. Vous vous promenez et vous ressentez le lieu qui vous attire le plus. Vous n'avez pas besoin d'être auprès de personne. Vous vous assoyez et vous ressentez la paix. La paix intense. Un état d'âme que vous n'avez jamais connu auparavant. Vous commencez à ressentir une vague d'ondes très particulières, comme si un Visiteur très important était sur le point de venir vers vous. Vous ressentez Sa Présence, vous ressentez Son Amour, vous ressentez Son Immense Beauté.

Au-dessus du diamant, lentement, se crée une ouverture. Le dessus du diamant s'efface petit à petit afin d'accueillir ce Visiteur très particulier. Toutes les facettes de la surface du diamant s'ouvrent, pour laisser entrer ce Visiteur. Ce Visiteur étend toutes Ses Énergies partout à l'intérieur du diamant qui est devenu une partie de l'Univers. Vous ressentez cette plénitude profonde. Ce bonheur inespéré d'être présentement en Dieu. « Vous êtes en Dieu, et Dieu est en vous ». Nous allons maintenant céder la parole à ce Visiteur.

Visiteur : Je Suis, Je suis celui qui possède l'Amour, Je suis celui qui est l'Amour. Je suis celui qui contemple l'Amour, et Je suis celui qui par Amour a créé la Vie. J'ai toujours existé et J'existerai toujours. Je suis en expansion continuelle, et plus vous retrouvez l'Amour à l'intérieur de vous, plus Je suis en expansion. Je ne vous ai jamais abandonnés, Je ne vous ai jamais punis. Ce sont des fausses croyances provenant des fausses églises.

J'ai créé votre Terre et J'ai créé votre race comme étant mes privilégiés. J'ai semé en vous ce que J'avais de meilleur. Je voulais, et Je le veux toujours, que votre Terre soit la Terre d'Amour, soit la Terre d'Émeraude. J'ai créé des Univers, J'ai créé des mondes et bien d'autres planètes, mais la Terre est la seule en qui J'ai mis toute Ma confiance pour développer l'Amour.

Je suis Amour, vous êtes Amour. J'ai mis en vous tout Mon Pouvoir, J'ai mis en vous toutes Mes capacités. J'ai mis en vous la possibilité de Me contacter directement. J'ai mis en vous la possibilité de vous réaliser directement, complètement à travers Moi.

Le jour est venu pour que vous vous rendiez compte que vous êtes Divins. Que vous êtes Moi et que Je suis vous ! Le temps est venu pour que vous réalisiez que vous avez encore toutes les possibilités que Je vous ai offertes au moment où J'ai créé la Terre.

Au début, Je l'ai dénommé Terre de Pan. Une surface, une partie de votre planète avait été créée spécifiquement pour que vos formes humaines puissent y vivre. Je vous ai donné la capacité de la Manifestation Parfaite, Je vous ai donné la Volonté, Je vous ai donné le Pouvoir de l'Esprit, et Je vous ai donné la Conscience.

La Conscience et la Volonté sont des entités vivantes. Sont des entités autonomes qui font partie de vous, qui font partie de cette larme de lumière qui vous habite, de cette étincelle de lumière qui vous habite.

Je suis une vibration. Au début des temps, J'étais, J'étais présent, car J'ai créé le début des temps. Votre conscience n'est pas encore suffisamment puissante, à vous les humains, pour pouvoir imaginer quelle est Ma densité, et quelle est Ma forme. Pour pouvoir comprendre qui exactement Je suis, vous devrez vous défaire de vos dogmes, de vos images préconçues, de vos peurs et de vos croyances religieuses. La raison pour laquelle Je vous ai amenés en Moi, est pour que vous puissiez Me ressentir.

Je suis en quelque sorte une masse énergétique qui tourne sur elle-même, un peu comme un disque, un disque légèrement de forme ovale. Et pourtant, en même temps, il n'y a ni apparence physique, ni épaisseur ou forme.

Par la Puissance de Ma Volonté, J'ai créé le Mouvement. Et en créant le Mouvement, J'ai réalisé que les atomes s'attiraient l'un vers l'autre et créaient leur propre mouvement. J'ai donc donné la liberté à ces atomes, le Libre Arbitre à ces atomes, de créer leur mouvement, de l'utiliser et de créer la forme qu'ils voulaient créer.

Ces atomes se sont joints à d'autres. Ont augmenté le mouvement, ont attiré encore plus d'atomes, et J'ai contemplé leur beauté, et J'ai décidé de leur donner le Pouvoir de se dénommer, le Pouvoir de s'identifier. Les premiers assemblages ont décidé de devenir des gaz, ont créé une multitude de gaz, et en eux J'ai pu expérimenter l'état des gaz, le pouvoir des gaz, les possibilités des gaz. Et J'ai aimé, et J'ai ressenti la beauté, et J'ai apprécié leur travail et Je leur ai donné le Libre Arbitre pour créer autre chose.

Les gaz ont donc commencé à s'unir ensemble entre eux. Et tranquillement, J'ai admiré leur beauté, J'ai émis des ondes d'Amour pour faciliter leur travail. J'ai reconnu leur puissance et tranquillement, ils ont créé les planètes, les étoiles, les constellations. J'ai, à nouveau, admiré cette puissance, et Je suis entré en chaque planète, en chaque étoile, en chaque constellation, pour en vivre l'expérience.

Et J'ai été heureux de vivre cette expérience. J'ai aimé être une planète, J'ai aimé ressentir la densité. J'ai aimé ressentir le mouvement, et J'ai mis en chaque planète la possibilité de s'identifier, la possibilité de créer et d'attirer un taux vibratoire qu'elle souhaitait accueillir.

Chacune de ces étoiles, chacune de ces planètes, chacune de ces constellations a manifesté, l'une après l'autre, ce qu'elle désirait vivre. Certaines ont souhaité des fréquences plus lourdes. Certaines ont souhaité des fréquences plus élevées. D'autres ont souhaité ne pas, pour le moment, être habitées ou utiliser leur énergie, et sont tout simplement demeurées en attente. Comprenez bien ceci. J'ai créé les Univers en donnant à Mon énergie le Libre Arbitre, la Puissance et le Pouvoir de créer ce qu'elles souhaitaient créer, afin que Je puisse l'expérimenter. Afin que Je puisse augmenter Mon expansion, augmenter Mes connaissances, augmenter la capacité de Mon Pouvoir de réalisation.

Donc, Je suis L'Univers, et l'Univers est Moi. Tranquillement, les planètes, les univers et les constellations, ont placé chacun individuellement les fréquences vibratoires pour attirer en eux, ce qu'ils avaient besoin pour qu'ils puissent eux-mêmes expérimenter la Vie, expérimenter des états émotionnels. Car sans émotions, il n'y a pas de vie. Sans émotions, il n'y a plus la nécessité de la Conscience, il n'y a plus la nécessité de la Volonté.

Donc la partie de Moi-même qui était Conscience, qui était Volonté, qui était Désir, donc émotion, a souhaité se manifester dans une forme physique, et tranquillement à nouveau de petites molécules se sont manifestées. J'utilise le terme molécule pour vous imager la situation. Elles ont commencé à se joindre l'une à l'autre. En même temps, bien sûr, les planètes continuaient à créer leurs formes, continuaient à créer leurs couleurs, continuaient à attirer en elles la forme de gaz dont elles avaient besoin.

Une autre partie de Moi a décidé d'offrir aux planètes la possibilité de se vêtir comme elles le souhaitaient. La Terre a décidé de créer le liquide, l'eau et des formes de végétations. D'autres planètes ailleurs aussi ont créé l'eau et la végétation. D'autres encore n'étaient à l'extérieur que gaz et minéraux et à l'intérieur développaient un plan habitable pour les entités qu'elles attireraient. D'autres encore ont créé dans l'astral qui les entourait un lieu pour accueillir les entités qu'elles attireraient, et sur leur matière visible n'étaient que gaz, roches, minéraux.

Lorsque vous les humains, vous ne découvrez pas de formes vivantes visibles à vos petits yeux, ne confondez pas. Toutes les planètes, de tous les systèmes sont habitées. Il y a de la vie partout, il n'y a absolument rien de mort. Tout ce qui vit en Moi est **vivant**.

Ces planètes ont donc créé en Moi l'eau et la végétation. Et J'ai créé en elles l'eau et la végétation. Plus les planètes se raffinaient, et plus en Moi se raffinaient des formes. Les plans subtils en premier lieu ont pris naissance, et ont souhaité et désiré utiliser Ma Conscience, Ma Volonté et Ma Capacité d'Amour.

J'ai vu que ce travail était bon et J'ai donc consenti à être en eux, et qu'ils soient en Moi. Ensuite, plus tard, J'ai songé qu'il serait bien de créer des équipes, des équipes d'Aide Spirituelle. Et J'ai demandé quelle partie de Moi voulait vivre cette expérience pour que Je puisse la vivre en elle. Et un autre groupe de molécules, d'énergie d'un niveau subtil, plus élevé, pour bien vous imager la situation, a souhaité vivre cette expérience, et elles sont devenues tous les Êtres du subtil, elles sont devenues tous les Anges et les Archanges, les êtres de l'invisible, ainsi de suite.

Et J'ai aimé et J'ai admiré leur beauté, et J'ai vécu en eux l'Expérience, et ils ont vécu en Moi l'expérience. Je les ai créés et ils M'ont créé, et J'ai pris encore plus d'expansion, c'était bon. Et J'ai souhaité vivre l' « émotion », et J'ai souhaité voir d'une façon différente. Entendre d'une façon différente, J'ai

désiré ressentir d'une façon différente et communiquer d'une façon différente.
Et pour répondre à Mon désir, une partie de Moi a souhaité et désiré devenir, ce que Je pourrais appeler un Être, un Être manifesté. Et c'est ainsi que de Ma masse, que de Ma matrice, que de Mon Être fut engendré le premier « homme », plus précisément le premier être. Ce mot homme n'a rien à voir avec les dénominations sexuées que vous utilisez. L'homme veut dire un être vivant polarisé. J'ai créé le masculin et le féminin. Et en même temps furent engendrées toutes les autres races d'êtres qui habiteraient toutes ces planètes, et toutes ces constellations.

Ne croyez pas que les premiers hommes sont arrivés sur Terre. Bien d'autres planètes avant vous ont connu leurs habitants. Lorsque J'ai voulu engendrer une planète où l'Amour serait expérimenté, les autres planètes existaient depuis fort longtemps. Le soleil de votre système m'a servi de matrice pour engendrer les planètes qui créent votre système. Et oui, le soleil est en réalité une matrice, un être gestatoire. Il pond des enfants, les planètes !

Revenons à l'Homme, à l'Être, il a souhaité posséder Ma Conscience, utiliser Ma Volonté, ressentir Mon Amour, et en lui, J'ai induit Mon Souffle. Je lui ai donné une partie de Mon Mouvement, Je l'ai animé et il s'est animé lui-même par son désir. Et quand tout ceci fut fait, J'ai trouvé que cela était bon, J'ai vu que cela était bon, J'ai vu que cela était Amour, était Volonté et Réalisation.

Et J'ai permis que ces êtres se dirigent vers la planète, vers la constellation, vers l'univers vers lequel ils se sentaient attirés. Et c'est ainsi que les Êtres manifestés complètement sont entrés autant sur Terre qu'ailleurs.

Ils ont commencé à expérimenter la Vie en Moi, et J'ai pu grâce à eux expérimenter la Vie en eux. J'ai pu voir, entendre, toucher, goûter, aimer, ressentir, d'une façon différente. J'ai pu expérimenter, donc J'ai pu encore m'expandre plus.

J'ai vu que cela était bon, et J'ai aimé cette forme de vie. Et J'ai aimé cette réalisation. Je suis donc en chacun de vous, et vous êtes en Moi. Et lorsque J'ai vu que l'homme, que les formes humanoïdes, que les formes qui habitaient la vie et expérimentaient chaque planète étaient bonnes et belles. J'ai décidé de leur offrir une partie de Moi-même, et J'ai donné aux gens de la Terre le Libre Arbitre, pour que Je puisse ainsi expérimenter encore plus en eux, et qu'ils puissent expérimenter encore plus en Moi.

Indubitablement, J'ai donné ce Libre Arbitre ailleurs aussi, dans d'autres constellations, dans d'autres planètes. Certains n'en ont pas voulu, et J'ai respecté leurs choix. À trois reprises dans l'Histoire, maintenant, J'ai dû intervenir. Car, l'Être possédant son Libre Arbitre, l'Humain sur la Terre de Pan, a décidé d'utiliser des gammes émotionnelles, bien sûr il en était libre, et c'est ainsi qu'il a créé le déniement.

Je suis entré dans le déniement pour le comprendre, pour l'expérimenter, et pour m'expandre un peu plus et J'ai découvert que le déniement n'était pas entièrement en harmonie avec l'Amour. Et quand J'ai vu que sur Terre, sur cette Terre de Pan, le déniement avait détruit la possibilité des humains de créer tout ce qu'ils souhaitaient créer par l'Essence propre de Ma Volonté en eux, de leur Volonté, de Mon Esprit en eux, donc de leur Esprit en eux, J'ai dû intervenir. Ils avaient attiré sur Terre des Êtres venant d'autres planètes qui n'étaient pas conformes aux vibrations de la Terre, tous ces êtres devenaient de plus en plus malheureux.

Je suis donc intervenu et J'ai retourné les dinosaures chez eux. J'ai retourné beaucoup d'entités qui n'appartenaient pas à ce monde, car elles n'avaient plus la possibilité de retourner par elles-mêmes chez elles, puisqu'elles expérimentaient le déniement de leur puissance.

Et J'ai demandé à l'Homme de ne plus foyer avec l'animal. Beaucoup d'humains avaient vécu le déniement à un niveau tel qu'ils avaient perdu la puissance de reprendre leurs formes humaines après s'être manifestés dans une autre forme. Car, ainsi ils n'avaient pas permis d'expérimenter d'autres formes, et c'est ainsi, chers enfants, que se sont créés les mondes minéraux, en particulier.

C'est-à-dire, que la Terre avait créé en elle, en attirant des molécules, certaines formes de minéraux, mais les humains en ont créé d'autres. L'Humain avait le pouvoir de se transformer en arbre, s'il le souhaitait. Des arbres existaient déjà sur la planète, mais ils souhaitaient obtenir des formes différentes. Exemple, il n'y aurait pas eu de saules à ce moment-là, ils souhaitaient devenir un saule pour en expérimenter la Vie, pour Me permettre d'expérimenter cet état.

Mais ayant perdu leurs puissances, ayant dénié leurs possibilités, ils se sont vus emprisonnés dans ces formes, et c'est la raison pour laquelle le saule existe aujourd'hui. C'est raison pour laquelle l'améthyste existe présentement sur Terre. C'est la raison pour laquelle les microbes et des milliers d'autres formes existent aujourd'hui.

Mais J'ai vu que tout ceci était bon, et J'ai continué à me plonger en ces expériences, partout, pour pouvoir les vivre, et pour pouvoir M'expansionner encore. Plus tard, s'est construite la Lémurie, et J'ai dû encore intervenir. Plus tard se sont créés les Atlantes, et J'ai dû encore intervenir. Et dans le moment présent, J'interviens encore, car vous avez tellement dénié votre potentiel sur Terre, que vous êtes à nouveau sur le point de vous autodétruire.

J'ai vécu l'expérience de l'autodestruction, et Je ne me suis pas senti bien. J'ai ressenti le manque d'Amour et le manque de Conscience. Et J'ai choisi que Je ne l'expérimenterais plus, donc réalisez bien ceci : Comme Je suis en vous et que vous êtes en Moi, lorsque vous vous détruisez, Je suis obligé de vivre cette expérience, et Je n'apprécie pas l'autodestruction.

C'est pourquoi J'ai créé des Maîtres, c'est pourquoi depuis le moment où la Terre de Pan a commencé à perdre ses facultés, J'ai souhaité, J'ai désiré créer des Maîtres, et une partie de Moi a souhaité le faire. Une partie de Moi est devenue des Maîtres. Je suis entré dans les Maîtres pour y induire Ma Vie, et ils sont entrés en Moi, et ils ont désiré aider partout dans Mes créations. Et Je les ai nantis d'une conscience et d'une puissance particulière pour qu'ils puissent aider, et J'étais bien en eux et ils étaient bien en Moi.

Et ils ont accompli leurs désirs, et ils sont venus sur Terre. Sont venus ailleurs aussi dans Mes créations, et ils sont revenus en Moi lorsque les Humains les ont rejetés. Et c'est la raison pour laquelle de Terre de Pan, de Lémurie, de Terre d'Atlante, de Noé, les destructions ont continué, car l'Humain a dénié le pouvoir du Maître.

Maintenant, Je nantis à nouveau la Terre de Maîtres. Et les Maîtres ont désiré revivre cette expérience, et J'ai désiré revivre cette expérience en eux aussi. Et la Terre a présentement en elle beaucoup de visiteurs qui sont des Maîtres. Et Je suis à faire à nouveau le ménage pour retourner dans leurs constellations, et dans leurs planètes ceux qui appartiennent à d'autres planètes que la Terre.

Et bien entendu, J'effectue ce ménage partout, car ce ménage a été souhaité, car la Terre a souhaité se départir du déniement, car

J'ai souhaité en la Terre me départir du déniement. Donc, le dinosaure qui a quitté sa planète pour venir ici, a été attiré par une onde de peur, a donc dû dénier la place réelle dans laquelle il vivait avant pour venir ici. A donc dû dénier ici sa capacité d'aimer, car c'est la peur qu'on lui demandait de créer.

Et J'ai donc dû l'aider à retourner chez lui. Et J'effectue présentement la même chose. Certains d'entre vous sur Terre n'appartiennent pas à la Terre. Et lorsqu'ils quitteront leurs formes physiques, lorsque Je quitterai la forme physique en eux, Je les aiderai à retourner chez eux.

Attendu que, tout doit revenir à la Perfection. Attendu que, J'ai décidé que plus rien dorénavant ne pourrait détruire tout ce qui est bon, beau et empli d'amour. Est-ce que quelqu'un veut Me parler ou souhaite Me parler ? Je ressens bien vos désirs, mais Je ressens aussi votre hésitation.

Participante : Comment savoir que nous n'appartenons pas à la planète Terre ?

Visiteur : Centrez-vous en vous, placez vos deux mains sur votre cœur. La droite en premier, la gauche en second. Fermez vos yeux et unissez-vous à Moi. Et voyez le paysage qui se présentera à vous. Si c'est la Terre, vous reconnaîtrez facilement son paysage. Si c'est une autre constellation ou un autre endroit, vous le verrez aussi. Demandez-Moi de vous aider à voir, et Je vous aiderai. Demandez-Moi d'entendre le nom du lieu qui est votre place, et Je vous le donnerai. Et quand vous quitterez votre forme physique, demandez-Moi de vous aider à revenir chez vous, et Je vous aiderai.

Je réponds présentement en vous à beaucoup de questions, et Je continuerai de répondre si vous veniez me rejoindre dans ce diamant, car ce sera une union entre vous et Moi. Je vais maintenant repartir, d'une certaine façon, c'est-à-dire que Je vais rendre à *Tamara* l'utilisation de sa forme.

Je suis en vous, et vous êtes en Moi. Je vous aime. Vous êtes Dieu et Je suis Dieu. Je vous aime autant, autant, autant, qu'il y a de créations, qu'il y a de souffles et d'énergies.

Tamara : Tranquillement, maintenant se referme le dôme au-dessus de vos têtes. Tranquillement, maintenant vous reprenez conscience de vos corps qui sont assis dans le diamant. Vous commencez à bouger un peu et tranquillement le diamant redescend. Vous ressentez la pesanteur commencer à vous habiter. Respirez lentement et calmement. Le diamant est maintenant juste au-dessus de la pièce. Préparez-vous doucement à l'atterrissage. Revenez tranquillement à vous. Vous allez pouvoir quitter le diamant dans quelques secondes. Au décompte de quatre, vous aurez réhabité vos formes, vous vous retrouverez assis sur vos chaises et vous ouvrirez vos yeux en bougeant légèrement votre corps. Un, vous reprenez conscience de votre système respiratoire et de votre système sanguin.

Deux, vous reprenez conscience des lieux autour de vous, et sous vos fesses, et sous vos pieds et derrière votre dos.

Trois, vous commencez à ressentir tous vos muscles, chacune des parties de votre corps.

Et quatre, vous êtes maintenant bienvenus chez vous.

Et bien, c'est le monde à l'envers, une entité qui amène les autres en transe. Avez-vous fait un bon voyage ?

Participants : Oh oui, excellent.

Tamara : Y en a-t-il parmi vous qui aimeraient Nous poser des questions ? Bougez, bougez vos corps un petit peu.

Participante : Est-ce que ça veut dire que si on n'est pas un être qui vient de cette planète, comme Dieu le disait, si on vient d'une autre planète, que l'on n'est pas un être d'amour aussi.

Tamara : Absolument pas. D'autres lieux ont été créés aussi avec un taux vibratoire très près de celui de la Terre au niveau de l'Amour. Cependant, seuls les Terriens peuvent expérimenter mille quatre cent quarante-quatre gammes d'Amour. Donc, un tout petit bec sur une joue, c'est une forme d'amour. Une petite tape sur les fesses, cela en est une autre. Un petit coin de sourire, cela en est une autre. Et ainsi de suite.

L'amour se vit dans d'autres univers, dans d'autres mondes de façons différentes, mais c'est ici sur Terre que vous avez la capacité de réaliser le maximum de choses avec l'amour et par amour. Le maximum d'états par l'Amour est expérimentable par les humains. C'est donc ici sur Terre que Dieu a le plus la chance de s'expandre dans Sa connaissance de l'Amour, car Il la découvre en vous.

Participant : Moi, j'aimerais savoir qui est Lucifer ?

Tamara : Lucifer est une partie de Dieu, qui a un jour dénié sa capacité de demeurer Divin. Dieu a regardé ceci et a considéré que c'était bien. Qu'il avait le Libre Arbitre. Les êtres sur Terre, dans d'autres planètes et dans d'autres univers, avaient dénié une partie d'eux-mêmes, donc les humanoïdes et compagnie, toutes ces formes d'êtres avaient commencé à expérimenter le déniement aussi. Car, Dieu a vécu le déniement et a compris qu'Il ne pouvait pas priver ces êtres du Libre Arbitre en leur retirant le déniement. Donc, Lucifer a compris que l'Homme avait besoin d'un outil, que tous les êtres créés par Dieu avaient besoin d'un outil pour vivre le déniement et l'augmenter.

Il a donc souhaité, désiré être la face noire de l'Amour, pour aider tous ces êtres à bien vivre leur déniement. Et Dieu a ressenti que c'était bien, et que c'était bon puisque les êtres voulaient l'expérimenter. Et Dieu a donné la liberté à Lucifer d'exister et a mis Son Souffle en Lui. Lucifer était donc au début un des Anges Maîtres de Dieu qui a tout simplement décidé de répondre à la demande qui était émise.

Dieu est donc en Lucifer, et plus vous travaillez votre déniement, et plus Lucifer forcément doit travailler le sien, et plus il revient à Dieu, plus il se redivinise. Donc, il redeviendra, un jour, partie de Dieu intégrante sans noirceur. Lucifer est le maître de toutes les formes astrales qui vous nuisent présentement sur Terre. Et plus vous travaillez sur vous, et plus toutes ces formes astrales qui habitent tous les univers qui font partie de Dieu doivent travailler sur elles-mêmes. Donc, doivent cesser de dénier leur capacité d'Amour, et plus ils utilisent l'Amour ou la Lumière, car dans certains endroits il n'est pas question d'Amour, mais il est question de Lumière, et moins il y a de noirceur en eux. Présentement, partout dans tous les univers qui ont été créés et qui ont créé Dieu, le ménage se fait.

Participant : J'aimerais que vous nous donniez l'union, la relation qu'il y a entre la Lumière et l'Amour, elles sont différentes, est-ce qu'elles sont semblables aussi.

Tamara : L'Amour est une partie vibratoire de la Lumière. La Lumière est une partie vibratoire de l'Amour. Vous avez besoin de l'Amour pour émettre de la Lumière, et vous avez besoin de la Lumière pour émettre l'Amour. Afin de créer la Lumière vous devez avoir créé l'Amour en vous. Et pour créer l'Amour vous devez avoir trouvé la Lumière en vous. Après avoir expérimenté toutes les formes d'Amour, vous êtes Amour et alors vous ne pouvez exister qu'à partir de la Lumière seulement. À ce stade, vous n'avez plus besoin de vous nourrir, vous n'avez plus besoin de parler, vous n'avez plus besoin d'avoir des besoins. Vous êtes une partie intégrante de la Vie et vous manifestez la Vie de façon parfaite et constante. Pour l'Être de Lumière, il n'y a plus d'espace, il n'y a plus de temps, il n'y a plus de mystère, il n'y a plus de doute, il n'y a plus de déniement.

Maintenant, passons à un sujet de saison. Est-ce que l'Halloween existe ? Est-ce que ce sont des phénomènes réels ? Et bien oui. Le jour de l'Halloween, c'est-à-dire à partir de minuit tapant la veille, si vous voulez, jusqu'à minuit pile le jour même, des portes d'entrée d'énergies, des portes d'accès, sont créées sur Terre pour permettre aux défunts, de tous les niveaux spirituels, de venir faire un petit voyage sur Terre. De venir fréquenter les humains, et ceci est très sérieux.

Tous les anciens sorciers et sorcières de la Terre qui ne se sont pas encore réincarnés, qui à l'époque s'appelaient des magiciens, reviennent. Tous les sorciers, sorcières, tout ce que vous pouvez imaginer qui ont quitté une forme physique, ont l'autorisation de venir expérimenter, sur Terre, pendant vingt-quatre heures, toutes les gammes émotionnelles que la Terre leur fournit afin d'induire en eux une nouvelle énergie, une capacité plus grande de se réaliser dans l'invisible, quand la porte se refermera.

Cependant, parfois il y a des petits zélés qui se cachent et qui refusent de reprendre la porte de retour. Comme ils ont le Libre Arbitre, ils ont le droit de rester. Et c'est ainsi qu'à chaque année, viennent sur Terre, pendant vingt-quatre heures, des sorciers, des sorcières, des fantômes, des gnomes, des êtres de lumière sombre de toutes sortes, et de tous acabits. Parfois, ils reviennent chercher l'un des leurs qui était demeuré sur Terre dans un voyage précédent. Parfois, ils amènent avec eux de nouvelles entités qui sont prêtes à les suivre, en achetant leurs âmes par de fausses promesses de bonheur et de vie éternelle. L'Halloween était, au début de son existence, une fête d'accueil sur la Terre. Les humains célébraient la venue des visiteurs annuels en se déguisant et en se promenant à la noirceur accompagnés par des lumières. Cependant, beaucoup plus tard ceci a été transformé par l'église Catholique et elle a refusé que cette célébration soit vécue. Les enfants de la Terre ont transformé cette fête en une façon facile de se ramasser des friandises. Les friandises représentent symboliquement quelque chose de mauvais qui leur est offert pour acheter leur âme.

Le jour de l'Halloween, protégez-vous bien. N'ouvrez pas votre être à tous les fantômes et à toutes les entités. N'ouvrez pas votre porte intérieure à ce que vous ne voulez pas laisser entrer. La Magie Blanche a beaucoup plus de pouvoir de nos jours qu'elle en avait depuis plusieurs siècles et la Magie Noire aussi.

Sur ce, Nous vous remercions de votre confiance et d'avoir bien voulu voyager avec Nous. Nous vous remercions de votre Amour, et Nous vous bénissons.

* Avis au lecteur : Pour ceux qui aimeraient revivre cette expérience, Nous vous suggérons d'enregistrer sur une cassette audio le texte de la rencontre. Parlez lentement et avec un sentiment de paix intérieure. Cependant, Nous ne permettons pas la revente de cette cassette. Bien sûr, vous pourriez la partager avec des personnes désireuses de vivre ce moment privilégié, mais vous ne devez en aucun cas faire la vente de ces textes.

13

Les relations entre humains

Les relations entre humains

Les relations entre humains sont les choses les plus délicates, sont les choses les plus compliquées, et sont à la fois les choses les plus simples si on sait bien naviguer en respectant le libre arbitre de chacun.

Les relations entre humains ont créé tous les conflits à date sur Terre. Elles peuvent cependant en très peu de temps devenir complètement harmonieuses, complètement équilibrées, si on en connaît le mode d'emploi. Dans les relations entre humains, il y a plusieurs segments et naturellement, l'amour et les Âmes Sœurs font partie des relations entre humains. Nous tenterons donc de vous donner le mode d'emploi exemplaire afin d'obtenir des relations parfaites entre les gens et ainsi à la longue, créer des sociétés parfaites.

Il vous faut pour le moment faire une visualisation afin de bien comprendre ce que Nous tenterons de vous expliquer. Visualisez que vous êtes, tous et chacun, sous une cloche de verre. Une cloche de verre bien épaisse. Le son de votre voix ne franchit pas nécessairement cette cloche. Vos pensées non plus ne franchissent pas nécessairement cette cloche. Vos gestes ont l'air un peu modifiés sous cette emprise.

Êtes-vous capables de bien visualiser cette sensation, cette situation ? Pouvez-vous percevoir l'état que vous vivez sous cette cloche ? En réalité, vous êtes en tout temps dans une cloche de verre. Autrement dit, vous ne pouvez jamais vraiment atteindre l'autre. Vous ne pouvez, sans fracasser votre cloche vous immiscer dans la vie de l'autre ou vous forcer une place dans la vie d'un autre.

Comprenez-vous bien ceci ? Vous ne pouvez pas vous imposer à l'autre, car il possède sa propre cloche de verre. La seule énergie qui peut circuler entre vos dômes est la Lumière, l'amour et l'énergie pure, qu'elle soit Christique ou d'une source sombre. Savez-vous quelle est la vitesse de la lumière régulière ? Trois cent mille kilomètres à la seconde. Savez-vous quelle est la vitesse de la lumière projetée par le cœur, par l'Amour ? Six cent soixante quinze mille kilomètres à la seconde. La lumière projetée venant du cœur est beaucoup plus puissante que tout ce qui existe sur Terre. Qu'elle soit de source lumineuse ou de source sombre.

Lorsque vous tentez de communiquer avec une autre personne, que se produit-il ? Si vous lui dites « Je n'aime pas ce que tu portes aujourd'hui ». Que se produit-il chez l'autre ? Elle ne réagit pas en fonction de ce que vous lui avez dit, elle réagit en fonction des gammes émotionnelles qu'elle a apprises, elle-même, depuis son enfance et qui ont rapport avec le sentiment d'être rejetée dans la façon dont elle est vêtue en ce jour.

Comprenez-vous bien ceci ? Il est essentiel que vous réalisiez que personne ne peut faire changer personne. Que personne ne peut imposer quoi que ce soit à personne ! Et que tous et chacun réagissent en fonction des programmations émotionnelles qu'ils ont apprises. Ces apprentissages peuvent provenir des vies passées, mais peuvent provenir aussi de leur existence présente. Donc, la réaction à la phrase que vous aurez dite à une autre personne, n'est pas une réaction qui s'adresse à vous-mêmes, mais bien une réaction que la personne s'impose à elle-même.

En percevant les relations humaines de cette façon, dans leur vérité réelle, dans leur système réactionnel, vous ne pourrez plus à l'avenir vous sentir rejetés, vous sentir mal compris, vous sentir dans vos petits souliers lorsqu'un autre vous parle. Vous comprendrez qu'il parle à son passé.

Si vous êtes logiques vous comprenez facilement que ce que vous dites à l'autre provient de vos préjugés, de vos « patterns », de vos apprentissages de vos vies passées et de votre vie présente. Sans doute que ces déclarations n'ont absolument rien à voir avec la personne à qui vous vous adressez. Son comportement, son habillement, sa prestance auront tout simplement déclenché en vous une réaction, mais ce n'est pas elle qui l'a déclenché. Ce sont vos états intérieurs !

La seule façon d'arriver à communiquer vraiment avec une autre personne c'est de travailler sur vous-mêmes. C'est-à-dire, d'arriver à prendre conscience de vos systèmes de manipulation, de vos systèmes d'autodéfense, de vos déniements, de vos états intérieurs. Plus vous prendrez conscience de ces systèmes, plus vous serez en contact avec votre Divinité. La Divinité est de la Lumière pure. Par votre partie Divine, par votre essence Divine, vous pourrez vraiment communiquer avec les autres dans leurs essences Divines. Ceci deviendra un contact pur d'âme à âme.

Quels sont donc les systèmes de manipulation que vous utilisez, vingt-quatre heures sur vingt-quatre ? Tous les êtres humains sur Terre utilisent ces systèmes, l'un derrière l'autre, sans, à plus de 90 %, s'en rendre compte. Seuls les êtres ascensionnés, les êtres en voie de l'ascension n'ont plus besoin de ces systèmes. Si vous utilisez ces outils, c'est que vous êtes en combat constant avec la vie. C'est que vous vous battez pour conquérir une place. En réalité, vous n'avez pas de place ! Lorsque vous aurez compris que vous êtes un être divin, vous comprendrez par le même fait que vous avez toute la place, puisque vous serez tout ce qui existe.

Revenons aux systèmes que vous utilisez pour conquérir un espace. Il y a premièrement le système de la manipulation qui est l'indifférence. Donc, on feint de croire ou on feint de vouloir réaliser ce que l'autre nous dit ou ce que l'autre vit. Exemple, vous avez un ami qui est malade, ça ne vous tente pas vraiment de sortir de chez vous et d'aller l'aider. Vous avez peur qu'il vous demande d'aller l'aider, car vous voulez éviter de lui donner un refus.

Que faites-vous ? Vous agirez de façon à ignorer qu'il est malade. Lorsqu'il vous exprime ses malaises, vous ne les écouterez pas, vous changez de sujet, vous passez à autre chose, ou vous lui sortez de grands exemples sur les malheurs plus grands que vous vivez ou que d'autres vivent.

Votre conjointe vous exprime qu'elle manque de tendresse. Vous ne voulez pas lui offrir cette tendresse. Vous ne voulez donc pas dans vos gammes émotionnelles aller chercher à l'intérieur de vous les outils que vous connaissez, que vous avez déjà expérimentés, rapport à la tendresse pour les lui offrir. Que ferez-vous ? Dans le système de manipulation de l'ignorance, ou de l'indifférence, tel est son nom exact, vous ferez semblant qu'elle ne vous a rien dit, vous lui demanderez si elle veut un café, ou vous trouverez une raison pour l'engueuler. « Mais tu n'as pas déposé mon journal à la bonne place sur la table ce matin » !

Voyez-vous, l'indifférence est le premier outil utilisé par tout le monde, pour éviter la communication, pour manipuler l'autre. Un enfant fera semblant de ne pas vous entendre. Une personne au téléphone vous dira que son dîner est en train de brûler sur la cuisinière. Un autre pourra aller jusqu'à se faire mal physiquement pour éviter de répondre à vos besoins.

Pourquoi donc avoir tant besoin de manipuler les autres ? Tout simplement parce que vous n'arrivez pas à régir en vous suffisamment d'énergie pour pouvoir vous sentir confortables. Donc, vous la **volez** aux autres. Les systèmes de manipulation sont en réalité, des systèmes de vol d'énergie. Vous volez à l'autre les énergies dont vous avez besoin pour continuer à agir et à réagir.

Plus vous éclaircirez en vous vos systèmes de manipulation, plus vous briserez ou ferez disparaître en vous vos déniements, plus vous produirez votre propre énergie, moins vous aurez besoin de la voler aux autres, moins vous aurez besoin de manipuler les autres pour la leur voler, et plus vous serez en contact direct avec votre Divinité, donc avec l'énergie Lumière Pure. Vous pouvez être indifférents de maintes façons face à la vie. Exemple, vous venez pour monter dans votre voiture et vous avez un problème au niveau du démarrage. Vous vous fâchez, vous tentez de démarrer, vous vous énervez. Vous sortez à toute vitesse, vous allez chercher les filages nécessaires pour pouvoir ré-alimenter votre batterie à partir d'une autre automobile, et ça ne fonctionne pas. Finalement, vous appellerez la dépanneuse. Vous aurez brûlé beaucoup d'énergie en vivant une indifférence face au message ou à la coïncidence que la vie vous apporte.

Si vous preniez quelques minutes pour réfléchir et vous demandez : « Pourquoi ma voiture ne démarre pas ce matin ? » Quel est le message ? Plutôt que d'ignorer le message, pénétrez-vous en et regardez ce qui se passe. Descendez en vous et observez. Pourquoi ne puis-je pas partir dans le moment présent ? Est-ce que j'ai oublié de faire quelque chose à l'intérieur de la maison ? Est-ce que j'ai oublié un objet que je devrais apporter ? Est-ce que j'ai vraiment besoin d'aller là où je voulais aller ? Est-ce que j'ai vraiment besoin de vivre le scénario que je m'étais préparé, en allant là où je vais ? Est-ce que le but de ma sortie est sincère ?

Plutôt que de vivre l'indifférence, réfléchissez. Et lorsque votre réflexion sera faite, lorsque vous aurez, soit été quérir ce que vous aviez besoin dans la maison ou faire l'appel téléphonique important que vous évitiez, ou vous aurez réalisé que le but de votre sortie n'était pas conforme avec l'amour, il y a de fortes chances que votre voiture démarre d'elle-même. Démarre toute seule, si tout est redevenu clair et simple dans les énergies.

L'indifférence est le premier et le plus difficile des systèmes de manipulation et de vol d'énergie, que vous vous faites subir à vous-mêmes et que vous faites subir aux autres. Il est donc le plus difficile à conscientiser. Car, il n'est pas facile de se rendre compte qu'on est indifférent.

Un enfant tente de vous parler du malaise qu'il vit et il vous l'exprime en vous disant « Je ne veux pas ranger aujourd'hui ». Il est beaucoup plus facile de lui dire « Non, tu as sorti les jouets et tu les ranges ». Ou bien, « si tu ne ranges pas, tu vas aller en pénitence ». Ou bien, « si tu ne ranges pas, tu n'auras plus le droit de jouer avec d'autres jouets ». Ou bien, « tant que tu n'auras pas rangé, tu ne viendras pas manger ». Il est beaucoup plus facile d'utiliser les autres systèmes de manipulation que de prendre conscience de l'indifférence que vous vivez face à son malaise et de prendre conscience du message qu'il tente de vous envoyer. Pourquoi l'enfant ne veut-il pas ranger dans le moment présent ? Est-ce parce que vous l'avez ignoré toute la journée, qu'il a été seul et qu'il cherche un moment intime avec vous ?

Est-ce qu'il vit un malaise purement physique, est-il en train de couvrir une maladie ? Est-ce qu'il vit une peur dans le moment présent ? A-t-il peur d'aller ranger ses choses dans le coin parce qu'il est à l'âge où les vilains monstres apparaissent et ressortent de partout ? Ou êtes-vous embarqués tous les deux dans un système de vol d'énergie perpétuel ? Il sait très bien comment vous voler vos énergies et de devenir sa victime vous permet de vous plaindre à d'autres et ainsi d'aller à votre tour, voler les énergies des autres.

Ignorer son message est l'empêcher de grandir dans sa lumière divine. Ignorer les messages des autres est les empêcher d'évoluer. Est les priver d'utiliser leur libre arbitre. Ignorer vos propres messages est vous empêcher d'évoluer, vous abstenir d'être en contact avec votre lumière Divine, et vous refuser aussi d'utiliser votre libre arbitre.

Donc, l'indifférence est la mère de tous les systèmes de manipulation et la clé qui active tous les systèmes réactionnels et émotionnels des autres, autant avec des animaux que des humains. Ignorer un chien, et c'est certain qu'il viendra vous faire des gaffes, n'est-ce pas ? Ignorer un policier qui vous envoie ses lumières clignotantes et vous en verrez le résultat, n'est-ce pas ? La situation est pareille pour vous-mêmes, ignorez vos coïncidences, ignorez vos émotions, vos sentiments, ignorez vos besoins réels et votre libre arbitre, et vous aurez votre esprit qui deviendra un policier et qui vous courra après pour vous arrêter un jour ou l'autre. Et cet arrêt vous ne le trouverez peut-être pas trop drôle.

Certains l'ont vécu dans les jours passés. Ils se sont fait arrêter par leur propre conscience qui a dit « Oh ! La, la, un instant jeune fille. Cesse d'utiliser tes systèmes de manipulation avec toi-même et avec les autres et prends conscience de ton esprit. Prends conscience de tes déniements, tu pourras mieux avancer ainsi ».

Lorsque l'esprit vous arrête, lorsque votre police divine intervient, normalement il vous coupera les énergies physiques, il vous empêchera de bouger. Il créera une pause dans votre espace de vie pour vous obliger à observer à l'intérieur de vous ce qui se passe. Si vous refusez l'observation, vous deviendrez très bougons, de très mauvaise humeur, hypersensibles et hyperréactionnels. La maladie pourra alors se greffer à vous. Vous pourrez soulager certains malaises, mais le corps dirigera la source de plus en plus profondément dans vos autres organes. C'est ainsi que sont créés les cancers de toutes formes, les névroses, les perturbations émotionnelles, sans compter que c'est ainsi que vous affaiblissez votre aura et que des visiteurs de toutes sources peuvent venir se glisser dans vos énergies !

Deuxième système de manipulation qui est fortement utilisé par les humains, est le système de victimisation. On ne parle pas là d'une personne frêle qui essaie de soulever un objet trois fois son poids, qui n'y arrive pas seule, et qui demande de l'aide, ce n'est pas cela être victime. Être victime c'est de feindre que l'on n'est pas capable de réaliser un projet, qu'on n'a pas la capacité de vivre une situation, pour obliger l'autre à le faire à notre place.

Si vous observez bien autour de vous, vous verrez que les enfants utilisent souvent ce système de victimisation, « Je ne suis pas capable de m'habiller seul », pour vous faire réagir à vos propres manques d'enfance. Si on n'a pas pris bien soin de vous dans votre enfance, à l'intérieur de votre dôme vous réagirez à une blessure par la violence ou par la colère. Et vous direz à votre enfant « À l'âge ou t'es rendu, si tu n'es pas capable de t'habiller seul, tu ne pourras pas aller à l'école l'année prochaine ». Vous venez, de 1, d'utiliser l'indifférence face à son message, de 2, d'utiliser la domination pour prendre le contrôle de la situation, de 3, d'utiliser la manipulation en le menaçant, et de 4, d'utiliser la victimisation en lui montrant qu'il vous fait souffrir.

Donc, premier système de manipulation : L'indifférence. Deuxième système : La victime. Ces deux premiers systèmes créent une réaction aux deux autres systèmes qui sont la domination et l'interrogation. En fait, lorsque vous utilisez un système de vol d'énergie, vous activez, soit en vous ou chez l'autre, le processus qui fera en sorte que l'un des trois autres systèmes de manipulation sera forcément utilisé. Ils peuvent même tous les quatre être vécus à l'intérieur d'une simple conversation de quelques minutes, ou l'un après l'autre au cours d'une seule journée. Vous entrez donc dans un cercle vicieux jusqu'à ce qu'une étincelle de conscience fasse arrêter ces processus par l'un ou l'autre des participants.

Lorsque vous vous placez en situation de dominer les autres, vous refusez carrément leur raison, leur droit de vivre ou vous ne respectez plus leur espace. Une fois ce troisième système installé qui est la domination, si vous n'avez pas encore réussi à voler suffisamment d'énergie à l'autre, si vous n'avez pas gagné la partie, vous utiliserez le dernier des systèmes de domination qui est l'interrogation.

Reprenons du départ afin que vous compreniez bien ce qui se passe. Vous êtes dans une bulle, l'autre est dans une bulle aussi. Vous tentez de manipuler pour obtenir l'énergie de l'autre, car vous n'avez pas réussi encore à utiliser votre propre énergie Divine, votre propre énergie Lumière pour vous autosuffire. Donc, vous créerez des situations pour faire réagir l'autre dans les schèmes émotionnels qu'il possède personnellement, afin de pouvoir lui voler ses énergies. Vous tenterez donc, dans la même situation, parfois à l'intérieur d'à peine quinze minutes, d'utiliser la manipulation par l'ignorance, n'ayant pas eu gain de cause, vous passerez à la victime, toujours insatisfaits vous utiliserez le rôle du dominateur, et finalement démunis par la résistance de l'autre vous jouerez le rôle de l'interrogateur.

Si les trois premiers systèmes n'ont pas fonctionné, afin d'éviter de faire ce que vous avez à faire, afin d'éviter de communiquer ce que vous ressentez vraiment, pour pouvoir mieux manipuler et voler l'énergie de l'autre, vous deviendrez l'interrogateur. Vous piègerez l'autre par des questions qui l'amèneront à se sentir coupable et fautif. Jusqu'au point que l'autre soit tellement dérouté, qu'il dise « O.K. Je vais le faire tout seul ». Vous venez de gagner ! L'autre est vidé de ses énergies et vous reprenez le rôle de domination ce qui vous évite toute confrontation avec vous-mêmes.

Afin d'éviter de faire ce que vous avez à faire vous utiliserez sans aucun doute le genre de questionnement suivant : « C'est quoi donc que tu m'avais demandé, je ne comprends pas ? ». « Où est-ce que tu as mis le tournevis ? ». « Ben voyons, c'est quoi déjà la commission que tu m'as demandé de faire ? ». Quand l'autre n'arrive pas à vous le faire comprendre, il finira pas aller faire les choses lui-même. Et tout en posant ces questions, vous avez quatre-vingt dix pour cent de chance que l'autre se tanne et qu'il aille chercher lui-même le tournevis pour vous le donner. Donc, vous avez économisé vos énergies et vous lui avez volé les siennes.

Il est donc très important de vous observer vous-mêmes. De regarder, peu importe si vous êtes avec les autres ou si vous êtes seuls, comment vous utilisez ces quatre systèmes de manipulation. Et à l'instant même où vous en prenez conscience, vous devez choisir de ne pas l'utiliser. En choisissant de ne pas utiliser ces systèmes que se produit-il ? Tout simplement vous venez de fermer l'action et d'ouvrir en vous le circuit de l'énergie Lumière, donc de l'énergie Divine. Vous venez d'entrer en contact avec votre propre source d'énergie Divine, qui, elle, est sans fin, qui elle est inépuisable. Et vous vivrez donc cette phase, ce moment, cet instant ou cette situation dans une énergie Divine pure.

Que se produit-il quand vous arrivez à être en contact avec votre essence pure, avec votre énergie Lumière Divine Pure ? Eh bien tout se manifeste excessivement simplement et facilement devant vous. Les brefs moments de vos journées où vous êtes en contact avec cette énergie, tout vous vient dans la perfection.

Exemple, vous êtes en contact avec votre source Divine, votre énergie Lumière, et vous êtes en train de penser que vous auriez bien besoin d'une information pour avancer un peu plus loin dans le travail que vous êtes en train de faire. Dans les secondes ou dans les minutes qui suivent, un ami arrive et vous dit « Tu sais, je viens de découvrir telle chose, regarde ». Et c'est en plein l'information dont vous aviez besoin.

Donc, votre essence, votre énergie Divine, votre énergie Lumière Divine Pure est en contact avec toutes les essences d'énergie Lumière Divine Pure dans l'Univers. Et si c'est un Ange descendu du ciel qui doit venir vous porter sur un plateau d'argent la réponse, il viendra. Si c'est un chien qui doit vous apporter une branche de cèdre dont vous aviez besoin, il arrivera. Si c'est un oiseau qui doit vous annoncer un phénomène, il le fera. Et si c'est une percée de soleil à travers un ciel complètement nuageux qui devra manifester l'information, et, bien le soleil se pointera à votre rencontre.

Comprenez-vous bien toute cette démarche ? Devenir conscients, ascensionnés, veut donc dire briser vos quatre systèmes de manipulation. Briser dans le sens de les reconnaître et de ne plus les laisser avoir d'efficacité dans votre vie. Les reconnaître premièrement envers vous-mêmes, deuxièmement envers les autres. Vous servir de ce que les autres font pour reconnaître ce que vous vous faites à vous-mêmes. C'est-à-dire, si j'ignore l'état de santé de ma conjointe dans le moment présent, afin de ne pas avoir à faire face à ma peur de la mort, quelle est donc la partie de moi-même que je suis en train d'ignorer ? Et bien, c'est sans doute la partie de vous qui est en train de mourir, qui est malade et dont vous ne voulez pas prendre soin.

Devenir conscients est s'observer vraiment, soit même, seul(e). S'observer est s'écouter et réaliser que nous sommes à l'intérieur d'une boule de verre et que tout ce qui se passe en nous, nous appartient. Observez maintenant tous les systèmes de manipulation des autres. Comment les décoder et comment les empêcher de s'exécuter ? Vous êtes en train de réaliser que vous utilisez, exemple : le système de victime. « Vois-tu chéri ce soir j'ai tellement mal à la tête ». Excuse classique, n'est-ce pas ? « Je préférerais dormir seule ». Vous venez de le lui dire et vous vous sentez mal parce que vous venez de vous rendre compte que vous avez utilisé le système de la victimisation pour lui voler ses énergies, pour ne pas faire ce que vous ne vouliez pas faire, et pour pouvoir refuser la responsabilité du moment présent.

Afin de réparer la situation et de sortir des systèmes, vous pourriez lui dire : « Chéri, je m'excuse. Je n'ai pas du tout mal à la tête, vois-tu. Je viens de réaliser que je jouais à la victime, car je n'ai pas envie de faire l'amour avec toi ce soir ». Et l'autre lui dira « Mais pourquoi tu n'en as pas envie ? ». Et vous pourriez répondre, « Bien vois-tu c'est que tu m'as déçue souvent au cours de la journée, et j'utilise ma sexualité pour te manipuler en te récompensant ou en te punissant ». Et là, vous pouvez aller encore plus loin dans la conversation et ainsi briser plein de déniements et de systèmes de fuite en vous.

Imaginez qu'une simple prise de conscience de quelques secondes sur le système de manipulation de la victime vient de vous faire prendre conscience des quatre systèmes de manipulation, d'à peu près une quinzaine de déniements, donc imaginez la puissance de la Lumière qui vient d'entrer en vous. Voyez-vous ? Un seul petit élément, une seule petite roche dans l'eau vient de faire une vingtaine de ronds autour d'elle. Vient de faire trembler l'Univers au complet, car quand une pierre tombe dans l'eau, c'est l'Univers au complet qui réagit.

Donc, vous venez de reprendre contact avec votre puissance Divine, vous venez de permettre à l'autre de reprendre contact avec sa puissance Divine. Par conséquent, vous venez de permettre à tous ceux qui vous approchent ou tous ceux qui sont génétiquement reliés à vous dans le passé, dans les incarnations passées, dans le futur et dans les incarnations futures, de briser ces chaînes de manipulation. Comprenez-vous bien ceci ? C'est dur de vous faire dire que vous êtes des manipulateurs, n'est-ce pas ? C'est dur de vous faire dire : « Observez-vous ».

Maintenant, voici un bon outil. Vous entrez dans une salle, une personne se présente à vous, et se sert de l'interrogation pour vous manipuler. « Qu'est-ce que vous venez faire ici, vous a-t-on invité ? ». Plutôt que de répondre sur la défensive et d'utiliser la domination pour la manipuler et lui voler ses énergies, donc d'entrer dans un combat d'énergie, vous pouvez faire un petit exercice qui ne prend que quelques secondes et vous allez empêcher tout ce système de se mettre en action.

Tout simplement, sans que cela ne paraisse dans votre attitude, vous vous centrez au niveau du chakra de votre cœur en observant ce qui se passe en vous. Vous ouvrez votre chakra coronarien et vous faites pénétrer en vous l'énergie Lumière Divine. Vous descendez cette énergie dans le chakra de votre cœur et vous l'imbibez de cette énergie.

Lorsque vous ressentirez que l'Énergie Divine vous habite, vous inondez votre interrogateur de cette énergie Lumière. Vous voyez cette énergie Lumière pénétrer en lui. Et tout d'un coup, par miracle, cette personne sera désamorcée et elle vous dira « Vous êtes bienvenu ici, si vous voulez bien entrer ». Et voilà, vous venez de briser les systèmes de manipulation, les systèmes réactionnels émotionnels, et vous venez d'entrer la Lumière dans la pièce. La magie pourra donc s'effectuer, les coïncidences se réaliser et les plans Divins se manifester.

Si vous êtes vous-mêmes en situation où vous n'arrivez pas à décoder votre système. Exemple : les choses se passent très vite. Vous êtes en train d'engueuler votre adolescente, elle vous engueule forcément à son tour. Tous les patterns d'action-réaction de vos passés sont en branle et vous n'arrivez pas à en sortir. Qu'allez-vous faire ? Vous ne pouvez pas projeter la Lumière à l'autre, car vous êtes trop désordonné, perturbé par le moment présent. Qu'allez-vous faire ?

Vous pourriez vous créer un outil afin de vous aider à arrêter ces processus. L'idéal est de prendre un mot ou un geste complètement ridicule qui fera en sorte de déconnecter temporairement vos inconscients. Créer un élément déclencheur, dire un mot, dire « peanut » par exemple arrêtera les énergies le temps que vous fassiez un nouveau choix.

La conversation ainsi arrêtée, vous pourrez aller plonger en vous, ouvrir le chakra de votre cœur, ouvrir le chakra coronarien, faire pénétrer l'énergie Lumière Divine en vous et vous inonder tous les deux de cette lumière. Le mot peanut, bien sûr, vous n'êtes pas obligés de le dire fort. Vous pouvez tout simplement le penser, « Wow, un instant, peanut ». Vous trouvez un mot de code personnel que vous vous direz à vous-mêmes lorsque vous sentirez que vous êtes piégés dans vos systèmes.

Vous pouvez même décider avec votre famille d'utiliser un mot de code lorsque les choses s'enveniment pour désamorcer les processus et réussir ainsi à ré-établir un meilleur contact afin de trouver une solution équitable pour tous et chacun. À partir du moment où vous vous serez donné cette énergie Lumière, vous pourrez vous pauser, vous recentrer et diffuser à l'autre cette énergie Lumière, et à ce moment-là, vous pourrez décoder les systèmes. Voilà que la petite pierre sera lancée dans l'eau afin que tout l'Univers s'ébranle. Y a-t-il des questions au moment présent, ou voudriez-vous partager des situations pour mieux connaître les systèmes de manipulation ou les outils que vous auriez pu utiliser ?

Participant : Pour l'histoire de la remorque. Ça m'est arrivé hier. J'aimerais savoir la raison ?

Tamara : **Pourriez-vous décrire l'histoire, s'il vous plait ?**

Participant : Oui. Je m'en allais au travail et ma voiture est tombée en panne. Le matin avant de partir de la maison, mon auto ne voulait pas démarrer. J'étais très fâché. Je l'ai forcé à démarrer et me suis rendu à mi-chemin du travail. J'ai dû marcher jusqu'au bureau. Et lorsque vint le temps de revenir à la maison, j'ai dû appeler une remorque pour m'en revenir chez moi.

Tamara : **Dans quel état est votre santé dans le moment présent ?**

Participant : Pas très bonne.

Tamara : Croyez-vous que vous étiez en état d'aller travailler ?

Participant : Non.

Tamara : Réalisez-vous que vous étiez en train de vous voler le quelque peu d'énergies physiques que vous aviez en allant travailler ?

Participant : Oui.

Tamara : Aviez-vous peur de faire face à votre patron en lui exprimant votre maladie ? Aviez-vous peur de perdre votre emploi ? Aviez-vous peur de perdre votre réputation ?

Participant : Sans aucun doute.

Tamara : Voilà autant de raisons pour lesquelles tout ceci vous est arrivé. Au premier élément déclencheur, quand votre voiture n'a pas démarré, vous auriez dû vous demander « Pourquoi ne démarre-t-elle pas ? Suis-je vraiment en état d'aller travailler aujourd'hui, ou aurais-je dû prendre congé, ou devrais-je prendre soin de mon corps physique. Devrais-je guérir mon corps physique ».

Plutôt que de penser à aller travailler de peur de manquer d'argent, ou de peur de déplaire à votre patron, ou de peur de perdre votre emploi, vous auriez pu observer votre état physique et vérifier si vous aviez la capacité d'effectuer votre journée sans aucun préjudice pour personne. Comprenez-vous ?

Participant : Est-ce que je pourrais partager ce qui m'est arrivé à moi, mais d'une façon positive ?

Tamara : Absolument. Pourriez-vous en faire une description détaillée afin que tous puissent bien comprendre votre expérience.

Participant : Hier, durant la journée je devais trouver de la laine minérale pour faire des réparations sur ma maison. Et à un moment donné j'ai dû ouvrir la trappe pour aller chercher quelque chose dans mon sous-sol, sans avoir à aller en profondeur, à descendre. Et à un moment donné, un morceau de la trappe est tombé au fond du sous-sol. Je me suis demandé pourquoi il était tombé au fond du sous-sol. Je suis descendu dans le sous-sol et j'ai trouvé là, la laine minérale dont j'avais besoin.

Tamara : Voilà. C'est exactement cela. Lorsque vous lâchez prise et que vous vivez simplement le moment présent hors de tous systèmes, les manifestations peuvent se produire, rapidement et concrètement. Plus vous prendrez conscience de vos systèmes de manipulation, plus vous prendrez conscience de votre façon de vous voler des énergies à vous-mêmes et de voler des énergies aux autres, plus vous remplirez de Lumière votre être, plus vous projetterez de la Lumière aux autres, ou aux situations, et plus l'Univers vous donnera immédiatement ce que vous souhaitez.

En parlant de désir, l'une des choses les plus agréables que l'être humain puisse souhaiter, est de rejoindre, de connaître ou d'être avec son âme sœur. Car, vous les humains, vous avez été créés en polarisation féminine et en polarisation masculine. L'une de ces deux polarités est toujours plus faible que l'autre, à moins que vous soyez devenu un maître ascensionné. Donc, vous devez partir à la recherche de votre polarité la plus faible pour trouver un équilibre et ainsi vous réaliser.

Vous n'êtes pas faits pour être seuls, à moins que karmiquement vous soyez venus apprendre des notions particulières par la solitude. Autrement, c'est en vous unissant à deux que le triangle se créera et que vous pourrez manifester Dieu au travers de toute chose. Il y a un homme très sage, il y a deux mille ans, qui a dit « Unissez-vous à deux, et je serai présent ». Donc, que vous soyez homosexuels, bisexuels ou hétérosexuels, vous avez besoin de votre âme sœur, ou de votre âme jumelle si vous êtes prêts à vivre cette situation, pour vous réaliser pleinement et entièrement sur Terre.

Non pas que vous ne puissiez pas le faire seuls. Mais c'est qu'en vous unissant, cela facilite les réalisations. Jésus-Christ avait bien son âme sœur. Tous et chacun ont bien leurs âmes sœurs. Ont bien leurs âmes jumelles aussi. La meilleure façon de découvrir votre âme sœur est en travaillant sur vous-mêmes. En connectant de plus en plus votre Lumière Divine, et vous pourrez passer la commande, tout simplement. « Je demande, à mon être Divin de placer sur ma route mon âme sœur maintenant ».

Comment se rencontrent les âmes sœurs ? Normalement, toujours d'une façon un petit peu particulière. Non pas dans une agence de rencontres. C'est rare d'y rencontrer son âme sœur, assez rare, croyez-Nous. Cela pourrait arriver bien sûr, mais toujours par des événements un peu particuliers. Si c'est dans une agence de rencontres, il se produira un phénomène bizarre. Exemple un souper à quatre est organisé, et vous devez selon ce qui a été établi, être la ou le partenaire d'une personne untel. Mais ce dernier se sent mieux avec l'autre participante, et vous voilà jointe au partenaire que l'autre devait avoir. Croisement, voyez-vous ?

Ou bien, vous entrez dans un supermarché, et en reculant pour prendre un litre de jus, vous vous frappez contre quelqu'un. En vous retournant vous faites une rencontre très intéressante ! Ou encore tout d'un coup quelqu'un passe devant chez-vous et fait une crevaison ! Ou bien tout d'un coup, une copine sent qu'elle doit vous inviter dans une soirée et vous y ferez une rencontre très particulière. Ou vous êtes sur le chemin et dans les emplettes que vous deviez faire, vous pensez soudainement à vous arrêter dans un endroit que vous ne fréquentez pas habituellement, et une surprise vous y attend.

La rencontre de l'Âme Sœur et de l'Âme Jumelle s'effectue toujours dans des petits moments particuliers. Ce sont toujours des moments où vous ressentez qu'il va se produire quelque chose. Où vous avez l'intuition d'avoir un geste particulier à faire. Avoir une relation avec votre Âme Sœur ou avec votre Âme Jumelle est très différent que de vivre des relations de couples karmiques. Afin de vous éclairer spécifions que l'âme jumelle est identique à vous. Elle est la moitié de vous. Mais pour bien le comprendre, il faut revenir au début de l'histoire.

Lorsque vous avez été engendrés en tant qu'esprits par Dieu, vous aviez en vous une polarité féminine ou masculine parfaite. Afin de pouvoir entrer dans la matière du plan physique, la polarisation parfaite a dû se scinder en deux. Ceci eut pour résultat que le premier homme ou la première femme, arrivant sur Terre, n'avait qu'une seule polarité selon l'expérience du corps physique qu'il venait vivre.

Au cours des expériences sur Terre, afin d'avoir une plus grande liberté d'action, la polarité mère s'est à nouveau rescindée en deux parties, et depuis lors, vous possédez tous en vous autant une partie d'énergie féminine que masculine. Vous expérimentez selon les besoins l'une ou l'autre de ces polarités. Dans une seule et même journée vous pouvez utiliser autant votre énergie masculine que féminine selon les actions que vous devez poser. Ce phénomène du départ a aussi créé une nouvelle situation, et ce fut celle de la recherche de l'équilibre.

En d'autres termes, les premiers humains étaient des êtres possédant en eux l'essence pure de la polarité, soit féminine, soit masculine. Ces êtres en devant diviser leurs polarités pour entrer dans la matière, ont créé des champs d'énergie polarisés selon la partie qu'ils avaient souhaité quitter. Cette énergie ainsi libérée développa son propre mouvement et put créer ainsi sa propre identité. Autrement dit, ces énergies libérées obtinrent le souffle de Dieu et devinrent des êtres entiers bien vivants. L'Âme Jumelle est donc la source de laquelle vous avez été émis, peu importe qu'elle soit une source féminine, ou qu'elle soit une source masculine.

Pourquoi alors l'être quittant les plans divins a-t-il dû se scinder ainsi ? Afin de pouvoir procréer et ainsi vivre l'histoire des générations. Tous les plans que Dieu a créés étaient, en Sa Source, parfaits et avaient en eux une polarité exclusive et parfaite. En abaissant leurs vibrations pour expérimenter des plans plus denses, ils ont tous dû diviser leur être pour créer une expérimentation nouvelle. Vous venez de prendre conscience que l'homme a créé l'homme et que Dieu lui a donné vie.

Vivre avec son Âme Jumelle n'est pas si simple que cela. Par un hasard magique de la vie, vous pouvez retrouver votre Âme Jumelle, c'est-à-dire, l'âme de laquelle vous avez été émis, ou encore retrouver l'âme que vous avez émise. Mais vivre avec son Âme Jumelle veut dire vivre avec quelqu'un qui est absolument, en tous points, identique à vous. Cependant, si vous avez cheminé et que vous avez résolu vos conflits intérieurs, en retrouvant votre partie manquante, en vous unissant ensemble, vous retrouverez la perfection de vos essences de naissance. Au moment de vos décès qui se vivront à la même fraction de seconde, vous réunirez vos énergies afin de redevenir un être unique.

L'âme sœur est une autre histoire. Les Âmes Sœurs sont des gens que vous avez connus dans les incarnations passées, et avec qui vous avez résolu la bonne majorité de vos karmas. C'est-à-dire que, vous avez résolu les conflits vous opposant, et vous êtes venus vous retrouver afin de créer ensemble des choses qui vous rapprochent de votre Divinité. Donc, les systèmes de manipulations ont déjà été vécus et intégrés entre les âmes sœurs. Ils n'ont plus de lieu, ils n'ont plus d'existence, ils n'ont plus de pouvoir. La relation avec une âme sœur se vit d'une façon très agréable. Vous aurez la sensation d'être avec le meilleur ami du monde. C'est comme si vous vous connaissiez par cœur jusqu'au bout des pieds. Souvent, malheureusement, des couples d'Âme Sœur se séparent parce qu'ils ne retrouvent pas le grand frisson de la conquête. Ce grand frisson est créé par les guerres des systèmes de manipulations, et ce n'est qu'auprès d'Âmes Karmiques que vous retrouvez ce genre de relation. Les couples karmiques se sont des gens que l'on rencontre et avec qui on n'a pas résolu les karmas de vies passées. Auprès de qui on est continuellement à vivre les quatre systèmes de manipulations. Est-ce qu'un couple karmique peut devenir des âmes sœurs, d'après vous ? Eh non. Est-ce qu'un couple d'âmes sœurs peuvent devenir des âmes jumelles, d'après vous ? Eh non. Ce sont trois modes différents d'énergie. Ce sont trois systèmes complètement différents d'énergie.

Votre relation de conjoint karmique sera très différente. Vous aurez toujours l'impression d'être en train de tirer l'un sur l'autre. D'être en train de pousser sur l'autre. D'être en train de tenter de vous faire une place auprès de l'autre. D'être en train de tenter de vous faire comprendre par l'autre. Vous aurez l'impression d'être toujours en train de marcher sur des œufs pour ne pas recevoir les foudres de l'autre. Beaucoup de relations amicales aussi sont basées sur les notions karmiques. Beaucoup de relations amicales peuvent être aussi basées sur des âmes sœurs. Vous n'êtes pas obligés de choisir une âme sœur comme conjoint ou conjointe, vous pouvez la conserver comme étant votre meilleure amie et vous taper une relation de couple karmique. Vous pouvez vivre une relation de couple d'âmes jumelles, avoir plein d'amis karmiques, et une maîtresse au niveau de l'âme sœur. Oh ! Que Nous venons d'en faire réagir plusieurs !

Donc, l'adultère n'est pas punissable de pendaison, d'emprisonnement ou de punitions diverses. Eh non. Le libre arbitre respecté à cent pour cent vous interdit d'avoir des droits sur la vie de l'autre. **Et si votre conjoint, dans le moment présent, rencontre une âme sœur et ressent le besoin de faire l'amour avec elle, vous n'avez pas le droit d'empêcher cette relation.**

Ce que vous avez le droit de faire est de dire à l'autre « Je vis un malaise, dans ce qui se passe présentement ». L'autre se doit de vous dire la vérité, s'il n'utilise pas ses systèmes de manipulation et vous dire « J'ai vraiment ressenti le besoin d'être auprès de cette personne, et de m'unir à elle ». Vous avez le droit de lui exprimer vos douleurs, sans utiliser les systèmes de manipulation, mais vous n'avez pas le droit de lui interdire de vivre son intimité, ses relations amicales ou sa sexualité comme il le désire.

Nous reviendrons sur ce sujet dans l'atelier sur la sexualité. Ce que Nous voulons bien vous faire comprendre, c'est que vous pouvez avoir une maîtresse afin de manipuler l'autre, ou vous pouvez avoir une maîtresse parce que c'est une âme sœur auprès de qui vous vous sentez très bien, ou encore une relation karmique dans laquelle vous avez besoin d'éclaircir ou de vivre des choses. Selon ce que Nous vous avons fait connaître au début de cette rencontre, prenez bien conscience que vous êtes dans un dôme de verre et que la seule et unique vraie façon de communiquer avec l'autre est au travers de la Lumière Divine que vous possédez en vous. Tout le restant ne sont que jeux de manipulations, ne sont que déniements, ne sont que vols d'énergie.

Nous vous souhaitons beaucoup d'observation dans les jours qui viennent sur vous-mêmes. C'est sans doute un gros ouvrage de prendre conscience de tout ceci, mais si vous n'en prenez pas conscience, vous ne pourrez pas élever votre taux vibratoire suffisamment pour pouvoir ascensionner, et redevenir les êtres Divins que vous êtes. Une huile essentielle de millepertuis en massant sous les pieds le point de réflexologie du plexus solaire vous aidera à retrouver vos énergies physiques, car présentement il y a une vague d'ondes d'énergies astrales très lourdes et tout le monde peut se sentir épuisé.

Nous quittons en vous soulignant que même Dieu avant de créer quoi que ce soit, a observé, pensé, réfléchi, ressenti, et décidé par la suite si cela était bon. Vous pourriez, en tant qu'enfants de Dieu, suivre le même processus de création.

Observez, écoutez, analysez,
ressentez avant de créer une action.

14

Les enfants et les ados, comment faire ?

Les enfants et les ados, comment faire ?

La rencontre de ce matin pourrait faire éveiller en vous des sentiments de culpabilité, des sentiments d'hésitation ou des sentiments de peur face à la tâche qui s'ouvre devant vous en tant que parents de jeunes enfants ou d'adolescents. Cependant, Nous voulons que vous preniez bien en conscience que toutes les informations que Nous vous transmettrons ce matin ont pour but maximum la plus haute qualité d'éducation ou de vie des enfants. Sur une côte de 100 % ceci représente 100 %, cependant si vous en atteignez 30 %, ce sera déjà une très belle réussite.

Les enfants sont les futurs créateurs de votre société. Depuis quelques années avec l'avènement des ordinateurs et des jeux vidéo, un niveau de violence et de compétition extrême règne chez eux. Vous pouvez constater par vous-mêmes une accentuation de suicides et de problèmes de comportement effarants. Ne soyez pas surpris que les meurtres deviennent des choses communes ainsi que les vols de toutes sortes et les destructions du bien des autres, puisque ces jeux leur apprennent exactement qu'il faut détruire, tuer, piller pour obtenir ce qu'ils désirent.

Avoir des enfants, éduquer des enfants, partager sa vie avec des enfants n'est pas chose facile à la fin de ce vingtième siècle. Car les rôles énergétiques, les rôles vibratoires, les rôles spirituels, depuis en particulier la dernière guerre mondiale, ont été complètement bousillés particulièrement au Canada, aux États-Unis et dans certaines parties des pays d'Europe. Ailleurs sur Terre les énergies sont toujours très bien respectées. Afin de vous faire comprendre ceci, Nous vous expliquerons quels devront être normalement le rôle de la mère et le rôle du père.

La mère dans son contact avec l'enfant est unie au niveau de ses émissions d'énergies auriques. C'est-à-dire que jusqu'à l'âge de sept ans l'enfant demeure rattaché à l'aura de sa mère et ce jusqu'à ce que ses chakras puissent fonctionner par eux-mêmes. L'enfant se nourrit dans l'aura de sa mère, se sécurise dans l'aura de sa mère et s'éveille dans l'aura de sa mère. Les comportements physiques, les paroles, les gestes quotidiens influencent bien sûr l'enfant. Cependant, ce sont les vibrations émises par l'aura qui ont le plus de répercussions sur ce petit être.

Si elle agit contrairement à ses sentiments, l'enfant réagira selon ce qu'il ressent dans l'aura et non avec ce qu'il vit dans la matière. Il est donc beaucoup plus rattaché aux pensées intimes de la mère qu'à la matière tangible. Plus particulièrement à partir de l'âge de cinq ans, le détachement de l'aura commencera graduellement à se faire. C'est-à-dire que l'enfant commence à régir ses énergies personnelles par lui-même et n'a plus besoin de se nourrir à la matrice énergétique qui est sa mère.

Le rôle du père au niveau énergétique, dans son aura, est d'être comme un ancrage au sol, d'être la présence vibratoire sécurisante et de lui permettre de vivre un apprentissage de la découverte. Ce qui est très différent du rôle de la mère. La mère dans ses ondes vibratoires auriques aide l'enfant à se développer, à connaître ses émotions, à découvrir ses gammes émotionnelles, à se réaliser lui-même dans son caractère, dans sa différence, dans son être. Le père, lui, apporte par ses énergies une stabilisation de ce qui a été intégré au contact de la mère.

Donc, l'enfant auprès de sa mère a une aura qui est en mouvement continuellement. Au contact du père, le mouvement se ralentit et s'intègre dans sa personnalité et dans l'être de l'enfant. C'est la raison pour laquelle avant que les gouvernements ne décident que les femmes deviendraient des travailleuses à faibles revenus, pendant la dernière guerre mondiale, avant que les gouvernements par des hommes politiques misogynes frustrés décident d'arracher les mères de leur foyer pour les implanter dans les usines, ces champs vibratoires étaient respectés à 100 %.

De nos jours, à cause des changements subis dans la société, à cause de la pseudo nécessité pour la femme d'aller se réaliser dans une fonction sociale, les femmes n'accomplissent plus leur rôle maternel vibratoire. Avec ces nouvelles possibilités de travail, la femme a perdu sa valeur initiale de mère, a perdu en elle la beauté, la dignité, la royauté qu'était l'état de mère. Et à cause des pressions gouvernementales et sociales, elle a commencé à s'identifier à un rôle social extérieur, donc à un emploi. La première guerre mondiale fut le déclencheur. Si elle ne possède pas d'emploi, si elle ne possède pas de carrière, si elle ne ramène pas d'argent à la maison, elle est un fardeau pour la société et elle n'est pas réalisée. Ceci est une très grossière erreur.

Plus la femme travaille à l'extérieur, plus elle méprise son rôle de matrice universelle de diffusion d'énergie maternelle pour créer une pseudo valeur sociale. Plus elle brime en elle son pouvoir d'éducation, son pouvoir d'accompagnement, en plus de tous ses rôles spirituels pour atteindre une pseudo satisfaction sociale. De plus, la majorité des emplois féminins identiques aux emplois masculins sont sous rémunérés. Les hommes font en sorte d'asservir les femmes en les payant moins cher.

Nous ne sommes pas vieux jeu ou arriérés dans Nos pensées, Nous vous disons ce que cela devrait être si l'on veut respecter entièrement les énergies et la Loi des énergies. Plus la femme a pris une position sociale, plus elle a détruit en elle cette fonction vibratoire maternelle, donc une bonne partie de son essence féminine, et plus l'homme s'est féminisé car il a dû commencer à effectuer des fonctions qui sont rattachées à la femme.

Nous ne parlons pas là des fonctions d'entretien dans la maison, Nous parlons là du rôle vibratoire exercé vibratoirement par chacune de ces entités. Que s'est-il donc passé un peu plus tard ? L'homme a dû inventer des garderies pour débarrasser la femme du poids des enfants pour qu'elle puisse aller travailler, pour qu'il abaisse ses frustrations d'être seul à pourvoir financièrement à la famille. Car, plus il se démasculinisait, plus il ressentait le besoin de se féminiser, plus il sentait donc lourdes ses tâches masculines qui étaient de pourvoir financièrement au besoin de la famille, autant que de pourvoir de par sa fonction masculine vibratoire auprès des enfants. Donc, d'être cet ancrage au sol, d'être celui auprès de qui les enfants expérimentaient ce qu'ils avaient appris auprès de la mère, lui semblait un rôle sans envergure.

Qu'arrive-t-il en fin de compte ? Ce qui arrive c'est que vous avez présentement sur Terre, mais particulièrement dans les pays que Nous vous avons cités un peu plus tôt, des enfants qui sont éduqués en garderie, qui sont insécures, qui vivent une perturbation émotionnelle importante, donc qui se créent des systèmes d'autodéfense. Des systèmes d'action-réaction et des systèmes de manipulation de plus en plus subtils. Vous avez des femmes qui entrent du travail complètement épuisées. Qui passent à peine une heure et demi auprès des enfants, en courant pour faire le souper, leur donner le bain, les mettre en pyjama, et en ayant peut-être, si elles sont très chanceuses, une demi-heure de contact réel avec leurs enfants. Et de quoi parleront-ils ? De ce qui s'est vécu à la garderie, naturellement.

Ce qui se produit c'est que la société, en particulier québécoise, des enfants qui s'en viennent, sera une société de robots. Sera une société d'adultes qui seront frustrés dans les besoins primaires infantiles, qui ne vivront que dans le but de gagner sur l'autre. Qui ne vivront que dans le but de la compétition, qui seront détachés de leur cœur et qui auront énormément de difficultés à se réaliser spirituellement. L'orientation des futurs enfants s'en va vers des technologies excessivement importantes et le reste du temps des systèmes de fuite pour ignorer l'état intérieur de leur être.

Regardez bien autour de vous les jeunes adultes, ceux qui sont dans la vingtaine, ils n'ont pas le contact avec leurs émotions. Ils ont le contact avec leurs frustrations. Ils ne s'expriment pas avec leur cœur ou très peu. Ils sont en compétition. Et ce qu'ils veulent, c'est une vie facile avec le moins de tâches possible. Lave-vaiselle, ordinateur, système d'éclairage programmé, automobiles qui roulent à cent soixante kilomètre heure, et surtout, évidemment, accumuler de l'argent à tout prix. À moins que les parents aident les enfants qui sont présentement en train de grandir, vous aurez de plus en plus d'êtres non connectés sur leurs réalités spirituelles et sur leur cœur.

Comment faire maintenant, autant avec les enfants qu'avec les adolescents ? Comment faire pour joindre le travail au rôle ou à la mission de maternage ? L'idéal serait, bien sûr, de consacrer les trois premières années exclusivement à l'enfant avant un retour au travail ou même avant d'envoyer l'enfant en milieu de garderie. Car, forcément dans les garderies, l'enfant oublie ses besoins personnels et apprend la compétition. Que peut-il faire d'autre ? Il est en milieu de compétition. Il doit défendre son territoire. Il doit, quelque part, taire ses besoins personnels pour faire les activités qu'on lui propose.

D'amener un enfant à l'âge de cinq ans à l'école est une des plus belles catastrophes que vous puissiez faire. Car, de cinq ans à sept ans, ce sont les deux années les plus précieuses où les chakras s'ouvrent vraiment, où la personnalité s'infuse vraiment de ce qui a été intégré avant, où la force spirituelle de l'Être se construit. Donc, c'est la période la plus fragile et la plus sensible aux réactions face à l'éducation qu'il recevra. Encore là, les écoles sont dans le principe de la compétition. Qui est le premier de classe ? Qui va gagner la course ? Qui aura la médaille à la fin de la semaine ? Qui débarrasse son bureau le plus vite ? Et ainsi de suite.

Savez-vous quelle est la pire façon d'éduquer vos enfants, réfléchissez bien, c'est de les éduquer par le système de la récompense. Si tu es gentil, tu aura une récompense. Si tu te laisses faire par le chiropraticien tu viendras au MacDonald. Que pensez-vous que l'enfant va faire ? Il se laissera faire parce qu'il sait qu'au prochain rendez-vous sa mère lui repromettra le MacDonald et qu'il pourra négocier plus encore. Et une bonne journée ce sera une Mercedes Benz que vous devrez lui donner pour une visite chez un dentiste ! Il n'y aura pas de limite.

La meilleure façon d'éduquer un enfant c'est d'éviter certains objets qui l'éloignent de ce qu'il est vraiment. Certains objets qui lui permettent des fuites, tels les biberons, les suces, la grande majorité des jouets modernes, la télévision, l'ordinateur, le Nintendo, et compagnie.

Lorsque vous donnez une suce à un enfant, vous venez de lui apprendre à ne pas faire face à ses émotions et vous venez de lui refuser de l'aider à faire face à ses gammes émotionnelles. Il crée donc une dépendance. Plus tard, il aura besoin de se mettre quelque chose dans la bouche pour téter. Que fera-t-il donc ?Il fumera, boira ou aura une sexualité excessivement active pour éviter, encore là, d'être en contact avec son émotivité. Depuis les dernières dix années, les enfants débutent l'apprentissage de leurs sexualité à 5 ans. Ils commencent déjà les baisers, les caresses et les expériences de toucher physique sexué.

Idéalement, la première année de l'enfance devrait se vivre le plus près possible de son enfant en l'allaitant. En commençant à le nourrir vers l'âge de neuf mois, par des aliments mous. C'est-à-dire des fruits mous, des céréales molles, des légumes mous qu'il pourra prendre lui-même sur sa tablette, et non pas le gaver de petits pots manufacturés pleins de sucre et de colorants.

L'allaitement maternel est essentiel, non seulement au niveau des vitamines qui sont diffusées par le lait maternel, au niveau des anticorps et de la protection de la santé de l'enfant, mais surtout au niveau émotionnel. C'est que le lait maternel diffuse en lui, non seulement une nourriture complète mais aussi une nourriture vibratoire et spirituelle importante pour sa réalisation.

La grande majorité des malaises de l'enfant, de la petite enfance, que ce soit une otite, une conjonctivite, un peu d'érythème fessier, ou un petit peu d'eczéma, qui seront dus bien sûr à l'alimentation de la mère, peuvent être soignés grâce au lait maternel, en en déposant quelques gouttes sur la peau ou dans l'œil. Utiliser les antibiotiques pour un jeune enfant est la meilleure façon de détruire son système immunitaire, il sera de plus en plus malade et il aura besoin d'antibiotiques de plus en plus forts.

Donc, jusqu'à l'âge d'un an, l'enfant devrait être toujours très près de sa mère. À partir de cet âge, il ne faut plus concevoir un enfant comme étant un enfant, mais bien le concevoir comme étant un adulte en voie de se réaliser. Il peut donc commencer à effectuer la responsabilité de sa vie, dès l'âge d'un an. Ceci revient à dire qu'avec l'aide de sa mère, il ramasse les jouets, il prépare le dîner avec elle, il fait le lit, il dépose ses vêtements sales dans la laveuse, il y verse le savon et ainsi de suite.

Impliquer vos enfants dans la responsabilisation de la vie, c'est-à-dire dans toutes les fonctions naturelles que vous avez à exercer dans la vie, est l'une des choses les plus essentielles pour créer l'être, ou pour aider un être à se créer dans une stabilité émotionnelle, spirituelle et matérielle parfaite. De donner une multitude de jouets aux enfants pour qu'ils se divertissent eux-mêmes, le temps que vous faites toutes vos tâches seule, est l'une des plus belles façons de les empêcher de développer leur maturité.

La vie demande certaines formes de responsabilité quotidienne, et il est bon qu'il les apprenne très tôt. Vous avez besoin de vous vêtir, vous avez besoin d'entretenir votre domicile. Vous avez besoin de faire des commissions. Le retirer de ce monde de responsabilités fait en sorte que l'enfant ne comprendra jamais toutes les énergies que ceci vous demande et sera toujours frustré de la qualité d'énergie que vous pourrez lui offrir après avoir effectué toutes vos tâches, s'il vous reste du temps.

À partir de l'âge de deux ans, l'enfant peut réaliser les choses sans que vous les fassiez directement avec lui. Donc, vous planifiez, exemple, que vous irez faire une commission, l'enfant est apte à mettre lui-même les pommes dans le sac. L'enfant est apte à choisir lui-même le genre de fruits qu'il désire manger. Il est apte à comprendre que six pommes sont suffisantes pour la période présente. Il apprendra à attendre, à gérer, à comprendre la logique mathématique.

Il y a des règlements à respecter auprès des enfants. Premièrement, les parents **n'ont pas le droit** d'obliger un enfant à manger ce qu'il n'aime pas. **N'ont pas le droit** de choisir les vêtements pour un enfant. **N'ont pas le droit** de choisir la coupe de cheveux, la couleur de cheveux d'un enfant. **N'ont pas le droit** de choisir si l'enfant aura une boucle d'oreille dans le nez ou non. **N'ont pas le droit** de choisir la décoration de la chambre d'un enfant. **N'ont pas le droit** de choisir les jouets qu'un enfant aura.

Tout ce que vous avez le droit de faire en tant que parents, c'est de l'aider à réfléchir sur ses besoins. Vous pouvez choisir ensemble qu'il n'y aura pas de jouets de guerre dans la maison, ou rien qui incite à la violence, en lui faisant comprendre le danger de la violence. Vous pouvez choisir ensemble d'éviter certaines émissions télévisées en lui faisant comprendre encore là les dangers de la violence. Une discussion saine sur la violence, sur les réactions en chaîne de la violence serait un atout important dans toutes les familles du monde.

À partir du moment où vous faites les choix pour l'enfant, vous venez de le brimer de son libre arbitre. Vous venez de l'empêcher de développer sa maturité. Vous venez donc de l'entraîner dans une série d'étapes plus difficiles quand il aura une trentaine d'années pour se découvrir lui-même et savoir ce qu'il voudra vraiment. Si vous avez vécu une très belle grossesse, si vous avez vécu la première année intense auprès de votre enfant en répondant à ses besoins d'allaitement, en répondant à ses besoins de contact, à l'âge de deux ans il sera suffisamment mature pour savoir s'il veut mettre le pyjama bleu, le jaune ou le vert ce soir.

Il sera suffisamment mature pour dire qu'il n'aime pas les toutous rouges dans sa chambre. Et plus il grandira et plus il sera sûr de lui. Le premier motif qui incite un adulte à consulter un psychologue est le manque de confiance en lui. Le deuxième est l'incapacité de contrôler ses peurs. Le troisième est son incapacité d'exprimer ses émotions. Tout ceci est grâce aux anciennes façons d'éduquer les enfants.

L'enfant a le droit de s'investir dans la vie de famille et ce dès son plus jeune âge. C'est-à-dire que dès l'âge de deux ans, les décisions ne devraient pas être prises en fonction du couple seulement, mais en fonction de la famille. Le problème dans l'éducation des enfants, c'est que les parents disent qu'ils ont un rôle d'autorité et décident tout pour les enfants. Ce qu'il vous faudrait comprendre, c'est qu'à partir de trois mois avant la conception d'un enfant, vous n'êtes plus un couple vous êtes devenus une **famille**. Et en tant que famille tout doit se décider comme étant des membres autonomes, matures, spirituels et réalisés.

Donc, dès l'âge de deux ans vous pouvez amener les enfants à prendre part aux décisions. À prendre part aux discussions. « Il serait bon maintenant d'aller faire la commande d'épicerie, est-ce que cela te plairait ? » Et si l'enfant dit non, qu'est-ce que vous faites ? Bien vous discutez avec lui afin de comprendre son refus. « Pourquoi ne veux-tu pas y aller présentement ? ». « J'en n'ai pas envie, maman ». « Oui, mais de quoi n'as-tu pas envie ? ». « Parce que j'ai joué tout seul dans mon coin depuis ce matin, tu ne t'es pas suffisamment occupée de moi ». Et voilà. Vous venez de comprendre que vous avez ignoré cet enfant. Prenez un vingt minutes près de lui pour jouer un peu et il ira de son plein gré, joyeusement à l'épicerie avec vous.

Si vous vivez auprès de votre enfant comme s'il est un adulte avec tous les pouvoirs de conscience, à partir de l'âge de deux ans lorsque vous faites les repas, il lave les légumes. Il commence déjà à pouvoir tranquillement les couper, avec un couteau bien sûr sécuritaire. Il peut sortir les choses du réfrigérateur et vous aider à monter la table. Il peut vous aider à desservir la table. Et bien cet enfant sera conscient de ce que la vie a besoin d'être, pour être heureux. Si vous le laissez jouer lui-même tout seul pendant tout ce temps où vous faites toutes ces tâches, il n'apprendra jamais la responsabilité de la vie et il aura toujours l'impression que vous ne voulez pas de lui !

Pourquoi croyez-vous qu'il y a autant d'enfants qui quittent les systèmes scolaires ? Pourquoi croyez-vous que 60% des étudiants, au niveau des études supérieures, ne terminent pas non plus leurs études ? Pourquoi croyez-vous que les enfants ont tant de problèmes de drogues, d'alcool et de dépendances ? Parce qu'ils n'ont pas appris à vivre les nécessités de la vie, ils ont joué. Ils ont eu tellement de jouets que leur salon ressemblait à une garderie.

En parlant de salon, une autre grossière erreur est due au fait que les parents refusent de voir en leurs enfants le miroir qu'ils sont. Les parents ne s'aiment tellement pas qu'ils ne veulent pas voir en leurs enfants les dégâts qu'ils ont en eux et la misère que leurs enfants transportent alors que font-ils ? Ils ne donnent pas de place dans leur maison aux enfants. Les enfants auront une petite garde-robes de jouets bien cachée dans le sous-sol. Si vous avez une chambre à coucher, l'enfant a droit à une chambre à coucher. Si vous avez une salle à dîner, un salon, un boudoir, un bureau, une cuisine, une salle de lavage, une salle de couture, une salle de rangement, un garage et quoi encore, pourquoi l'enfant n'aurait-il pas une place, une pièce en plus de sa chambre ou une pièce qui sera utilisée pour lui, pour y mettre ses jouets et ses œuvres d'art. Pourquoi ne lui laissez-vous pas d'espace dans vos maisons ? De place dans vos vies ?

Pourquoi les enfants doivent-ils à tout prix vivre dans des maisons d'adultes ? Ne laisse pas tes jouets traîner, c'est laid. C'est sûr que c'est laid parce que ça vous rappelle vos misères d'enfance, vos malheurs d'enfance, vos solitudes d'enfance. Vous n'avez pas eu de belles enfances alors pourquoi en auraient-ils eux ? Pourquoi l'enfant n'aurait-il pas un babillard sur un mur de la cuisine où il mettrait ses créations ? Pourquoi l'enfant n'aurait-il pas au moins le tiers du salon ? Sa bibliothèque à lui pour ses livres. Pourquoi lui interdire un espace vital pour se réaliser ? Une petite table dans la cuisine pour y faire ses bricolages et compagnie ? Pour y jouer avec vous aux casse-têtes.

Pourquoi les adolescents sont-ils aussi rebelles, croyez-vous ? Parce qu'ils n'ont pas appris à se responsabiliser dans la vie de tous les jours. Alors lorsqu'ils arrivent à douze, treize ou quatorze ans, ils ressentent qu'ils ont en eux un pouvoir équivalent au vôtre. La différence c'est qu'ils n'ont pas de barbe, moins de sein, ne sont peut-être pas encore menstruées, n'ont pas d'argent et ne sont peut-être pas aussi grands non plus. Mais ils ont exactement la même capacité de réflexion, et tout d'un coup ils veulent s'imposer et ne plus subir vos choix.

C'est la raison pour laquelle les adolescents font des crises. Parce qu'ils ne veulent plus être la victime de vos choix, même si ces choix sont bons parfois pour eux. Ils ne veulent pas se les faire imposer. Parce qu'ils n'ont pas participé aux décisions familiales depuis leur tendre enfance, ils ont été mis à part, alors ils veulent se faire une place et parfois à coups de coudes.

Il y a une façon particulière d'élever les jeunes enfants ou d'éduquer les jeunes enfants. En fait, le terme idéal serait de leur apprendre à grandir, et cette façon de faire est la façon **sans perdant**. C'est-à-dire que les parents ne décident pas pour les enfants et les enfants ne décident pas pour les parents. C'est-à-dire qu'on écoute les besoins de l'autre, qu'on en discute ensemble et que l'on trouve des solutions ensemble. Il y a un problème qui se pose, la chambre de l'enfant n'est pas en ordre. Le parent veut à tout prix que ce soit en ordre, même si dans les Lois du respect du libre arbitre de l'enfant les parents **n'ont pas le droit** d'imposer une chambre propre à l'enfant.

La seule chose que les parents peuvent faire c'est lui dire « si tu préfères laver tes vêtements sales par toi-même après que tu les auras ramassés, viens me voir et je t'expliquerai comment le faire ». Et non pas aller dire à l'enfant « ramasse tes guenilles sales par terre et apporte-les au lavage, sinon je ne les lave pas ». L'enfant doit être conscient, en discutant avec lui, qu'il a le droit de garder sa chambre dans le bordel si ça lui tente.

Mais un enfant qui a vécu un accompagnement à grandir sera conscient que sa chambre est en réalité le reflet de son âme, et que si son âme est en ordre, sa chambre sera toujours bien mise. Donc, s'il a apprit à grandir sainement, s'il a vraiment fait partie de la structure familiale, s'il a partagé avec vous les cheminements de la vie, vous n'aurez jamais à lui dire de ranger sa chambre. Il aimera sa chambre parce qu'il aimera son être intérieur. Comprenez-vous bien ceci ?

S'il est huit heures et que votre enfant ne dort pas encore et que vous êtes fatiguée, plutôt que de l'engueuler, plutôt que de l'obliger à dormir, plutôt que de le punir, réalisez qu'il n'est peut-être pas capable de dormir parce qu'il a peut-être une frustration intérieure en lui ou qu'il est malade. Vous pourriez peut-être alors lui demander « Est-ce qu'il y a quelque chose qui ne va pas, qui t'empêche de dormir ? ». « Est-ce que tu veux le partager avec moi ? ».

Ainsi il vous exprimera ce qui se passe. S'il n'a rien de spécial, vous pourriez lui dire « tu ne veux pas dormir, c'est bien. Mais demeure dans ta chambre s'il te plaît, car j'ai besoin d'un peu d'espace à moi, j'ai besoin de dormir ». Vous l'embrassez et vous quittez sa chambre. Il s'endormira lorsque le temps pour lui sera venu, soyez sans crainte.

En réalité, le terme enfant ne devrait même pas exister, pas plus que le terme adolescent. Tous les êtres humains sont des adultes soit en voie de se réaliser, soit déjà réalisés. Les enfants ne sont pas des enfants, ce sont des membres de la famille. Si vous percevez votre enfant comme un membre de la famille, si vous le percevez comme un bon ami, si vous le percevez comme quelqu'un que vous avez profondément désiré, donc que vous avez choisi consciemment de l'amener à être grand, à grandir, vous n'aurez plus de difficultés avec vos enfants.

Que se passe-t-il donc lorsqu'il y a une punition imposée par le parent ? L'enfant créera un blocage par rapport soit à la partie féminine ou masculine de lui dépendamment de qui a imposé la punition. Exemple la mère impose une punition sévère, « je ne veux pas que tu joues à la table, va-t-en immédiatement dans ta chambre ». Plutôt que d'avoir demandé à l'enfant d'aller déposer son jouet et de venir manger lorsqu'il se sentira prêt. Cette punition fait en sorte que l'enfant déniera une partie de ses émotions ou de ses vibrations féminines, donc une partie de son côté féminin

Si le père impose une punition grave, une bonne claque sur la gueule parce que l'enfant a été déplaisant avec sa mère. C'est sûr qu'il a pu être déplaisant, car il n'a pas de place, l'enfant, dans la vie de famille à date et on lui impose un contrôle. L'enfant ira donc dénier une partic de sa masculinité en lui. Ne vous demandez pas pourquoi vous êtes tant perturbés, pourquoi vous avez tant de déniements, pourquoi vous avez tant besoin de changer vos apparences physiques.

Pourquoi vous avez tant besoin de mille et une techniques pour vous retrouver ? Parce que vous avez été des enfants confits dans une vieille mentalité. Donc, vous avez été des petits niaiseux, innocents, inséçures, impotents, incapables, et que les adultes ont tout décidé pour vous. Vous pouvez bien avoir besoin de multitudes de thérapies pour découvrir le sens réel de votre vie. Maintenant, s'il arrive un traumatisme encore plus grand, que se passe-t-il ? L'enfant est en train de piquer une bonne crise de nerfs parce que l'on ne s'est pas occupé de lui de la journée, parce qu'il n'a pas eu de place dans la maison pour aider à sa survie et à sa vie, parce qu'il n'a rien choisi, parce qu'on l'a ignoré. Le père ramasse cette petite fille et lui dit « Tu cesses de crier maintenant » en criant plus fort qu'elle naturellement pour la traumatiser et lui faire bien peur. La petite fille continue à crier, parce qu'en plus de crier d'insatisfaction, elle crie maintenant de peur face à son père. Il crie encore plus fort, lui ramasse une claque sur les fesses, et la garoche dans un bain d'eau froide.

Que pensez-vous qu'il va se passer ? Blocage au niveau de la sexualité de l'enfant, elle aura beaucoup de difficulté à aimer un homme. Elle développera l'homosexualité. Ou elle se dirigera vers des hommes qui ne pourront pas l'aimer vraiment. Des hommes déjà engagés, violents, dépendants. Même chose pour un petit garçon qui serait ainsi traumatisé par sa mère. Il vivra le même processus soit d'homosexualité, soit d'engagement vers des femmes non aimables.

Au niveau des grands-parents maintenant. Ceux-ci peuvent devenir les meilleurs amis de leurs petits enfants s'ils apprennent à les écouter avec leur cœur. Si les parents n'ont pas eu la possibilité d'élever leurs enfants avec la technique sans perdant, les grands-parents pourraient devenir un outil indispensable afin d'aider leurs petits enfants à comprendre ce qu'ils veulent pour ensuite l'exprimer à leurs parents.

Les grands-parents peuvent aussi aider le parent à faire des choix, à développer des techniques d'écoute des enfants. Il peut reconnaître ses propres erreurs et aider le parent à ne pas en faire des répétitions. Le rôle des grands-parents est sous-estimé dans la société actuelle. Ils sont rangés dans des maisons pour personnes âgées. Ils ont une vie sans participation aux décisions familiales. Ils ont quelques fois la visite des leurs, mais rarement leur présence continuelle.

Plus la société se modernise et moins les grands-parents ont d'espace pour vivre avec les leurs. Ils sont encombrants, malades, débiles, et nuisibles. Pourtant, leurs rôles sont essentiels, autant vibratoirement qu'affectivement dans la vie de toutes les familles. En réalité, les grands-parents devraient continuer à faire partie des familles. Ils pourraient exercer leur connaissance de la vie, utiliser leur sagesse, faire connaître des expériences enrichissantes à tous les leurs.

Un grand-parent dans une maison est bien autre chose qu'une source de problèmes. Si vous vivez avec lui comme vous devriez vivre avec vos propres enfants, cette relation sera des plus enrichissantes et des plus agréables. Les anciennes façons d'éduquer les enfants ont fortement marqué plusieurs générations dont la vôtre. Vous vivez un besoin de rejeter vos passés parce qu'ils ont été trop traumatisants pour vous. Alors vous jetez le bébé avec l'eau de la bassine. Plutôt que de faire face à vos émotions, plutôt que de vous permettre de vous exprimer auprès de vos propres parents, vous préférez les rejeter et les éviter le plus souvent possible.

Si vous prenez le temps de vous centrer sur votre cœur, si vous prenez le temps de savoir ce qui n'a pas été dans votre enfance. Si vous prenez le temps d'enlever la colère, le mépris et la haine de vos cœurs. Vous trouverez les bons mots pour leur exprimer ce qui vous a marqués. Ainsi vous pourrez résoudre des conflits intérieurs et vous aiderez ainsi les générations à venir qui n'auront pas à faire toutes ces démarches pour se réaliser pleinement.

En revenant aux parents maintenant, il est simple de comprendre pourquoi il y a tant de cancers de l'utérus, tant de cancers de la prostate chez les gens de plus de quarante ans aujourd'hui. Le fait que la société a fait en sorte de dénaturer l'essence vibratoire féminine et masculine est la première cause de ces problèmes de santé. D'ailleurs, s'il n'y a pas un changement radical dans votre façon de vivre vos vies, il y aura de plus en plus de ces formes de cancers, et vous les développerez de plus en plus jeunes.

Les cancers du sein ou de l'utérus sont tout simplement dus à des conflits non résolus face à la sexualité féminine. La femme se sent brimée dans sa liberté de vivre sa sexualité et son énergie féminine. On lui a interdit de vivre ses maternages sainement. On lui a interdit de s'occuper de ses enfants comme elle aurait dû le faire. De plus, les hommes ayant été privés d'un tel apprentissage naturel auprès de leur propre mère, ont absolument besoin de se faire materner par leur épouse.

Cette réalité, malheureusement très fréquente, fait en sorte que la femme n'a pas le droit de materner ses enfants, mais doit materner à tout prix son époux. Alors au niveau de l'inconscient, elle crée un rejet de la situation. Trop souvent aussi, lorsqu'elle se retrouve sur le marché du travail, comme elle n'a pas satisfait son rôle de maternage, elle sera portée à le projeter sur tous ceux qui l'entourent. Elle maternera patrons et employés pour se donner une identité, pour compenser le vide de son existence.

Les autres en prendront profit, bien entendu, et graduellement elle tombera malade. Peu de mois passeront après qu'elle aura ressenti le premier malaise d'un manque intérieur pour que le cancer se déclare. Si elle arrive à exprimer, d'abord à elle-même ensuite aux autres, qu'elle en a assez de les materner, qu'elle a manqué une partie de ses réalisations en ne pouvant vivre son plan vibratoire en entier, les traitements seront efficaces et elle pourra se sortir du cancer.

Cependant, si elle n'y arrive pas, peut-être que les traitements réussiront, mais un nouveau cancer se développera dans un autre organe, souvent le foie qui est le siège de la colère. Et si ce nouveau cancer peut encore être guéri, selon sa résistance nerveuse, soit elle développera une maladie mentale ou elle mourra d'une crise cardiaque. Pour l'homme, le fait est le même. De ne pas avoir vécu son rôle paternel vibratoire, d'avoir été le fils de sa femme, d'avoir étouffé sa sexualité masculine aussi fortement, lui donnera le cancer de la prostate. Il devra, comme la femme, faire sa recherche intérieure. Réaliser ce qu'il a manqué dans la réalisation de son énergie masculine, l'exprimer et faire les changements adéquats afin de se libérer du cancer.

Comme la femme, s'il n'y arrive pas il vivra une série d'afflictions jusqu'à ce que la mort l'emporte. L'un comme l'autre n'aura plus qu'à revenir dans une autre vie pour tout recommencer et refaire l'expérience de leur rôle parental afin de finir par tout comprendre. Nous ne vous disons pas que vous êtes de mauvaises personnes, Nous vous suggérons simplement d'examiner la façon que vous avez d'éduquer vos enfants afin de vous permettre d'avoir en plus d'une vie beaucoup plus agréable avec eux, une excellente santé jusqu'à la fin de vos jours.

Avoir des enfants, alors que la Terre est bouleversée partout continuellement, prend du courage. Les élever de façon à respecter les lois énergétiques prend encore plus de courage. Cependant, c'est grâce à l'effort constant des nouveaux parents, des parents qui réviseront leurs systèmes d'actions envers leurs enfants, que des sociétés fortes, honnêtes, spirituelles et entièrement réalisées pourront voir le jour.

Nous tenons, en dernier lieu, à vous aider à bien comprendre ce que représente le rôle féminin et le rôle masculin dans la réalité quotidienne. Sortir les vidanges n'est pas nécessairement un rôle masculin. Faire la lessive, n'est pas nécessairement un rôle féminin. Tout se joue dans la façon de faire les choses. Les tâches domestiques ne sont pas plus féminines que masculines. L'idéal est de discuter entre vous pour savoir quelle tâche vous convient le mieux.

Un homme préférera faire la lessive que de passer l'aspirateur. Une femme préférera sortir les vidanges que de laver les planchers. L'important c'est qu'il n'y ait pas de tâches stéréotypées anciennement accordées selon le sexe de la personne. Autrement dit, il est faux que l'homme doit toujours être en charge du déblaiement de la neige, la preuve étant faite, il décède plus facilement d'un arrêt cardiaque en accomplissant cette tâche que la femme.

Les parents devraient toujours se mettre d'accord sur les thèmes qui les préoccupent sans la présence des enfants. Apprenez à discuter entre adultes, en adultes, équilibrés. Malheureusement, beaucoup trop de parents font des spectacles brillants d'éclats devant leurs enfants pour faire voir que le père ou la mère sont de mauvaises personnes. Ils pensent ainsi conquérir l'amour de l'enfant et les avoir de leur coté. Vous pourriez être bien surpris de savoir que l'enfant, intérieurement prendra pour la victime et non pour le plus fort. De pis, il deviendra plus tard cette victime s'il n'a pas résolu ses conflits intérieurs dus à ces scènes de ménage, ou encore il deviendra le bourreau s'il préfère le pouvoir à l'être.

En éduquant vos enfants selon le respect qu'ils méritent vous hériterez de beaucoup plus que d'avoir le bonheur de voir vos enfants grandir sainement. Vous aurez ainsi la chance de vivre une thérapie d'amour quotidienne et cela vous permettra de résoudre vos conflits de votre propre enfance. Vous serez de plus en plus heureux et vous aimerez la vie d'une façon de plus en plus grande et elle vous le rendra au centuple.

Savoir écouter, savoir parler, savoir partager, savoir débarquer de vos rôles stéréotypés, savoir ressentir pleinement la vie en vous sont des outils essentiels pour réaliser un excellent maternage ou paternage.

Prendre conscience que les enfants ne sont pas des enfants mais bien qu'ils sont des adultes en devenir vous aidera grandement à les respecter, à les apprécier et à les aider comme ils le méritent. Les sociétés du futur sont entre vos mains, chers parents, à vous de décider ce que vous voulez qu'elles soient.

15

S'enrichir

S'enrichir

S'enrichir. De nos jours, s'enrichir est devenu une obsession pour l'être humain. Le but de la rencontre aujourd'hui est donc de vous donner des outils pour vous aider à vous enrichir financièrement, pour vous aider à faciliter la gestion de vos avoirs et à augmenter l'arrivée de l'argent dans vos existences. L'argent, comme la pluie ou le soleil, est une source d'énergie divine. Vous ne devriez donc jamais en manquer.

Dans la période que vous traversez présentement sur Terre, certains êtres pernicieux, particulièrement les Grey Man, ont bloqué les argents. Qu'est-ce que ceci veut dire ? C'est qu'un groupe de gens d'affaire, depuis plus d'une centaine d'années, est arrivé à s'infiltrer dans tous les domaines, et ce autant en politique, des armes, des recherches scientifiques que du coté alimentaire, pharmacologique, médical et encore bien d'autres, et en ont pris le contrôle financier.

Au cours des décennies, il y a eu une rotation à l'intérieur de ce groupe, de nouvelles personnes s'y sont jointes, mais provenant toujours des mêmes familles. Au cours des décennies, bien qu'ils ne soient qu'un petit groupe, ils ont conquis et possèdent le contrôle financier mondial. Ils sont infiltrés dans tous les domaines et dans tous les pays.

La grande majorité des compagnies autant pharmacologiques que les agences d'immeubles, que les grandes entreprises de fabrication de produits domestiques et leurs sous-contractants, leur appartiennent puisqu'ils en sont les principaux actionnaires. Ces êtres utilisent la magie noire, les incantations sataniques, les messes noires et leurs logos sont à l'effigie du diable. Vous pourrez, si vous observez bien vos boîtes de savon à lessive, voir sur le logo le chiffre 666, ou la marque du diable. Afin de créer des besoins, de créer des dépendances, ils ont donc retiré les sources financières dans le but de faire monter l'agressivité chez les gens. Dans le moment présent, ils mijotent à nouveau une prochaine guerre mondiale, ils agissent donc de la même façon qu'à la fin des années 30, appauvrissant les gens, faisant monter les prix, coupant la production un peu partout.

Comme à cette époque, la majorité des êtres humains vivent en ce moment de l'histoire beaucoup de difficultés à acquérir de l'argent. Les riches sont devenus très riches, la classe moyenne s'est divisée en deux, elle est soit devenue riche ou pauvre, et les pauvres sont de plus en plus pauvres. Depuis le début des années 80, leurs stratagèmes pour la guerre sont commencés. Vous pouvez le constater facilement si vous observez bien l'évolution du monde des finances depuis ces années.

Face à toutes ces situations, il est normal de vous sentir agressifs, de vous sentir en colère quand après toute une semaine de travail, vous avez encore de la difficulté à budgéter votre revenu et que vous n'arrivez pas à payer tous vos comptes. Vous avez encore de la difficulté à rencontrer toutes vos obligations, et les imprévus se manifestent sans cesse.

Comment vous en sortir ? Les lois spirituelles ont des outils remarquables et faciles pour vous aider. Il y a quatre grands principes à respecter pour attirer l'argent et pour attirer l'abondance. Le premier des principes est de ne jamais demander, dans vos prières ou par vos pensées, de l'argent pour obtenir quelque chose. Autrement dit, « Oh ! Ça me prendrait bien 100 $ pour acheter un magnétophone pour les enfants. Ça me prendrait bien 50 $ pour m'acheter un chandail. Ça me prendrait bien 250 $ par mois de plus pour pouvoir mieux boucler le budget « .

En commandant l'argent directement par vos prières, vous empêchez toutes les sources Divines de vous apporter ce dont vous avez besoin, puisque ce n'est pas nécessairement sous la forme de l'argent que vous obtiendrez vos choses. Vous pourriez très bien gagner une voiture, qu'un ami vous donne un lecteur de disques, qu'un héritage pour apporte votre mobilier de salon. Il ne vous faut pas commander l'argent, il vous faut commander l'objet que vous désirez. Donc, ne pas commander 35 000 $ pour une voiture.

Deuxième des principes importants est de cesser de regarder ce que vous n'avez pas, mais plutôt regarder ce que vous possédez. Vous allez vous rendre compte que vous êtes très riches, car la grande majorité des êtres humains ont dans leur propriété un minimum d'un tiers d'objets complètement inutiles qui ne servent à rien. Comme vous êtes frustrés de manquer d'argent quand vous en avez un petit peu, vous allez acheter un chandail que vous ne porterez qu'une fois ou deux, pour ensuite le jeter, ou le ranger dans un coin jusqu'à ce que les mites l'habitent. Vous avez tendance, les humains, à vous défruster par des achats totalement inutiles. Vous êtes coincés financièrement, et pourtant vous allez vous acheter des bandes dessinées à 15 $ pour faire des collections.

Les collections d'objets sont significatives d'un manque intérieur que vous tentez de combler par des objets inutiles. Ce qui veut dire que vous ne vous habitez pas vous-mêmes. Que vous ne vous aimez pas vous-mêmes, que vous ne remplissez pas vos vides puisqu'en général vous n'en êtes même pas conscients. Et que vous avez besoin d'empiler les choses pour vous sentir en sécurité. Toutes les collections signifient un manque de sécurité intérieure, un besoin de contrôle et de possession.

En réalité, si vous apprenez à vivre pleinement votre moment présent, vous n'aurez plus besoin de collections, vous n'aurez plus besoin de photographies pour vous rappeler de vos souvenirs car, tout sera gravé à l'intérieur de vous. Et quand vous ressentirez le besoin de vous retrouver sur une plage à Hawaï, où vous avez déjà été, vous n'aurez qu'à fermer vos yeux et vous serez sur cette plage à nouveau par la pensée. Donc, déjà là, il y aura une économie financière importante.

Récapitulons, première étape : ne commandez rien, dans vos prières, par les sommes d'argent. Commandez les objets. Deuxième étape, regardez ce que vous possédez déjà comme étant une richesse, et non pas vous sentir pauvres. Troisième étape prenez conscience de ce que vous avez vraiment besoin et n'attendez pas d'avoir du **neuf** pour être heureux. Le gros problème des sociétés modernes, c'est que tout fonctionne par une étiquette de noms snobs. Si vous n'avez pas un Louis Garneau, si vous n'avez pas un parfum Chanel, vous n'êtes pas heureux et vous ne faites pas partie de la société. Pourtant les noms ont très peu d'importance. Tant que votre chandail est en fibre naturelle, qu'il vous ait coûté 600 ou 25 dollars, il n'aura une seule et unique fonction : vous recouvrir.

Les étiquettes de noms sont quelque chose de complètement inutile. De complètement inapproprié pour quelqu'un qui est en train de développer son cheminement spirituel, son humilité et sa simplicité. L'important demeure d'être bien mis, confortables, propres et d'avoir un port digne. Vous pourriez bien être vêtus de guenilles, si vous êtes dignes, si vos gestes sont emplis d'amour jamais personne ne remarquera que vous portez des vêtements usagés.

La dernière des étapes est d'apprendre à recycler ce que vous possédez. Au lieu d'aller magasiner chez Tristan, vous pourriez très bien aller magasiner dans la garde-robe d'une amie, d'une sœur, de votre mère ou encore dans une boutique de vêtements usagés. Cela n'a aucune importance de quel endroit vous prenez vos vêtements. Ce qui est important pour vous éviter des achats inutiles, que vous n'aimerez pas plus tard.

Pour vous faciliter l'achat de vêtements que vous aimerez conserver de très nombreuses années, il serait intéressant de vous faire faire une palette de couleurs, autant messieurs que mesdames. Un petit investissement d'une trentaine de dollars, qui vous évitera des centaines de dollars de dépenses inutiles. Quand vous achetez un vêtement qui n'est pas dans votre palette de couleurs, tout simplement parce que ce jour-là vous étiez frustrée que votre mari ne vous avait pas embrassée le matin, vous ne le reporterez sans doute jamais. Si vous avez votre palette de couleurs avec vous, vous ferez un choix, malgré vos frustrations, choix avec lequel vous serez en harmonie jusqu'à la fin de vos jours.

Remarquez bien, comment la société fonctionne au niveau des modes. Elle crée des modes différentes sur un cycle de quinze années, pour vous obliger à dépenser. Et au bout de quinze ans, elle repart avec la même mode légèrement modifiée. Vous pouvez donc conserver vos vêtements et les améliorer, les teindre, les raccourcir, les allonger. Y ajouter une dentelle, y apposer une petite décoration particulière. La vraie mode, en fait, devrait être de vous faire une garde-robe qui représente votre personnalité, qui est vous-mêmes. Et non pas une garde-robe qui représente Rodier, Tristan ou autre.

Une autre chose intéressante à savoir, c'est que la grande majorité des produits dont vous vous servez, aussi bien pour votre toilette personnelle, soit pour faire l'entretien dans vos demeures, sont beaucoup trop concentrés. Nous allons vous donner une recette qui va vous faire sauver beaucoup d'argent. Premièrement, conservez les bouteilles vides des produits que vous utilisez régulièrement. Ensuite, lorsque vous refaites l'achat de ces produits, prenez un dix litres d'eau de source que vous placez au soleil, donc à l'Est, sur l'heure du midi.

Pendant une heure de temps, vous laissez le soleil s'imbriquer en cette eau et vous lui demandez de pénétrer ses énergies à l'intérieur de l'eau. L'idéal est que votre contenant d'eau de source soit bleu afin qu'il retienne bien l'énergie solaire dans la vibration du bleu qui est la multiplicité. Une fois ceci fait, vous placez vos mains de chaque coté du récipient, et vous demandez à la Lumière Blanche du Christ de pénétrer l'eau. Une fois cela fait, vous prendrez la bouteille du produit dont vous avez fait l'achat et vous la diviserez en trois, donc un tiers en trois bouteilles et vous remplissez les deux tiers avec l'eau magnétisée.

À chaque fois que vous utiliserez ce produit ainsi magnétisé, vous vous concentrerez pendant trente secondes et vous émettrez de la Lumière Blanche par votre main sur la bouteille. Vous vous apercevrez d'une chose incroyable. Faites-en même des essais avec des panneaux d'armoire de cuisine que vous nettoierez. Nettoyez un panneau avec le produit magnétisé et faites un autre panneau, directement à son coté, avec le produit concentré sans Lumière Blanche.

Vous allez vous rendre compte que le panneau d'armoire qui aura été inondé de lumière demeurera, au moins pendant six mois, beaucoup plus propre que l'autre. Que la peinture ne jaunira pas, que la poussière ne collera pas dessus. Et que l'autre panneau d'armoire en deux ou trois semaines sera déjà sale.

Utilisez la Lumière Blanche dans tout ce que vous faites. Exemple : vous vous faites un riz basmati, deux tasses d'eau contre une tasse de riz. Si vous magnétisez votre eau de source et votre riz avant de le faire cuire, vous allez vous rendre compte qu'il aura produit plus d'un tiers que la normale, et ce en le faisant cuire, bien sûr, dans un chaudron sans aluminium. Vous allez vous rendre compte que la Lumière Blanche est magique.

Même chose au niveau des shampooings. Les shampooings que vous achetez, autant en pharmacie qu'en salon de coiffure, sont tellement forts qu'ils décapent vos cheveux. Qu'ils enlèvent la vitamine A, le zinc, la vitamine E et le sélénium naturel de vos cheveux. Vous pouvez faire la même chose avec ces produits en les diluant en trois parties avec l'eau de source magnétisée. Lorsque vous placez environ la grandeur d'environ un dollar de ce produit dans votre main, magnétisez-la avec de la Lumière Blanche. Cela moussera un petit peu moins, mais vos cheveux seront beaucoup plus propres, et au lieu de les laver à tous les jours, vous pourrez les laver à tous les trois jours et plus vous utiliserez cette technique et moins souvent vous devrez laver vos cheveux.

Même chose au niveau des détergents de lessive. Soyez vigilants de toujours vous diriger vers des produits de source biologique. Magnétisez l'eau dans la laveuse et ne déposez qu'un tiers du savon requis que vous aurez magnétisé au préalable. Vous verrez une grande différence. Les vêtements s'useront beaucoup moins vite, conserveront leurs couleurs initiales, refouleront beaucoup moins, et seront beaucoup plus confortables et doux.

Que ce soit des aliments pour manger, que ce soit des détergents ou des produits de nettoyage, que ce soit des produits de beauté vous pouvez tripler l'efficacité de ces produits. Et seulement avec les coûts de ces produits-là, vous pourrez économiser jusqu'à 5 000$ par année. Toute une différence, n'est-ce pas ?

Vous pouvez jouer des tours aux gouvernements en leur payant moins de taxes sur l'essence. En utilisant moins d'essence. Tout simplement, plutôt que d'aller dans une station service ou vous avez du service, rendez-vous dans une station service où vous faites votre service vous-mêmes. Concentrez-vous sur la Lumière Blanche en dévissant le bouchon de votre réservoir. Tout le temps que vous verserez votre essence dans la voiture, visualisez qu'un jet de Lumière Blanche accompagne l'essence.

Avec cette essence, ou ce diesel, ainsi magnétisé, vous pourrez faire jusqu'à deux fois plus de chemin avec le même réservoir, même parfois trois fois plus de chemin. Et plus vous utiliserez cette technique, et moins vous aurez besoin d'essence. De plus, si à chaque fois que vous démarrez votre voiture, vous la remplissez de Lumière Blanche, tous ses mécanismes dureront beaucoup plus longtemps. Vous pourrez ainsi conserver vos voitures pour un nombre d'années considérable.

Participant : Qu'est-ce que la Lumière Blanche vient amplifier exactement dans l'essence, ou dans tous les produits que l'on va utiliser régulièrement ?

Tamara : Tous les produits sont créés à partir de molécules et d'atomes. La Lumière Blanche augmente la vie dans la molécule qui est soit très affaiblie, soit ayant une fréquence moins élevée. Donc, en augmentant la vie dans cette molécule, la molécule se multipliera d'elle-même, ce qui en augmente la qualité.

Ceci est tout simplement le principe du douze en un. Jésus avait bien douze apôtres, pour créer une seule et unique même puissance. C'est-à-dire, que la molécule, donc l'Essence Divine, la première fraction de l'Essence Divine, ou l'ion si vous voulez, a la possibilité de se multiplier en douze pour créer une seule et unique énergie.

Dans les années 2020 et quelque, entre 2017 et 2021, les compagnies vont découvrir ce processus et vont payer des gens pour émettre de la Lumière Blanche dans leurs produits. Imaginez ceci, vous êtes payés pour produire de la Lumière Blanche, pensez-vous que cela va marcher ? Ils vont rencontrer des petits problèmes, la création de la Lumière Blanche ne s'achète pas !

Lorsque vous plantez une graine pour faire monter un plant de tomates vous pouvez la magnétiser. Si vous l'inondez avant de la semer de Lumière Blanche, si vous l'arrosez par une eau magnétisée, vous aurez jusqu'à douze fois plus de tomates. Donc, vous pourrez les partager avec d'autres.

La Lumière Blanche augmente le taux ionique de la cellule et lui permet de se reproduire, de se multiplier jusqu'à douze fois plus. Si vous ne multipliez que jusqu'à trois ou si vous n'arrivez pas du tout à créer cette abondance Divine, c'est que votre foi est limitée. Plus vous aurez foi en la Lumière Blanche et plus vous pourrez multiplier jusqu'à douze la quantité que vous aurez faite. Et lorsque vous serez Lumière Blanche, ascensionnée, vous multiplierez à l'infini.

Vous pouvez vous enrichir aussi en économisant beaucoup de temps. Lorsque vous passez l'aspirateur sur vos planchers, prenez quelques minutes pour émerger de la Lumière Blanche en cette appareil. En réalité trois minutes servent à inonder quelque chose de Lumière Blanche. La première minute atteint les ions de la membrane du corps de la cellule. La deuxième minute la membrane de l'âme de la cellule et la troisième minute celle de la membrane de l'esprit de la cellule.

Il n'est donc pas question de vous asseoir une heure et demie en indien par terre devant un chaudron pour le magnétiser. Trois minutes suffisent. Donc, vous prenez votre aspirateur, vous vous assoyez par terre devant lui, vous placez vos mains au-dessus et vous le magnétisez. Jamais vous n'aurez vu votre aspirateur aspirer autant, prenez garde si vos tapis ou prélarts sont mal collés ! Et chose bizarre, vos tapis et vos prélarts vont demeurer deux à trois fois plus longtemps propres. C'est la magie que vous possédez en vous. Jésus a tenté de vous l'expliquer en multipliant les pains et le vin. Vous pouvez faire exactement la même chose.

Prenez un vêtement que vous venez d'acheter. Faites-le tremper dans une eau de source magnétisée. C'est donc de plus en plus important que vous ayez votre propre puits. Laissez sécher ce vêtement au soleil, magnétisez-le et vous verrez qu'il vous durera au moins dix ans avant de s'user. Vous pouvez utiliser la Lumière Blanche autant sur une bande d'un magnétoscope quand vous voulez enregistrer une émission, sur un thé que vous vous faites ou sur quoi que ce soit d'autre. Votre poche de thé vous pourrez la réutiliser jusqu'à douze fois, si vous la manifestez dans la lumière.

Maintenant, vous pouvez multiplier vos argents. Un bon lundi matin, le roi, la reine et son petit prince décident qu'ils veulent acheter une voiture. Au lieu de penser qu'ils veulent acheter une voiture, ils se disent « Nous voudrions avoir une Toyota, quatre roues motrices, rouge avec le toit ouvrant ». Ils se concentrent, prennent un billet de 100 $, le magnétisent, le placent dans leur portefeuille et l'oublient. Vont se promener, et tout d'un coup rencontrent un copain qui a une vieille tante qui vient de décéder et qui avait une Toyota Corolla quatre roues motrices, avec à peine deux ans d'usure, de la couleur souhaitée, et il souhaiterait s'en départir car il a déjà lui-même une voiture. Et il leur offrira cette voiture pour un petit montant d'argent ou pour un échange de service.

Magnétisez un billet de 100 $ et conservez-le sans y toucher dans votre portefeuille. Si vous le cassez, comme on dit. Casser de l'argent, imaginez si c'est dur d'avoir de l'argent puisqu'il faut le casser ! On casse un billet de 100 $, vous avez de drôles d'expressions les humains, n'est-ce pas ! Il vous faut bien piocher pour le gagner le 100 $, et piocher dur ! Si vous cassez votre billet de 100 $, c'est que vous n'avez pas foi que l'Univers va vous apporter ce dont vous avez besoin. Donc, vous le conservez toujours, et s'il vous manque quelques dollars pour acheter un objet quelconque, attendez au lendemain et concentrez-vous sur l'objet, il vous viendra au bon moment.

Une autre chose importante dans la voie de l'enrichissement est de faire le ménage dans vos maisons. Tout ce que vous donnez en dîme, que vous offrez à ceux qui ont moins que vous, sera multiplié par dix et par cent dans les lois de l'Univers. À tous les quatre mois, si vous respectez le cycle du corps, de l'âme et de l'esprit, faites le tour de votre maison. Avez-vous des biens que vous n'utilisez pas ? Que vous ne pouvez pas transformer ? Dont vous ne vous servirez peut-être pas avant la cinquième réincarnation. Donnez-les. Donnez-les à ceux qui en ont besoin. Et si vous prenez l'habitude à chaque commande d'épicerie d'acheter un minimum de trois objets que vous irez porter dans les centres d'entraide alimentaire, vous venez de multiplier votre propre prospérité alimentaire de 30 %, gracieusement.

Comprenez-vous bien ceci ? À chaque fois où vous allez vous acheter des vêtements, si vous prenez la peine d'acheter une paire de bobette, un mouchoir, une débarbouillette, une petite paire de bas de bébé, même si ça ne vaut qu'un dollar ce n'est pas important, et que vous allez la donner à ceux qui en ont besoin, vous venez de refaire la même multiplication dans ce que l'Univers vous donnera. Donc, première des choses à faire dans votre vie nouvelle de gens riches et prospères, promenez-vous dans vos maisons et regardez tout ce que vous possédez. Pensez aux petits enfants et aux autres qui vivent par terre sur un grabat dans une maison faite de sacs de vidange et de pneus de voitures, qui crèvent de faim et qui crèvent de froid. Et vous verrez combien vous êtes riches. Ressentez combien vous êtes riches. C'est important.

Participant : Une question concernant l'électricité dans une maison avec de la Lumière Blanche, est-ce que l'on place les mains sur le compteur ?

Tamara : Vous pouvez, soit, si vous allez brancher un appareil électrique, vous mettre la main sur la prise de courant, les mains autour de la prise de courant. Vous attendez qu'il fasse un peu noir et que les voisins soient couchés et vous allez dehors mettre les mains autour de l'entrée électrique de la maison. Magnétisez directement l'entrée électrique de la maison est plus efficace que de magnétiser les appareils et les fixtures électriques, un à un. Vous verrez un rendement, déjà à l'intérieur du premier mois, d'un tiers d'économie. Et plus vous repenserez souvent que tout ce que vous possédez se remultiplie dans l'Ordre Divin par la Lumière Blanche, moins cela vous coûtera d'argent. Les réseaux électriques de tous les pays ont des drôles de problèmes dans le moment présent. Bien sûr, vous risquez d'avoir des pénuries d'électricité un peu partout.

Cependant si vous magnétisez votre maison avec de la Lumière Blanche au cours d'une panne d'électricité et que vous croyez fermement à la puissance de la Lumière Blanche, la Lumière Blanche va créer de la lumière pour votre maison. Vous devriez avoir un tamiseur à toutes les lumières de votre propriété, et apprendre à vivre avec une lumière plus tamisée. Car l'électricité abîme les ions dans votre aura, en en abaissant la fréquence. L'idéal, bien sûr, serait de veiller à la chandelle devant un bon feu de foyer.

Vous pouvez donc magnétiser tout ce qui s'appelle objet, animaux, plantes. Vous pouvez même magnétiser des êtres. Envoyez de la Lumière Blanche aux êtres, comme Nous vous l'avons déjà expliqué et vous verrez que vous perdrez beaucoup moins de temps à résoudre les conflits. Car en réalité s'enrichir n'est pas seulement s'enrichir financièrement, mais bien s'enrichir spirituellement et émotionnellement aussi. Avec l'utilisation régulière de la magnétisation par la Lumière Blanche vous aurez plus de temps pour faire autre chose. Cela vous prendra deux fois moins de temps et durera jusqu'à douze fois plus longtemps. Imaginez tout le temps qu'il vous restera ?

Lorsque vous faites l'acquisition, exemple, d'une souffleuse à neige, premièrement n'allez plus vers les objets neufs, allez vers les objets usagés ou recyclés et faites en l'acquisition à trois. Ce que vous allez devoir apprendre à faire c'est de partager. Les gens, et surtout ceux de vos âges, les baby boomers, ont tellement manqué d'affection, ont tellement manqué d'écoute qu'ils sont devenus insécures, et veulent posséder à eux seuls tous les objets. En réalité, vous pourriez acheter autant une voiture que des grosses quantités de céréales, que des grosses quantités de détergents à plusieurs personnes ensemble, il ne vous restera qu'à les diviser. Achetez donc les objets qui vous coûtent cher à trois, et avant de les acheter ne faites pas venir l'argent, faites venir l'objet à vous.

Admettons que vous êtes quatre et que vous avez besoin d'un photocopieur pour vos travaux. Plutôt que d'aller payer des photocopies à 10¢ chacune, quand vous en avez une bonne quantité à faire, faites-vous arriver un photocopieur. La recette est simple, réunissez-vous ensemble. Allumez un lampion et déposez-le par terre au centre de votre groupe. Ce lampion devrait être blanc. Assoyez-vous par terre de façon à ce que vos genoux se touchent. Visualisez ensemble, non pas le photocopieur, mais le service que vous voulez que ce photocopieur vous rende. Quand votre commande sera bien précise, fermez vos yeux et ordonner à l'Univers de vous manifester ce photocopieur.

La prière pourrait être la suivante. « Par droit Divin, nous ordonnons maintenant à l'Univers de nous apporter immédiatement le photocopieur que nous avons besoin. Par droit Divin nous avons ce pouvoir et nous le commandons. Amen ». Vous répétez cette phrase trois fois en ligne et puis attendez. Soyez heureux, préparez les documents que vous voulez faire photocopier. Et dans les jours qui suivront soyez à l'écoute autour de vous de ce qui se passera, un photocopieur ou un service de photocopies vous sera offert. En dedans de sept jours, il se produira un miracle.

Tout ce que vous pouvez trouver comme coupon à remplir pour participer à des tirages, remplissez-les. Et si vous gagnez trois Mercédes dans une année, donnez-en une au plus pauvre que vous. Ne vous fermez pas à toutes les sources d'abondance que la vie peut vous apporter. Soyez conscients de la façon dont vous remplirez ces coupons, et inscrivez toujours merci sur vos coupons. Un jour ou l'autre, l'Univers vous répondra.

Les regroupements de gens pour prier afin d'attirer l'abondance se multiplient présentement sur Terre. Depuis des siècles ces groupes réalisent des projets incroyables. Donc, si vous êtes au moins deux, la puissance sera doublée. Si vous êtes trois c'est encore mieux. Et en allant jusqu'à douze vous obtiendrez le maximum possible de réalisation dans la matière de ce que vous désirez.

Par exemple, si vous désirez déménager et acquérir une nouvelle propriété. Ne vous dites pas « Oh, je ne devrais pas payer plus de 80 000 $ ». Oubliez le prix. Il n'y a pas de prix. Assoyez-vous par terre de la même façon avec tous ceux qui vivront dans votre demeure. Si vous sentez que vos enfants ont une résistance au déménagement, ne leur demandez pas de se joindre à vous. Assoyez-vous avec ceux qui veulent bien déménager. Allumez le lampion, et discutez ensemble de ce que vous désirez dans la maison. Peut-être un espace pour faire une serre et non pas une serre. Un espace pour dormir, un espace pour manger. Et planifiez très exactement ce que vous souhaitez de la maison. Des planchers de bois francs et ainsi de suite. Ensuite, fermez vos yeux, faites la prière trois fois et attendez. Une bonne journée, vous êtes en voiture et tout d'un coup la route devant vous est bloquée, détour. Bizarre !

Vous faites le détour et vous arrivez face à face avec une maison ou une pancarte est marquée « reprise de finance ». Bizarre ! Vous appelez la banque, la maison semble très bien, vous allez la visiter et vous l'avez pour une bouchée de pain. Mais en entrant il y a des tapis, vous vous dites « Ah, non, ce n'est pas la bonne maison, je ne l'achète pas ». Commencez donc par soulever le coin du tapis, et par hasard, il y aura peut-être du plancher de bois franc en dessous.

Vous pouvez donc arriver à vous faire manifester dans la matière, à l'intérieur de sept jours maximum, tout ce que vous désirez, et qui est vraiment bien que vous possédiez. Autrement dit, si vous avez déjà quatre manteaux d'hiver, et que vous souhaitiez en avoir un autre, que vous faites la commande, oubliez-le le nouveau manteau, vous ne le recevrez pas !

Commencez par donner, commencez par voir s'il n'y a pas moyen de recycler votre manteau. Commencez par aimer ce que vous possédez, et après tout ceci quand vous n'aurez qu'un seul et unique manteau d'hiver et que vous en aurez vraiment besoin d'en avoir un autre, un peu plus chic, il arrivera. Par hasard une amie trouvera un beau manteau de laine blanche dans sa garde-robe et sera inspirée de vous le donner.

Autre chose très importante aussi. Vous savez bien que dans le futur vous aurez à créer vos emplois par vous-mêmes, n'est-ce pas, car il y a de moins en moins d'emplois officiels. Celui ou celle qui possède une maison, dans laquelle il y a un espace de bureau, pourrait partager son bureau. Pourrait partager les frais de téléphone. Pourrait partager le site Web ou l'Internet avec d'autres. Si vous êtes toujours un minimum de trois personnes qui vous unissez pour utiliser des choses, vous venez de vous enrichir d'un minimum de 25 000 $ par année. D'un minimum, pensez-y bien.

Comment voulez-vous arriver à habiter sur vos terres si vous n'arrivez pas à partager ce que vous avez déjà ? À partager toutes les richesses que vous avez. Réalisez que vous pourriez économiser au minimum deux tiers de tous les frais que vous avez, à l'intérieur de deux ans, vous paierez vos terres sans devoir vous hypothéquer. Et en vous unissant ensemble pour passer votre commande, comme Nous vous l'avons expliqué un peu plus tôt, il vous arrivera une terre parfaite, avec des conditions exceptionnelles, que vous pourrez partager à plusieurs.

Cessez de demander de l'argent pour tout. Si vous avez de la clientèle, une personne sur dix offrez-lui gratuitement son rendez-vous. Exemple vous êtes homéopathe uniciste. Vous commencez à vous bâtir une clientèle et vous avez un petit peu peur de manquer d'argent. Centrez-vous sur l'abondance et dites à tous les matins quand vous vous levez « Par droit Divin, aujourd'hui j'ai le pouvoir de manifester à moi tout ce dont j'ai besoin pour bien vivre. Par droit Divin, je le commande car j'en ai la puissance ».

Et vous partez pour votre bureau, vous faites monter deux personnes en passant, vous les débarquez à leur bureau, vous divisez les frais en trois, et voilà, vous êtes rendus au bureau. Et la dixième personne quand elle vient pour payer, vous lui dites « Non, aujourd'hui pour toi c'est gratuit, tu n'as pas besoin de payer, je te l'offre, je respecte ainsi la loi divine de la Dîme » Elle vous demandera sans doute quelle est donc cette loi. Vous lui expliquerez et à son tour elle commencera à donner la dîme. Dans plusieurs pays du monde, dont la Belgique en particulier, la loi de la dîme est appliquée rigoureusement. Vous seriez surpris de l'abondance qui règne dans ces pays.

En plus, savez-vous ce que cela va déclencher ? Cette personne va vous référer dix personnes. Ces dix personnes vont vous en référer chacune dix autres. En très peu de temps vous allez devoir faire des heures supplémentaires. La personne qui aura reçu son traitement gratuit, en plus ira donner sa dîme à quelqu'un d'autre, et vient d'aider l'enrichissement de quelqu'un d'autre.

Donnez toujours une fois sur dix vos services. Offrez toujours, au moins une fois par sept jours un don à l'Univers. Que ce soit de faire monter quelqu'un dans votre voiture sur le pouce. Que ce soit d'aider une vieille dame à traverser la rue. Que ce soit d'aller rendre service au voisin. Donnez un geste, donnez de votre temps, donner un objet, et vous verrez l'abondance vous arriver en très grande quantité.

Il y a aussi des prières intéressantes à faire. À tous les matins vous pouvez dire « Par droit Divin l'abondance se déverse maintenant sur moi, continuellement et parfaitement. Amen ». Vous pouvez vous programmer. Mais la première des choses à penser, c'est que votre verre n'est jamais à moitié vide, il est toujours à moitié plein. Compris !

Ce n'est jamais comment je vais faire pour payer mon compte d'électricité à la fin du mois. C'est ; je reçois mon compte, sur le talon j'inscris merci, et je dis « Par droit Divin, j'attire maintenant à moi tout ce dont j'ai besoin pour régler ce compte ». Vous emplissez votre compte de Lumière Blanche et vous l'oubliez sur la tablette jusqu'au jour du paiement. Il va se passer des miracles ! Avez-vous des questions à poser ?

Participante : Moi, j'ai des problèmes avec mes yeux. Je voudrais savoir si je peux travailler au niveau de mes yeux ?

Tamara : Avec la Lumière Blanche, absolument. À tous les matins projetez de la Lumière Blanche dans vos yeux. Si possible, faites-le jusqu'à douze fois par jour. Mais avant toute chose, cessez de douter que vous avez la possibilité de guérir vos yeux par vous-même. C'est le doute qui vous empêche de manifester la Lumière Blanche dans toute sa puissance. C'est le doute.

Donc, vos yeux pourront bien se guérir d'eux-mêmes, à l'intérieur de sept jours, si vous y croyez vraiment, si vous avez foi en vous, et si vous acceptez de voir le futur sans vos handicaps. Car, si votre vue est basse présentement, c'est que vous refusez de voir que vous vivrez handicapée. Changez votre pensée et vous pourrez re voir.

Si vous désirez construire, créer quelque chose. Écrire un livre, le publier. Unissez-vous ensemble. Faites votre publicité à trois et divisez le temps de la journée en trois. Les gens préfèreront venir passer une seule journée où ils recevront trois fois des enseignements différents que se déplacer par trois fois pour aller suivre leurs cours. S'ils doivent se déplacer par trois fois, vous êtes certain qu'ils manqueront deux des cours, car la grande majorité des êtres humains ne font qu'une chose sur trois de ce qu'ils doivent faire. C'est votre défaut à vous les humains.

Pour terminer, un petit commentaire bien de saison, n'est-ce pas. Est-ce que le Père Noël existe ?

Participants : Oui, non.

Tamara : Il existe pour de vrai. Saint Nicolas est un Ange qui a choisi de se manifester dans un corps pour apporter la notion de partage, de prospérité, d'enrichissement et d'abondance sur Terre. Pour apporter la notion de partage et de magie de la Vie. Et ce personnage est toujours bel et bien en vie. Est toujours vrai. Il se manifeste, et se promène partout.

En parlant de cadeaux. Pourquoi voulez-vous offrir du neuf, tout le temps. Si vos enfants ont des jouets dont ils ne se servent plus, pourquoi ne pas les offrir à d'autres petits enfants. Un petit peu de peinture, un petit peu de détergent, inondés de Lumière Blanche, et voilà. L'enfant n'a pas besoin d'avoir un jouet neuf pour être heureux. Vous n'avez pas besoin de mettre vos cartes de crédit dans le rouge pour six mois pour fêter Noël.

Nous vous souhaitons un très Joyeux Noël. Nous vous souhaitons d'apprendre, dans cette nuit de Noël, à croire en la richesse, en l'abondance, au pouvoir Divin de tout ce qui existe. Nous vous bénissons et n'oubliez pas ceux qui ont moins que vous.

16

Sexualité, essence Divine

Sexualité, essence Divine

La sexualité est sans aucun doute le thème le plus vaste à couvrir. Elle est la base la plus importante de la vie sur Terre, car sans la sexualité, vous, la race humaine, n'existeriez pas.

Bien sûr, les races antérieures à vous, la race de Pan, les Lémuriens, les Atlantes et quelques autres, n'avaient pas besoin de la sexualité, comme telle, pour pouvoir engendrer des enfants. La survie de la race humaine se fait grâce et par la sexualité. Cependant toutes les guerres, tous les conflits viennent aussi de la sexualité. Le plus grand outil de manipulation sur Terre est aussi la sexualité.

Par une sexualité bien vécue, bien intégrée, dans une harmonie et un respect complets, vous pouvez atteindre les plus hauts états de la Conscience Divine. Par l'énergie dégagée au moment de la sexualité, vous pouvez filtrer en vous l'Essence Divine la plus pure, et ainsi atteindre des états de conscience très élevés, des états de lucidité et de compréhension très avancés.

Expliquons un peu le processus de la sexualité. Premièrement, dès la conception de l'enfant, l'essence sexuelle habite son corps, c'est par la sexualité qu'il a été engendré et c'est par le chakra sexuel de ses parents qu'il fut attiré dans le corps de la mère. La première sensation que l'enfant développera en son être, dès les premières minutes de son existence, est reliée à la sensualité. Pourquoi ? Au cours de la conception astrale, c'est-à-dire dans les trois mois précédant la conception physique, les chakras prendront position dans l'aura de l'enfant à naître.

Le premier chakra à être activé est le chakra de base et il a pour fonction de laisser pénétrer les énergies subtiles dans tous les autres chakras. Ceux-ci ont pour première fonction de mettre en place et d'activer dans les circuits énergétiques les méridiens et les sous-méridiens. Une fois cette étape franchie, le chakra sexuel sera le premier à être mis en action, chez le fœtus, par l'énergie émise par le chakra de la base. Par le chakra sexuel, l'enfant à naître reçoit et transmet toutes les énergies nécessaires à la création de son corps et de sa personnalité. Les autres chakras entreront en fonction après la naissance de l'enfant.

Entre le moment de sa conception et sa naissance, tous les systèmes glandulaires seront créés à partir des hormones sexuelles. Ces dernières diffusent dans le corps les liquides nécessaires pour stimuler l'action des autres hormones et des autres glandes. Elles activent particulièrement dans le cervelet, tout ce qu'il faut pour que le cerveau droit, gauche et central fonctionne.

Le cervelet est donc le premier aux commandes de la création de la conscience. Ensuite vient le cerveau gauche qui créera tout ce qu'il faut pour que le cerveau droit se crée et se mette en fonction. De là, le cerveau central qui, entre parenthèses, est utilisé lors de la méditation, avec l'onde alpha, se créera et se mettra à son tour en fonction.

La stabilité de toutes les autres glandes, de tous les systèmes du corps, dépend des hormones sexuelles, de leur trajectoire, de leur qualité et de leur quantité. La création des glandes, autant surrénales, pituitaires que toutes les autres dépendent aussi des hormones sexuelles. La vitesse de croissance des autres glandes, leur mise en action dans le corps, leur communication avec le cerveau, la structuration de la pensée, de l'action, du développement de la personnalité, de la capacité d'apprendre dépendent directement de l'essence sexuelle de la personne.

Les hormones sexuelles, au début, produisent chez l'enfant les sensations tactiles et, au niveau du cerveau son instinct de survie. Il saura ainsi s'il doit bouger dans le corps de sa mère pour aller chercher une autre source d'énergie. Par ces sensations tactiles, il saura s'il est en danger ou non. Il saura si sa mère est bien ou non. Il développera le sens du toucher, autant avec sa peau, ses mains, sa bouche que toutes les autres parties de son corps.

Le contact de son corps avec, en premier lieu, le col de l'utérus de sa mère puis avec l'air ambiant permettra aux hormones sexuelles de déclencher un processus de survie au niveau du cervelet. Ce n'est qu'au environ de ses 18 mois que son cerveau sera complet et prêt à franchir toutes les étapes de sa vie. Avant ce moment, le cervelet et le cerveau central auront la charge complète de sa vie.

C'est la raison pour laquelle l'enfant est rattaché vibratoirement avec sa mère, que ses intuitions et son ressenti le guident de façon constante. Même si sa mère est à quelques heures de distance de l'enfant, s'il a soif, une montée de lait se produira chez la mère. Cette partie du cerveau, très peu connue des scientifiques, a des pouvoirs hors temps et hors distance incroyables. Dans les prochaines décennies, la science pourra mieux comprendre tous ces processus. Les avions pourront être pilotés uniquement par la pensée, grâce au cerveau central.

À l'âge de trois ans et ce, jusqu'à l'âge de huit ans, se développe dans le corps de l'enfant, une nouvelle production hormonale sexuelle, que ce soit chez le petit garçon ou chez la petite fille. En réalité il existe douze formes composées différentes d'hormones sexuelles, chacune ayant son énergie propre, sa densité et ses capacités d'implication dans le corps humain. Normalement, dès son bas âge, l'enfant commencera à vivre une certaine forme d'excitation sexuelle qui déclenchera dans son cerveau une nouvelle compréhension de la vie, une nouvelle série d'actions-réactions, des nouveaux goûts et de nouvelles expériences. À ce moment de son existence, plus précisément entre 3 et 4 ans, vous verrez le petit garçon avoir souvent la main dans son pantalon, la petite fille se faire des seins, explorer les parois de son vagin. La petite fille aura tendance à danser, à vouloir s'exhiber un petit peu, développer des postures sensuelles, montrer ou cacher ses seins, s'interroger au niveau de sa vulve.

Autant la petite fille que le petit garçon aimera donner des baisers, car c'est une autre façon de déclencher la production d'une des douze catégories d'hormones sexuelles. Il est donc très important dès l'âge de trois ans d'avoir des conversations ouvertes avec vos enfants. D'expliquer à la petite fille que, bien sûr, il peut être plaisant d'insérer un petit objet dans son vagin, cependant que ceci pourrait la blesser.

Il pourrait aussi être question d'avertir le petit garçon de ne pas tenter de pincer son pénis ou ses testicules avec des objets qui pourraient le blesser. Il est très important que vous ne voyiez pas la sexualité comme quelque chose de dérangeant, de laid, de malsain chez les jeunes enfants. Au contraire, vous devez les accueillir en ce sens, vous devez leur parler ouvertement, leur expliquer à quoi servent leurs organes et quand ils pourront s'en servir. Il est sage d'avertir les jeunes enfants que les caresses sexuelles, que les baisers, que les découvertes physiques entre petits amis sont normales, que ceci ne leur apportera pas de problèmes plus tard.

Si vous traumatisez votre enfant en le réprimandant sur ses actes sexuels, vous bloquez la production de certaines des phases des hormones sexuelles. Celles-ci risquent de ne plus être aptes à se reproduire dans le futur et pourront engendrer autant des malaises psychologiques que des maladies physiques. Soyez conscients que de rire de la découverte sexuelle de l'enfant, de le ridiculiser, de le réprimander et de le punir peut grandement nuire à son développement corporel, mental et même spirituel dans le futur.

Anciennement, on disait qu'un homme qui se masturbait ou qu'un enfant qui se masturbait deviendrait aveugle ! Imaginez que présentement au Québec 86 % des hommes devraient être aveugles à cause de cela ! Le fait de se masturber ne rend pas l'être humain aveugle. Ce principe vient d'il y a très très longtemps et a été répandu par les églises.

En réalité, ce qui se produit, c'est que s'il y a trop souvent éjaculation, l'homme perd des oligo-éléments, des minéraux, des sources d'énergies très importantes, que le corps n'a pas nécessairement le temps de rebâtir entre les éjaculations. Ces pertes au niveau du lithium, du sélénium, du potassium, du zinc et du calcium peuvent amener un niveau de cécité, peuvent apporter la myopie, la presbytie ou d'autres problèmes du champ de la vision, telles les cataractes en particulier.

L'homme doit apprendre à vivre sa sexualité sans éjaculation, mais en atteignant quand même un état de jouissance. Ce n'est pas nécessairement facile de comprendre cette notion. Nous allons revenir au petit enfant pour mieux vous expliquer ceci. Donc, vers l'âge de trois ans un système hormonal commence à produire en l'enfant tout ce qu'il faut pour qu'il développe ses organes sexuels, sa sensibilité, sa sensiblerie et en même temps, sa perception sexuelle. Autrement dit, tout ce qui se rattache aux sens, pour qu'il puisse ensuite choisir, selon l'éducation qu'il recevra et sa personnalité, de quelle façon il s'adaptera à ses sens.

Environ normalement sept ans après le début de cette phase, la jeune fille commencera ses menstruations, et le jeune homme commencera à éjaculer, soit à l'intérieur de rêves ou par des manipulations personnelles. Soyez excessivement conscients que la masturbation, qu'elle soit au niveau féminin ou masculin n'a absolument rien d'un péché mortel, ne vous amènera pas en enfer, et ne vous fera pas cohabiter avec des entités de bas astral, à moins que vous ne demandiez leur présence.

C'est-à-dire que si vous fantasmez en vous masturbant sur un être qui n'existe pas, vous aurez, un jour ou l'autre, la malencontreuse aventure de vous rendre compte que cet être a pris forme dans l'astral. Bien des cas de possessions astrales ont été vus. Exemple, un homme d'une cinquantaine d'années qui était trop gêné pour aller se trouver une compagne, qui n'avait pas les budgets nécessaires pour s'offrir une prostituée, a commandé qu'une entité vienne lui faire l'amour.

Naturellement, ce n'est pas une entité de haut niveau qui est venue, car pour qu'une entité puisse foyer avec un être humain sur le plan sexuel, elle doit appartenir au bas astral. Aucune entité spirituelle de niveau de conscience élevé ne peut satisfaire sexuellement un être humain. Cette entité de bas astral, ce Borus, qui s'amuse dans la sexualité de beaucoup de gens, a commencé à l'habiter au point tel que l'homme ne pouvait même plus prendre le métro sans se masturber.

Prendre un ascenseur sans se masturber. Imaginez quand il était devant son ordinateur, dans quel état il pouvait se sentir. Il a dû vivre trois exorcismes sévères avant de pouvoir se débarrasser de Borus. Borus est donc allé voir ailleurs. Et le monsieur a appris à subvenir à ses besoins sexuels d'une autre façon. Si vous utilisez des revues pornographiques pour atteindre une jouissance ou des films vidéos, vous pouvez facilement attirer ce genre d'entité. Soyez prudents dans l'expérimentation de votre sexualité intime.

Ce qui est important que vous saisissiez, est que si l'acte sexuel est vécu sans drogues et sans états d'abus d'alcool, ou que votre visualisation n'est pas profondément ancrée sur des personnages fantasmiques, vous n'attirerez jamais d'entités de bas astral à moins que vous ne commandiez cette chose. Vous avez présentement dans les ordinateurs des programmes pour créer votre amant ou votre maîtresse. Vous pouvez façonner le corps de cette personne comme vous le souhaitez, lui faire prendre les positions érotiques que vous souhaitez. Ces formes, ces images électroniques sont habitées par des entités du bas astral. Donc, soyez vigilants.

Il vous faut aussi savoir une chose excessivement importante. À chaque fois où vous faites l'amour avec une personne, que vous soyez un homme en train de faire l'amour à un homme, une femme en train de faire l'amour à une femme, ou un homme et une femme en train de faire l'amour ensemble, soyez excessivement conscients que vous soudez vos auras ensemble, vous entremêlez vos auras ensemble.

Si votre relation sexuelle n'est pas vécue dans un but d'entrer en l'autre pour communier, dans un état d'amour parfait et profond, afin de rencontrer votre divinité ensemble, en finissant de faire l'amour, vous allez conserver dans vos membranes auriques les miasmes que l'autre avait, et ce pour sept années. Donc, exemple, vous avez une relation sexuelle avec une personne dépressive à quelques reprises. Que vous viviez cette relation afin de faire une décharge de stress, afin de remplir des vides, ou afin de vivre des sensations. Cette personne vous laissera des miasmes et après vous vous demandez pourquoi vous vous sentez vidé(e), fatigué (e), et dépressif(ve). Peu importe l'ordre émotionnel que vous vivez, que ce soit de la dépendance, de la violence, de la jalousie, de la méfiance, de la déprime, de l'inquiétude, peu importe, vous le communiquez à l'autre.

Les maladies d'ordre sexuel ne s'attrapent ou ne se communiquent que pour trois motifs. Premier motif, le système est trop encrassé par les acidités, par l'alimentation que vous consommez, et vous avez besoin d'un nettoyage. À ce moment-là, la glaire ou le liquide spermatique avant l'éjaculation sera trop acide et vous développerez des champignons, des vaginites, et la chaude-pisse comme on l'appelait à l'époque.

Deuxième motif, vous avez un blocage émotionnel, vous vous sentez coupable de faire l'amour, ou vous achetez la paix dans votre couple en faisant l'amour, ou vous faites l'amour pour remplir vos besoins et vous vous foutez bien que l'autre soit satisfait ou non. Ceci vous apportera aussi des désordres physiques au niveau des organes sexuels.

Troisième motif important, c'est de refuser de vivre votre sexualité comme vous la ressentez mais vous la vivez comme « elle devrait être faite ». Donc, vous avez peur de vivre vos sensations, vous avez peur de demander à votre conjoint certaines formes de caresses, vous avez peur de déplaire à l'autre. Forcément vous vous attirerez un cancer du col de l'utérus, un cancer de la prostate et d'autres formes de cellules atypiques. Vous avez envie de faire l'amour mais vous n'osez pas le demander ! Tout ce qui est relié à la peur apporte des problèmes d'ordre grave. Tout ce qui est relié au manque d'expression apporte des problèmes d'ordre mineur. Et tout ce qui est relié à l'alimentation apporte des problèmes encore un peu plus légers.

Récapitulons, vers l'âge de trois ans le système hormonal commence à s'installer et la glande thyroïde commence à produire les liquides nécessaires à créer tout le processus sexuel de l'être humain. Environ sept années plus tard, les menstruations ou le système spermatique commencent à s'ouvrir. Malheureusement, généralement entre la naissance et l'âge de l'adolescent, se vit une forme d'empoisonnement à cause de l'alimentation.

C'est-à-dire que si l'enfant mange beaucoup d'aliments en conserve, beaucoup de viandes, que vous buvez beaucoup de jus sucrés, que vous mangez beaucoup de sucre, vous arriverez vers les âges de dix et quatorze ans, avec un débalancement des minéraux, un débalancement des oligo-éléments, un débalancement de vos vitamines. Ils auront donc de l'acné, ils développeront des difficultés osseuses en grandissant, ils auront des problèmes menstruels. Le petit garçon aura de la difficulté à développer en proportion normale ses organes génitaux et pourra vivre des problèmes rénaux.

L'état de santé, étant atteint, la médecine conseillera aux jeunes filles la prise d'hormones synthétiques pour stabiliser les menstruations, et si elle continue à se nourrir très mal, à très mal dormir, que se produit-il ? La jeune fille verra l'apparition de kystes au niveau de l'utérus, de fibromes, de manque de glaire, de déstabilisation importante du cycle menstruel, sans compter les états émotionnels perturbés au cours de l'ovulation ou de la menstruation. La femme aura des problèmes de pré-ménopause et puis de ménopause et il va de soi, d'ostéoporose. L'homme commencera à avoir de la difficulté au niveau de sa sexualité, il éjaculera plus vite, il aura moins de désir sexuel, il aura besoin de plus de caresses excitantes. Les hommes perdront leurs cheveux, vont devenir de plus en plus chauves, de plus en plus tôt dans leurs vies. Les seins des femmes tomberont de plus en plus jeunes, les fessiers s'élargiront, et les messieurs développeront une belle petite bedaine.

Et tout ceci est dû à la perte de minéraux, d'oligo-éléments et d'autres substances, que votre corps a besoin pour rester beau jeune et en santé. Si vous viviez une alimentation parfaite, si vous viviez un état émotionnel d'échange dans une famille bien équilibrée, les menstruations des femmes dureraient jusqu'à l'âge de cinquante ans. Mais l'ovulation ne s'arrêterait pas avant la mort du corps, car c'est grâce à la production des ovules que tout le système glandulaire de la femme demeure en santé.

Vous n'auriez pas de rides, les femmes pourraient allaiter jusqu'à leur mort, elles n'auraient pas le bassin large, ni l'homme ni la femme n'aurait de cellulite, vos corps conserveraient un galbe parfait, une élasticité musculaire et un tonus parfaits. Et le plus important, vous n'auriez jamais mesdames de problèmes de cancer du sein, cancer de l'utérus et surtout pas de crises cardiaques. Savez-vous présentement pourquoi les femmes font plus de crises cardiaques que les hommes ?

Les statistiques prétendent que c'est parce qu'elles sont retournées au travail, que c'est parce qu'elles fument trop, que c'est parce qu'elles prennent trop de café et qu'elles sont trop stressées. Balivernes ! C'est parce qu'elles sont frustrées sexuellement, parce que leurs maris écoutent plus la partie de hockey qu'ils ne savent les aimer. Vous-mêmes messieurs, si vous aviez une alimentation parfaite depuis votre enfance. Si vous n'aviez pas vécu la culpabilité d'avoir taché les draps de maman. Si vous n'aviez pas eu peur de votre premier baiser et si vous n'aviez pas été gênés d'avoir mouillé votre petite culotte en regardant un film. Vous n'auriez pas de cancer de la prostate, vous auriez encore vos cheveux, vous seriez beaucoup moins ridés et vous éviteriez aussi des crises cardiaques.

Comment vous aider maintenant à remédier à tout ceci ? La sexualité vous a permis de naître et la sexualité vous tue, c'est intéressant comme cercle vicieux n'est-ce pas ? Dès l'âge de quarante ans, si vous messieurs vous preniez des comprimés d'huile d'onagre, 250 milligrammes quatre fois par jour et 200UI de vitamine E quatre fois par jour. Vous devez, bien sûr, vous assurez que cette huile soit pressée à froid, vous n'auriez plus aucun danger au niveau du cancer de la prostate, vous n'auriez plus de problèmes sexuels. De plus si vous appreniez à exprimer vos sentiments affectifs, votre santé serait encore de beaucoup améliorée en y ajoutant ces deux produits naturels.

Il est certain que vous devez avoir un contrôle important sur votre alimentation et faire amplement d'exercices physiques. Sachez que le seul vrai bon exercice physique, à part de faire l'amour, est de marcher. Une marche à pas semi-lents, consciente, en respirant non pas le smog de Montréal naturellement mais l'air pur. Tout en marchant, faites entrer l'air par vos narines, vous le faites descendre partout dans votre corps et vous l'expirer par la bouche. Et bien messieurs vous seriez encore très beaux à quatre-vingts ans.

Puis vous mesdames, si vous preniez 250 milligrammes d'huile de bourrache pressée à froid quatre fois par jour, et la même quantité de vitamine E dès votre trente-sixième année de vie. Tout en soignant l'alimentation bien sûr, tout en prenant des marches et pourquoi pas en compagnie des messieurs, vous n'auriez plus de problèmes de pré-ménopause, vous n'auriez plus de problèmes de ménopause. C'est très simple, dans ces deux huiles, vous retrouvez tous les minéraux, tous les oligo-éléments et toutes les vitamines que vous avez perdues au cours de votre vie.

Si vos adolescents ont des problèmes d'acné, que ce soit une fille ou un garçon, donnez-leur les gélules appropriées, en dose de deux fois 250 milligrammes par jour. Ajoutez-y 250 milligrammes de zinc en deux doses, 500 de calcium en deux doses, 500 de magnésium en deux doses aussi. Vous constaterez qu'à l'intérieur de trois mois, ils n'auront plus à vivre des problèmes d'acné et, croyez-Nous, leur caractère sera beaucoup plus agréable.

Notez qu'il est très important de conserver ces vitamines au réfrigérateur, afin qu'elles soient au frais, même si ceci n'est pas inscrit sur la bouteille. L'idéal est de prendre la date d'expiration la plus lointaine possible afin de vous assurer que le produit soit le plus frais possible. Y a-t-il des questions ?

Participant : Oui. Quand vous suggérez de prendre une marche, c'est une marche de combien de temps ?

Tamara : Une vingtaine de minutes est bien suffisant, deux ou trois fois par jour. N'oubliez pas une chose. Faire des efforts importants comme le ski de fond, le jogging et la marche très rapide, si vous n'êtes pas en bonne santé, ne vous donnera pas plus de santé, car ceci brûlera des sels importants dans votre corps, activera les lymphes qui entourent toutes les cellules, et usera ces systèmes. Donc pour vous remettre en bonne santé utilisez la marche à pas semi-lents et quand vous serez en bonne santé, faites d'autres sports, mais n'allez jamais de façon à vous épuiser ou à transpirer trop. N'épuisez pas votre corps, soyez bons pour lui, il est le temple de votre divinité. Imaginez si vous preniez un tapis vibrant et que vous y déposiez une plante pour tenter de la mettre en forme, dans quel état elle serait, la pauvre, après une demi-heure de cet exercice ? Vous êtes une petite plante délicate, alors prenez soin de vous.

Revenons au sujet de la sexualité. Premièrement ne tentez jamais de culpabiliser vos enfants de la sexualité qu'ils vivent. Informez-les des possibilités d'enfanter, discutez ouvertement avec eux. Soyez conscients qu'il est tout à fait sain et même tout à fait normal qu'à partir de l'âge de quatorze ans, le désir sexuel d'un accouplement se manifeste. Et, il n'est pas nécessaire d'être vierge pour porter une robe blanche à un mariage.

Savez-vous à quoi sert le voile de la virginité ? Cette petite partie de peau, l'hymen, est là pour protéger le point sacré de la femme. Tout au fond du vagin se situe un point sacré, un peu comme un point d'énergie. Ce point sacré est rattaché à tous les blocages émotionnels que cet Esprit a vécus dans toutes ses incarnations passées, c'est une porte d'accès au sacré.

Face à l'hymen, quel est donc le rôle du couple ? L'homme en masturbant sa femme, ou en caressant sa femme avec ses doigts, pénétrera son majeur au fond du vagin de la femme. Déchirera ce voile et ira appliquer la partie ronde et douce de son doigt, donc pas l'ongle, sur ce point sacré. Massera et poussera le point sacré pour comme le renfoncer mais très peu et très doucement, dans un mouvement d'aller et de retour. Il procédera très délicatement en parlant à sa conjointe, en la regardant dans les yeux.

Il devra être très réceptif aux réactions de sa compagne. Il devra l'écouter sans jugement, savoir comment avoir une discussion de renforcement afin de l'aider à s'exprimer. Il devra savoir et ressentir quand faire une pose, quand s'arrêter et s'il doit recommencer. Il ne devra jamais faire ces gestes sans le consentement de sa compagne. Ils devront discuter ensemble des moments privilégiés qu'ils choisiront pour faire ce cheminement ensemble. Bien sûr, il faut créer un environnement particulier afin de bien vivre ces moments de grande découverte. Il ne s'agit pas ici de chercher à obtenir un orgasme, ni pour l'un ni pour l'autre des partenaires. L'homme doit être conscient qu'il amène sa compagne dans le passé le plus intime de ses nœuds et de ses souffrances. Il doit avoir une attitude sacrée, respectueuse, détachée et, en même temps, être très présent, doux, et centré. Par ce geste, il lui permettra de dénouer tous les blocages émotionnels qu'elle a en elle. Il lui permettra de trouver son essence divine parfaite. Et quelle est l'Essence Divine parfaite d'une femme ? Elle est le don de la Vie, la création du devenir, la réceptivité pour transformer les énergies qui lui sont émises. Ceci ne veut pas dire qu'une femme doit à tout prix avoir des enfants, l'enfant physique peut très bien être remplacé par la création d'une énergie ou d'un projet.

Lors d'une relation sexuelle complète, l'homme en pénétrant sa conjointe, unit ses corps subtils aux corps subtils de sa compagne. Cette union vibratoire ainsi créée, ils peuvent ainsi communiquer dans l'Essence Divine de la Vie. Vous pouvez ainsi atteindre un niveau spirituel de conscience excessivement élevé, beaucoup plus puissant qu'une simple transe, qu'une méditation ou qu'une contemplation.

L'homme a-t-il ce point sacré aussi ? Pour trouver son point sacré, vous devez rechercher sa ligne d'énergie qui commence tout au bas du ventre, là où le pénis prend naissance. Si vous prenez, à la base du ventre, la largeur du pénis et que vous la divisiez en deux, vous allez ressentir un petit creux, et cette ligne d'énergie débute très exactement dans ce petit creux. Vous avez donc un méridien d'énergie qui part de ce point et qui se retrouve très exactement sous le rebord du gland, là où le cœur se forme. Le point sacré est exactement à la base de ce cœur et peut-être stimulé tout le long du méridien le rattachant à la base du pénis.

Aviez-vous déjà remarqué que la tête du gland ressemble à un cœur ? Ce n'est certainement pas pour rien que le corps de l'homme est ainsi fait. Il doit être utilisé par amour. Là où les ronds du cœur se referment pour créer une petite ligne qui se rend jusqu'à l'urètre, le point s'y retrouve. Vous pouvez donc le stimuler et ceci aura le même effet que pour la femme.

Vous pouvez caresser à fleur de peau le pénis en allant de la base de celui-ci jusqu'au point sacré, par des allers-retours. Ou vous pouvez pressez directement le point sacré en y apposant le bout de votre index, doucement puis par petites pressions continues pour quelques minutes.

Recommencez à caresser tout doucement la ligne d'énergie et revenez au point sacré. Ainsi vous créerez l'ouverture nécessaire à la conscientisation des blocages chez l'homme. Il est important de ne pas prendre le pénis au complet dans votre main et de ne pas y apposer votre bouche. Par contre, vous pouvez utiliser une huile d'amande douce biologique afin de faciliter la caresse.

Même si vous avez vécu vingt ans, trente ans, cinquante ans de sexualité, vous pouvez vivre cet état de conscience. Cependant, si vous décidez d'entreprendre ce voyage avec votre partenaire vous ne devez pas vivre de pénétration après ce mouvement sacré. Lorsque la femme aura atteint un moment qu'elle ne pourra plus dépasser, sans doute elle peut se mettre à pleurer, elle peut se mettre à rire, elle revivra les images, elle revivra les sensations. Elle retirera très doucement la main de son conjoint et se collera contre lui. L'homme aura des réactions très semblables. Il est possible aussi que la colère, la gêne, le mépris ou bien d'autres gammes émotionnelles se vivent au cours de ces moments particuliers. Donc, soyez ouverts et accueillants.

Attendez au moins 24 heures avant de faire l'amour au complet comme tel, avant qu'il y ait pénétration afin de permettre à la femme autant qu'à l'homme d'intégrer tout ceci. Laissez-vous le temps d'intégrer les changements. Laissez-vous pleurer, laissez-vous vivre ces émotions. **Ne jouez pas au pseudo thérapeute en le questionnant !** « Qu'est-ce que tu vis là, dis-moi, raconte-moi, explique-moi ». Ceci démontre une immaturité profonde, une jalousie et une possession inquiétantes. Laissez votre partenaire vivre ses émotions et vous exprimer ce qu'il souhaitera vous exprimer.

Maintenant quelle devrait être la forme parfaite d'un corps ? Serait-ce Barbie et Ken ? Normalement si tout le système hormonal s'est bien développé, la femme aura les hanches légèrement plus larges que la poitrine et une taille bien dessinée, peut importe son âge. L'homme aura la poitrine plus large que le bassin, la taille un petit peu plus large que celle de la femme et le bassin un petit peu plus étroit.

Pourquoi les corps sont-ils faits ainsi vous pensez ? Pour pouvoir créer un ovale énergétique parfait lorsque la femme et l'homme sont l'un devant l'autre. Donc l'Énergie Christique divine pure entre par le chakra de la tête, de la couronne si vous voulez, de la partie féminine, descend le long de sa colonne ressort par son point sacré, entre dans le point sacré de l'homme et remonte en lui jusqu'à son chakra coronarien, et le cercle continue. Donc c'est la raison pour laquelle les corps sont ainsi faits.

Pourquoi maintenant y a-t-il des personnes qui sont disproportionnées ? Ceci ne vient pas nécessairement d'un dérèglement hormonal. Ceci vient de blocages émotionnels vécus dans des vies passées, vécus dans la vie présente et qui ont engendré ces différences corporelles. Comment travailler le corps ? Comment amincir ou engraisser ou mieux proportionner votre corps ? Premièrement la posologie que nous vous avons donnée plus tôt modifiera votre forme corporelle. Deuxièmement bien sûr et toujours l'alimentation. Troisièmement mettre de l'ordre dans vos pensées. Et quatrièmement, il est excessivement important d'accepter votre corps tel qu'il est.

Admettons que vous avez vécu une frustration dans votre sexualité quand vous étiez petite fille. Quelle pourrait être cette frustration ? La mère travaille et vous devez élever vos frères et sœurs. Donc vous êtes frustrée et vous ne pouvez pas vivre votre féminité et votre sexualité selon son âge normal, vous devez être mère très jeune et non pas de vos propres enfants mais des enfants de votre mère.

Que se produira-t-il ? Ceci vous dégoûtera, ceci vous frustrera, même si vous voulez faire plaisir à votre mère, vous programmerez votre inconscient par ce genre de pensée : « Je ne serai jamais une femme ou une mère car je n'aurai pas le temps de vivre ». Ce blocage émotionnel va donc faire en sorte que vous ne développerez pas votre poitrine. Le même blocage fera en sorte chez l'homme qu'il ne développera pas une longueur naturelle au niveau de son pénis et une grosseur naturelle et intéressante de ses testicules. Plus vous continuez à vieillir et plus vous refusez d'accepter la situation.

Et plus vous vous achèterez des sous-vêtements pour camoufler vos formes réelles. Premièrement en utilisant ces déguisements continuellement, et non pas occasionnellement, bien sûr si vous avez une soirée particulière et que vous voulez porter un beau décolleté vous pouvez porter ce genre de soutien-gorge pour améliorer l'apparence, mais ceci peut se vivre quelques fois dans une année, lorsque vous le faites quotidiennement que se produit-il alors ?

Lorsque les hommes portent des prothèses, premièrement vous continuez en vous regardant dans un miroir à être frustré. Deuxièmement vous créez chez votre partenaire une grande frustration sexuelle parce que lorsqu'il vous voit habillé(e) ou qu'il vous voit dans cet état artificiel, il émane un désir et lorsqu'il vous voit nu(e) ou son désir tombe ou il doit fantasmer pour imaginer votre corps selon les proportions que vos vêtements lui donnent. Il est déçu, il doit donc fantasmer sexuellement, peut-être même sur une autre personne, afin de pouvoir vivre un orgasme intéressant.

Vous savez que pour les hommes, il existe des prothèses artificielles qui donne une apparence de grosseur, il y a même des pilules ou des produits qu'on peut insérer dans le pénis pour qu'il paraisse plus long ou plus gros. Lorsque vous vous déguisez ainsi que se produit-il en plus de vous mentir à vous-même et de décevoir votre partenaire ? Vous mentez à tous ceux qui vous entourent car vous êtes déguisé(e).

Apprenez donc, premièrement, à vous accepter tels que vous êtes. Deuxièmement à vous rendre compte que si vous avez un corps ainsi fait, c'est que vous avez des blocages. Vous pouvez être jaloux, possessif, insécure, vous avez peut-être un mauvais caractère comme de vous frustrer facilement pour un rien. Vous pouvez chercher à tout prix à manipuler et à dominer les autres. C'est normal vous êtes frustré(e).

Apprenez à caresser votre corps, apprenez à aimer votre corps, apprenez à reconnaître les parties sensibles de votre corps afin de pouvoir expliquer à votre conjoint quelles sortes de caresses vous aimez, comment vous aimez être caressé(e). Ceci est valable autant pour un homme que pour une femme. Montrez-lui comment vous aimez être caressée et s'il le faut, caressez-vous devant lui.

Apprenez-lui comment vous aimez être embrassé(e). Dites-lui qu'après avoir fumé un cigare, il se lave les dents avant de vous embrasser, si cela vous déplaît. Exprimez vos besoins, vos désirs autant que ce que vous n'aimez pas. Subir sexuellement des situations est ce qu'il y a de plus nuisible pour la réalisation d'un être. Brisez les fausses croyances, sachez que vous pouvez faire l'amour autant pendant la période menstruelle que n'importe quel jour de votre cycle. Ce n'est pas parce qu'il y a menstruation que l'homme attrapera une maladie. Les menstruations ce n'est pas sale. Il est sûr que de boire les glaires créées pendant la menstruation n'est pas une chose adéquate.

Sachez, messieurs, que de boire la glaire de la femme vous donne une source de minéraux d'oligo-éléments et de vitamines très bonnes pour votre corps. Un petit truc en passant, c'est la lotion messieurs la plus efficace contre les rides. De boire le sperme pour la femme est aussi la même chose. Ceci peut vous nourrir, et c'est aussi mesdames la lotion la plus intéressante contre les rides, les pattes d'oies et pour avoir une peau excessivement soyeuse, cependant il est très important qu'elle soit fraîche et juste brassée à point !

Le but ultime dans la réalisation complète de votre être par la sexualité est d'atteindre l'orgasme sans éjaculation. Cette chose se fait par la pratique en apprenant à respirer et par le mouvement corporel de la femme. C'est par les mouvements du bassin de la femme que l'homme éjacule. Par réflexe instinctif, la femme déposera son bassin plus vers l'arrière et créera ainsi un genre de succion qui apportera une pression nécessaire sur le pénis de son partenaire pour créer l'éjaculation. Donc c'est par le mouvement du bassin de la femme que l'éjaculation sera provoquée. La femme a donc à contrôler, par le rythme de sa respiration, les mouvements de son corps. Elle peut donc faire des exercices, s'étendre sur le ventre, respirer, bloquer sa respiration dans son vagin et sentir qu'elle expire par son ventre. En étant couchées sur le ventre vous pourrez bien ressentir, mesdames, ce mouvement.

Messieurs vous pouvez apprendre à contrôler votre respiration en faisant de la natation. Donc en nageant vous pouvez apprendre à créer une pulsion dans votre respiration au niveau du bassin. La natation est l'outil le plus intéressant pour l'homme puisque la position couchée sur le ventre est un peu plus difficile. En nageant, quand vous ramenez vos bras vers vous, envoyez votre respiration dans votre pénis et vous expirez en ressentant votre ventre se gonfler, à ce moment-là vos bras sont revenus au-dessus de votre tête.

Apprenez à expirer et à inspirer en comptant jusqu'à sept, donc vous inspirez en comptant jusqu'à sept, vous retenez en comptant jusqu'à sept et vous expirez en comptant jusqu'à sept et vous retenez à nouveau en comptant jusqu'à sept. Tranquillement, vous apprendrez à vous rendre jusqu'à vingt et un, dans chacun de ces cycles. Cette technique respiratoire est aussi valide pour l'homme que pour la femme.

La pénétration, comme telle, devrait se faire lentement, tendrement en regardant votre partenaire dans les yeux et lorsque l'attraction, l'aspiration se crée dans le vagin de la femme, si elle retient ce mouvement par sa respiration, si l'homme continue à la pénétrer doucement et calmement, vous atteindrez l'orgasme et l'état le plus extraordinaire dans toutes les sensations physiques possible sans éjaculer.

Saviez-vous que les femmes éjaculent ? Et ce sont celles qui ont un blocage émotionnel qui n'éjaculent pas. Donc la femme peut aussi contrôler son éjaculation et créer la lubrification naturellement juste pour suffire à la situation. Plus vous pratiquerez ou vous étudierez le tantrisme, plus vous apprendrez à connaître vos zones érogènes. Plus vous apprendrez qu'en faisant l'amour vous pouvez jaser, rire, pleurer, manger, utiliser des huiles essentielles pour vous caresser. Plus vous apprendrez que vous pouvez jouer en vivant votre sexualité, plus vous serez présents, heureux, en harmonie et évoluerez spirituellement. Plus vous développerez le sens Divin de la conscience de votre corps, plus vous atteindrez des états de conscience et d'orgasme sans éjaculation, plus vous serez heureux et en santé. Y a-t-il des questions maintenant ?

Participante : Vous parlez de couple, que font les gens célibataires et seuls ?

Tamara : Ils peuvent se caresser eux-mêmes plutôt que de laisser monter leurs frustrations et de les faire subir aux autres. Ils peuvent se regarder dans le miroir, ils peuvent se donner des massages, ils découvrent leurs zones érogènes, ils se font l'amour eux-mêmes en s'aimant eux-mêmes. Bien sûr, vous pouvez vous offrir un amant mais vérifiez soigneusement qui il est, prenez garde aux entités de bas astral autour de lui. Si vous vous promenez, vous entrez dans un bar, qu'il y a un homme qui vous plaît et que vous lui plaisez, que vous avez envie de faire l'amour avec lui, que vous êtes francs, sincères et honnêtes, « je n'ai envie que de faire l'amour. Je ne veux rien d'autre ». Vous pouvez le faire en vous sentant très bien et en harmonie si tout est très clair entre vous. Vous pouvez vivre votre sexualité de cette façon-là.

Il est préférable de vous « offrir » un amant ou une amante d'un soir, que de vivre frustrés sexuellement, de développer divers problèmes de comportement ou de santé à cause de cette frustration sexuelle. Il n'y a rien de mal à vivre une aventure avec un amant, pas plus qu'il y a rien de mal à vous offrir une prostituée ou un prostitué. Ce qui est important c'est d'établir vos règles, c'est d'être sincères, c'est d'être francs, c'est d'être vrais et de remercier cette personne du plaisir partagé, et de lui exprimer si cela a été plaisant ou non.

Cependant soyez vigilants au niveau de l'utilisation de l'alcool et des drogues. Apprenez à vous protéger sexuellement lors de vos expériences. Bientôt, les scientifiques et la médecine découvriront que, le microbe, le virus qui crée le SIDA est plus petit que les fibres des condoms, donc il passe à travers les fibres du condom. Ce n'est donc pas en utilisant un condom que vous n'aurez pas le SIDA... Si vous avez peur d'attraper le SIDA en faisant l'amour, vous l'attraperez forcément. Le SIDA vous l'attraperez si vous avez des blocages émotionnels nécessaires à le contracter et si vos corps manquent d'oligo-éléments et de vitamines. D'ailleurs ceci est valable pour toutes les maladies qui se communiquent par la sexualité.

L'herpès, le chlamydia et autres ne sont pas guérissables par des antibiotiques. On soulage les symptômes mais ça ne se guérit pas par des antibiotiques. Vous devez donc prendre des produits naturels, utiliser l'acupuncture, utiliser l'homéopathie qui est très importante en ce sens. Et si vous nettoyez vos corps des vaccins que vous avez reçus, en utilisant des doses homéopathiques spécifiques, vous aurez beaucoup moins de risques de contracter des maladies transmises sexuellement ainsi que bien d'autres maladies, car le grand affaiblissement de vos corps physiques a été fait en particulier à cause des vaccins. Y a-t-il des questions ?

Participant : Quelle fréquence d'éjaculation est avantageuse, d'après vous ?

Tamara : Nous allons vous dire ceci, une demi-tasse de sperme équivaut à cinq ans de vie en santé. Donc calculez le nombre de fois que vous éjaculez dans votre vie et vous pourrez connaître en moyenne votre longévité ou votre période de maladie pour le futur. Si la quantité de sperme que vous éjaculez dans le liquide spermatique est très faible vous pourrez vivre un peu plus longtemps en bonne santé.

Maintenant comment le désir sexuel d'une femme se crée-t-il ? La gentillesse et la séduction qu'un homme offre à son épouse, déclenchent en elle la production d'une hormone, qui en plus d'activer le chakra sexuel, ouvre son cœur au désir de l'accouplement et qui prépare ses organes sexuels donc ses seins, son vagin, le clitoris et la sensibilité de sa peau, à vivre l'acte sexuel. Sans la tendresse, sans la gentillesse, sans l'écoute, sans l'échange, sans la compréhension envers votre compagne, Messieurs, votre conjointe ne s'abandonnera jamais totalement pendant l'acte sexuel.

Votre femme n'aura pas de désirs sexuels envers vous si vous n'avez pas préparé le terrain adéquatement au cours des jours, des mois ou des heures de vos vécus quotidiens. Et même chose pour vous, Mesdames, la femme offre, l'homme prend, l'homme offre, la femme donne et transforme, la femme donne, l'homme est content et il travaille mieux et est de meilleure humeur. Donc Mesdames sans la gentillesse, sans l'écoute, sans l'acceptation et sans surtout l'encouragement, car les hommes ont besoin d'être encouragés, honorés, remerciés et valorisés plus que les femmes, vous ne pouvez pas vivre une sexualité harmonieuse.

Voici une recette particulièrement intéressante pour votre sexualité, si vous souhaitez expérimenter l'acte sexuel comme un outil de conscience réel. Premièrement, l'idéal serait d'avoir une diète excessivement sévère sans aucune forme de sexualité pendant au moins 21 jours. Ensuite les 21 premiers jours suivants, commencez par travailler vos points sacrés. Un soir c'est l'un, le lendemain c'est l'autre, non pas les deux le même soir, car les déblocages émotionnels que le premier partenaire vivra, fera en sorte qu'il ne sera pas présent aux déblocages émotionnels du second conjoint. Pour les 21 jours qui suivent, ne faites que vous caresser, ne faites que vous exciter, n'utilisez pas non plus la pénétration. Pour les autres 21 jours qui suivent, utilisez la pénétration, mais commencez aussi à utiliser la respiration et quand vous ressentirez le besoin de l'éjaculation ne bougez plus, fixez votre respiration dans votre pénis et retirez-vous. Et pour terminer cette thérapie, les derniers 21 jours, normalement vous serez aptes à vivre l'acte sexuel complet sans éjaculation en atteignant l'orgasme dans son extase la plus profonde.

Par ces étapes, vous développerez une toute autre forme de sexualité. Vous deviendrez conscients de l'essence Divine qui circule en vous. Vous acquerrez un contact d'une très grande intimité avec votre partenaire. Votre vie sexuelle deviendra pour vous un contact permanent avec la source d'énergie et d'information Christique. Jamais plus vous ne pourrez vivre bestialement vos rapports sexuels et votre passion. Si vous désirez explorer l'acte sexuel sous tous ses angles, il serait intéressant de ne pas vous limiter simplement au lit conjugal. Allez faire l'amour dans le bois, faites l'amour sur le plancher du salon, faites l'amour n'importe où, faites l'amour là où il y a de l'amour. Ne vous maintenez pas à une routine ennuyante et morose. Diversifiez autant l'avant-acte, que l'acte comme tel, autant que le post-acte.

Le fait d'utiliser votre imagination pour créer des contextes différents vous permettra d'éviter la monotonie et vous ouvrira des champs d'expérimentation fantastiques. Vivez votre sexualité là où vous aimeriez la vivre. Il n'y a rien de plus agréable que faire l'amour dans le bois ou sur la plage. Le respect d'autrui et des lois humaines doit cependant toujours être présent, même dans votre sexualité.

Le baiser, s'embrasser est la chose la plus importante dans la sexualité. C'est ce qui amène l'ouverture du chakra coronarien en activant la glande thyroïde, c'est aussi ce qui active la production de tous les liquides du corps. C'est la raison pour laquelle les prostitués n'embrassent jamais sur la bouche, y avez-vous pensé ? Ils ou elles ne sont pas intéressés à pénétrer dans l'Essence Divine de l'être qui se présente à eux, leur inconscient les protège contre ces échanges énergétiques. Embrasser votre partenaire et non pas seulement au moment de l'acte, mais l'embrasser souvent dans une journée sur la bouche, lui permet de maintenir son corps en santé, lui permet de maintenir l'ouverture de son chakra coronarien, lui permet d'activer tous les systèmes de lubrification de son corps, car le moindre des petits organes, la moindre des petites cellules dans votre corps est entouré de liquides.

Participante : Dans un couple, quand il y a un des deux conjoints qui est en train de vivre un karma sexuel, qu'il n'a point le goût de faire l'amour et de se faire toucher, comment harmoniser la vie de couple à ce moment-là ?

Tamara : La première des choses est d'avoir une conversation profonde avec votre partenaire au niveau de la sexualité commune au couple. Établissez ensemble les règles. Devez-vous demeurer sans sexualité parce que votre partenaire vit une période où il ne ressent pas le besoin sexuel ? La fidélité est une histoire d'église. Vous n'êtes pas tenue à être fidèle. Tout dépend des couples et de leur façon de voir et de vivre leur intimité en couple.

Vous pouvez vous offrir votre plaisir sexuel à vous-même, ou vous pouvez avoir une aventure si vous n'aimez pas vous masturber ou vous caresser vous-même, et que vous avez absolument besoin d'une pénétration. Ayez un amant, mais cependant mettez les choses au clair avec votre conjoint. « Présentement chéri, tu ne peux pas m'offrir le plaisir sexuel, j'en ai besoin et je te demande d'accepter ce besoin ». Bien sûr, vous n'irez pas lui raconter en détail comment vous avez vécu votre orgasme, pas plus que les détails de votre copulation. Il aura à respecter ce moment de votre intimité.

Autrement dit, la fidélité n'est pas une chose nécessaire et l'infidélité n'est pas une chose condamnable par Dieu. Si vous vous servez de l'infidélité pour manipuler ou abaisser votre partenaire, ça ce n'est pas correct. Si vous vous servez de votre infidélité pour vous empêcher d'être vraie avec votre partenaire, ça ce n'est pas correct non plus. Mais si vous avez un amant ou une maîtresse parce que vous avez besoin de vivre, dans le moment présent, ceci plutôt que d'avoir un cancer de l'utérus et une crise cardiaque, c'est normal et sain d'avoir une aventure. Tant et aussi longtemps que l'autre est au courant et consentant.

Vous pouvez demander aussi à votre conjoint s'il refuse de se faire toucher qu'il vous touche lui. Même s'il ne veut pas être touché, il peut vous offrir des plaisirs, il peut vous caresser. Et si vous vous sentez mal devant toutes ces propositions allez recevoir un bon massage de forme Trager. Ceci vous aidera à diminuer les frustrations d'ordre sexuel et vous vous sentirez mieux dans votre corps.

Autre sujet, l'âge n'a pas d'importance réelle dans le couple. Ce n'est pas parce que vous avez soixante ans que votre partenaire doit en avoir cinquante-huit. Bien sûr socialement il est important de respecter l'âge minimal de seize ans pour le consentement sexuel au Canada, cependant dans d'autres pays il y a d'autres mœurs. Mais qu'une jeune fille de vingt-cinq ans soit heureuse avec un vieux monsieur très viril et en pleine forme de cent quinze ans, c'est parfait. Qu'un homme décide de vivre sa sexualité avec un homme si c'est karmique, c'est parfait, si c'est émotionnel qu'il le règle.

Les seuls moments où la sexualité ne doit pas avoir lieu c'est quand il est question de tenter de manipuler l'autre, de le faire souffrir ou d'en arriver à la mort d'un des partenaires. Éthiquement, en tant que professionnelle et thérapeutique dans le domaine de la santé, la sexualité ne devrait jamais être vécue avec un client, à moins que vous viviez une formation tantriste avec un Maître. Le Maître tantriste peut faire l'amour avec vous, ceci fera partie intégrante de votre thérapie.

Il y aurait encore bien des choses à dire sur la sexualité, puisque ce sujet ne comporte pas seulement l'acte comme tel. Il y a toute la vie qui est impliquée dans la sexualité. Manger un fruit, semer un jardin, nager dans un lac, respirer l'air, tout est sexuel puisque tout utilise les sens humains.

L'important est de vivre vos rapports sexuels et intimes d'une façon harmonieuse et plaisante. D'avoir une grande ouverture au niveau de la communication afin de savoir parler de ce qui va ou de ce qui ne va pas dans votre vie sexuelle, est le plus bel atout d'une vie sexuelle comblée.

Que vous soyez une femme qui préfère les femmes, un homme qui préfère les hommes ou une personne préférant le sexe opposé, la vie sexuelle et intime est un espace privilégié afin d'atteindre des plateaux de connaissance et de réalisation personnelle extraordinaires.

Conclusion

Conclusion

Voici que se termine ce voyage dans Notre Monde de l'invisible. Nous avons tenté de trouver les mots, les expressions, les silences et les moments de pause les plus près de votre dimension afin que Notre message soit clair et compréhensible pour tous. L'Ère de la Conscience Nouvelle est arrivée. Vous avez une Terre à reconstruire, un Monde à rebâtir, une Histoire à réécrire. Vous aurez besoin de votre Volonté Divine, cette parcelle de Lumière qui vit en chacun de vous, pour accomplir les tâches qui vous attendent.

Une multitude d'Entités Spirituelles, comme Nous, se sont engagées, auprès du Genre Humain, afin de les aider à franchir les étapes qui viennent. Nous serons toujours auprès de vous pour vous inspirer de Notre présence et, si vous le désirez, pour éclairer votre chemin. La Voie de la Liberté approche, la Voie du Bonheur Réel se dessine devant vos yeux. Ne regardez pas que la noirceur, regardez plutôt la clarté que celle-ci dissimule.

Nous vous avons offert une multitude d'outils, pour vous permettre de mieux comprendre le fonctionnement des énergies et de la Vie, avec un grand V. Vous devez, maintenant, réfléchir, sélectionner, analyser et adapter toutes ces nouvelles informations à votre cheminement quotidien. Chose certaine, vous ne pourrez plus ignorer désormais les dénis ements qui bloquaient la circulation de vos énergies. Certes, la route sera encore longue devant vous, et de multiples étapes restent à franchir. La Voie de la Réalisation entière de votre être est toute tracée, il ne vous reste qu'à suivre ce chemin accompagné de votre intuition et de votre cœur.

Mieux vous connaître, vous reconnaître, comprendre votre Essence Divine et la manifester est le but ultime à atteindre. Mieux comprendre les autres ainsi que les relations que vous entretenez avec les autres, vous ouvrira des portes gigantesques devant de nouvelles réalisations.

Après toutes les étapes que Nous venons de vous proposer, il ne vous restera qu'une seule marche à gravir avant d'atteindre l'ascension, et c'est la transition moléculaire. Cette technique est la clé qui ouvre la porte de tout ce qui est. La transition moléculaire est la maîtrise complète et entière de la matière dense. C'est par cette façon d'être que les Maîtres Ascensionnés créent, construisent, instruisent et modifient tout ce qui est et existe dans tous les plans.

Lorsque vous serez prêt à intégrer de telles connaissances, un Maître viendra à vous et vous permettra d'apprentir cet ultime outil.

Le but de la Vie est de devenir Vie.
Bon Voyage sur Terre.

Célestement vôtre,

Tamara

Notes de l'auteure

Notes *sur l'auteure*

Brigitte Lamarre, très bien connue dans les milieux ésotériques, médium en transe profonde et consciente, depuis une trentaine d'année, présente ici son premier livre, reçu en chanelling au cours d'une série d'ateliers avec le Maître-Guide *Tamara*.

Originaire de la Gaspésie, née le 14 mai 1955, elle développe dès l'âge de huit ans des dons très particuliers qui l'amènent à découvrir ses talents en médiumnité. Durant vingt-cinq années, elle œuvre avec Aï-dha, une entité spirituelle très versée dans de nombreux domaines. C'est en sa compagnie qu'elle a développé une grande réputation dans le domaine de la recherche en médecines alternatives. Aï-dha manifeste aussi de très grands talents dans le développement de la personne sur les plans émotionnel et spirituel, ce qui se veut être sa sphère de prédilection.

Aujourd'hui, Brigitte fait autorité à l'échelon international et elle se consacre aux enseignements de *Tamara*, en transe profonde. Toujours dans le désir d'aider de plus en plus de personnes à se réaliser émotionnellement, matériellement et spirituellement, elle a accepté d'écrire ce livre selon la suggestion de son Maître-Guide.

Les ateliers de *Tamara* connaissent un grand succès à Sainte-Agathe-des-Monts au Québec, lieu de sa résidence. Et depuis le début de l'an 2000, *Tamara* se consacre aux enseignements de la Transition moléculaire, dernière étape à franchir avant l'ascension.

En plus de l'animation des ateliers, Brigitte continue à travailler avec des chercheurs experts aussi bien dans les domaines ésotériques que scientifiques et médicaux, et possède de ce fait une connaissance très éclectique. Sa curiosité inextinguible pour la connaissance de l'être humain, sa grande simplicité ainsi que sa joie de vivre communicative et spontanée, en plus de ses dons spirituels hors du commun, ont été les raisons pour lesquelles cette grande entité l'a choisie comme le porte-parole par excellence de ses enseignements.

Vous découvrirez, auprès d'elle, tout au long de votre lecture, la simplicité, la profondeur et l'enthousiasme d'un Maître-Guide vraiment exceptionnel.

Références

Références :

Voici les références pour le livre sur l'éco-gestion, l'auteur Monsieur Gilles Charest peut être rejoint au Québec au : (514) 382-3022.

* Afin de communiquer avec une personne décédée, Madame Marie Bolduc médium d'Abraham, seule entité mandatée pour ce genre de contact, peut être rejointe au (418) 833-1269.

* Si vous avez des difficultés avec des entités du bas astral embarrassantes et n'êtes pas capables de vous en départir seuls, voici les références de deux médiums spécialisés en ce sens, Monsieur David Stanger peut être rejoint au (819) 843-8376 et Monsieur Marcel Gardner peut être rejoint au (450) 565-1210.

* Pour obtenir de plus amples informations sur les appareils au gaz Xénon, vous pouvez contacter Monsieur Pierre Corbeil, fabricant de l'appareil Xiérom à :

Xiérom Inc.
C.P. 251
St-Jérôme, Québec, Canada
J7Z 5T9

La loi de la Dîme
est sans aucun doute
la première des lois
à intégrer dans vos vies,
si vous voulez faire changer
les choses sur votre
Terre d'Émeraude.

Divinement vôtre,
Tamara

Tamara,

est un Maître-Guide qui s'unit aux êtres humains pour faire avec eux le grand voyage vers la conscience, que nous avons tous entrepris.

Par sa grande simplicité, elle nous offre des outils concrets et efficaces afin de nous aider dans la réalisation complète de l'autonomie autant physique, émotionnelle que spirituelle.

Son but ultime est de nous ouvrir les portes de l'Ascension. Alors si tel est votre désir, vous apprécierez la compagnie de cet Être Spirituel.